IMPYRIUM

HENRY H. NEFF

IMPYRIUM

LIVRE II

Traduit de l'anglais (États-Unis)
par Luc Rigoureau

hachette
ROMANS

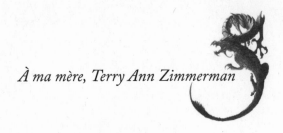

À ma mère, Terry Ann Zimmerman

L'édition originale de cet ouvrage a paru chez HarperCollins Children's Books,
a division of HarperCollins Publishers, New York,
sous le titre :

IMPYRIUM – BOOK 1
DEUXIÈME PARTIE

Couverture : Antonio Caparo.
Illustrations : Henry H. Neff

Traduit de l'anglais (États-Unis) par Luc Rigoureau.

© Hachette Livre, 2017, pour la première édition et la traduction française.
Hachette Livre, 58, rue Jean-Bleuzen, CS 70007, 92178 Vanves Cedex.

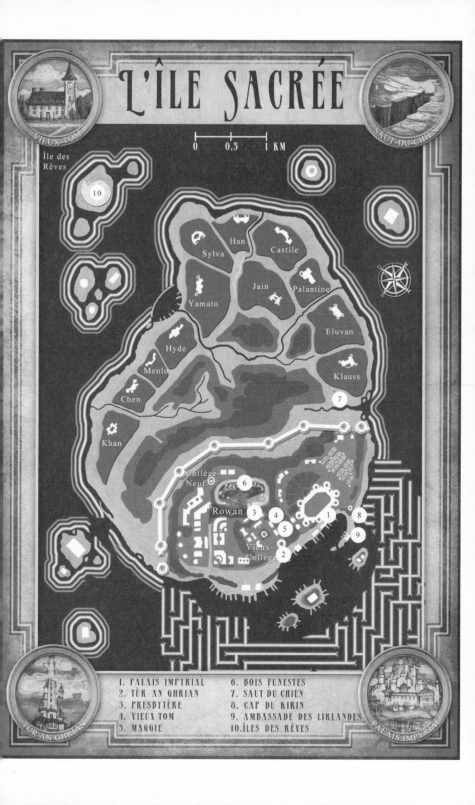

L'ÎLE SACRÉE

VIEUX-TOM

SAUT-DU-CHIEN

0   0.5   1 KM

Île des Rêves

10

Han
Sylva   Castile
Jain   Palantine
Yamato
Eluvan
Hyde
Menlo   Klauss
Chen   7
Khan
Collège-Neuf
6
Rowan   3   4   1   8
5   9
Vieux-Collège   2

TÙR AN GHRIAN

PALAIS IMPÉRIAL

1. PALAIS IMPÉRIAL   6. BOIS FUNESTES
2. TÙR AN GHRIAN   7. SAUT DU CHIEN
3. PRESBYTÈRE   8. CAP DU KIRIN
4. VIEUX TOM   9. AMBASSADE DES LIRLANDES
5. MAGGIE   10. ÎLES DES RÊVES

ℐMPY

GRIZLAND

Mer d'Azaël

6
Grizland
3
4
5

Muirland

ÎLE SACRÉE

Rowana

2 1

Mer
de Bregan

MUIRLAND

...RIUM

LIRLANDES

Mer
de Baalaskir

Mer
de Prusias

Afrique

Abysses
Hadésiens

ATELIER

CHAPITRE 1

LA FANTAISIE GROTESQUE

Je suis née poème, suis devenue chanson
et mourrai en conformité avec le grand livre des lois.
J'aurais préféré rester poème.

Mina Ire
(9 av. C. – 144 apr. C.)

M ars fut un mois difficile. Ses tempêtes faisaient tanguer
et craquer Tùr an Ghrian comme une hampe. Debout
devant une fenêtre, Hazel contemplait les eaux du port qui
moutonnaient. Même les bateliers étaient restés chez eux.
Deux navires de commerce étaient à l'ancre, leur proue éclairée par un étincelant sceau lirlandais.

La princesse s'épongea le front d'un revers de manche. Elle avait la bouche sèche et les os douloureux. Jamais Rascha ne l'avait autant aiguillonnée. À présent qu'elles en avaient fini avec les progressions, la luperca l'entraînait loin des ondes claires de ses débuts vers les abysses plus troubles de la mystique. Les défis auxquels se colletait Hazel n'étaient pas seulement éprouvants, ils étaient terrifiants.

De son bâton d'enchanteresse, le lycanthrope frappa le sol en malachite.

— Recommencez, Votre Altesse.

— Je n'en peux plus, Rascha. Je suis trop fatiguée.

— Parce que vous résistez. Pour réussir à se métamorphoser, il faut garder l'esprit ouvert. Cessez de vous cramponner à Hazel Faeregine.

— Mais je *suis* Hazel Faeregine !

Sa préceptrice souhaitait qu'elle se lâche, qu'elle entrebâille les portes de sa conscience. Cependant, l'adolescente craignait ce qui risquait de rôder de l'autre côté. Si elle n'avait plus entendu chuchoter La Faucheuse depuis l'excursion aux Bois Funestes, elle était de plus en plus obsédée par son portrait. Tous les soirs, elle le sortait de sa cachette pour l'observer à la lueur des chandelles. Sa ressemblance avec le modèle la réconfortait tout en la révulsant. Elle ne pouvait plus se coucher sans s'adonner à ce petit rituel.

— Ce n'est qu'un nom, objecta la louve. Vous êtes constituée de matière et d'énergie, auxquels s'ajoutent quelques maigres connaissances. Vous êtes par conséquent en mesure d'adopter toutes les formes que vous désirez.

Hazel décida de botter en touche.

— Pourquoi faut-il absolument que je me transforme en *cochon* ?

Assise près de la cheminée, Sigga rigola tout en tendant un quartier de mandarine à Merlin. L'homoncule, reconnaissant, s'en empara du bout des ailes.

— Parce que les porcs et les humains ont une anatomie similaire, expliqua Rascha. C'est la transmutation la plus simple à effectuer. Elle est aussi très pratique, et il m'est arrivé d'y recourir plusieurs fois.

Alors qu'elle achevait sa phrase, son visage lupin s'affaissa brusquement, sa toge s'affala à ses pieds, et la louve disparut au profit d'une truie aux soies noires et drues.

— Inutile de me montrer que vous savez le faire, se hérissa la princesse. C'est moi qui n'y parviens pas. Je n'ai pas assez de pouvoirs pour ça.

Les chairs de l'animal ondulèrent, ses vêtements reprirent leur ampleur habituelle, et il redevint un lycanthrope. Rascha se pencha lentement afin de ramasser son bâton.

— Vous en avez à revendre, contra-t-elle. Il vous manque juste un peu de concentration et de volonté. Recommencez.

Regagnant d'un pas lourd le cercle de monolithes d'incantation, l'albinos serra les poings et les paupières. Elle imagina le porcelet qu'elle aspirait à devenir, une boule rose toute mignonne à la queue tirebouchonnée.

— I'na morphos soo'ar, chuchota-t-elle. I'na morphos soo'ar…

— Bien, l'encouragea sa tutrice. Vous devez voir comme un cochon, entendre comme un cochon et même avoir l'odeur d'un cochon…

Hazel ne put s'empêcher de rire.

— Appliquez-vous ! tonna son mentor.

Le sourire de la jeune fille s'effaça. Docilement, elle écouta Rascha inciter son *alter ego* porcin à se manifester, à piétiner la terre de ses sabots fendus, à fouiller du groin les aiguilles de pin humides, à se gratter le flanc contre l'écorce des troncs.

Malheureusement, des impressions très différentes s'imposèrent à son esprit. Ce n'était plus un goret qu'elle distinguait, mais une immense créature aux plumes sombres et loqueteuses. Les arômes de pin humide se muèrent en puanteurs de cendre, de sang et de résine calcinée. La forêt brûlait, sa chaleur et son ardeur nourrissaient les feux intérieurs de Hazel sans pour autant les rassasier.

Sa peau de plus en plus étroite devenait inconfortable. Elle haletait par à-coups, et une saveur étrangement métallique emplissait ses poumons. À l'inverse de la métamorphose qu'avait exécutée Rascha, la sienne ne l'amena pas à rétrécir et à tomber à quatre pattes ; au contraire, elle grandit jusqu'à mesurer deux fois sa taille normale. Ses tibias et ses pieds s'allongèrent douloureusement. Le monstre imaginaire dépenaillé se matérialisait peu à peu. Des éclats incendiaires luisaient sur une face composite d'os, de bec et de chair. Il fondait sur elle, fondait sur eux tous. Dans un ultime élan de volonté, elle s'arracha à sa transe.

Ouvrant les paupières, elle tituba et se rattrapa à un lourd brasero. Pendant quelques secondes, elle en fut réduite à respirer goulûment, tandis que les élancements dans ses jambes s'amenuisaient.

— J'abandonne, croassa-t-elle.

— Pardon ? ricana Rascha. Vous n'avez même pas essayé ! Arrêtez vos simagrées. Persuadez-vous que vous êtes un cochon !

— Mais je n'en suis pas un ! se récria la princesse. Je n'en ai même jamais côtoyé. J'ignore comment ils flairent, se grattent, fouissent ou se meuvent. J'ai beau me concentrer… ce sont d'autres images qui me viennent. Si j'avais des expériences sur lesquelles m'appuyer, ce serait plus facile. Sauf que je n'en ai pas. J'ai passé toute ma vie sur cette île !

La luperca observa un instant de silence.

— Si vous êtes incapable de changer d'apparence, vous échouerez aux examens, finit-elle par lâcher.

— Je le sais. Mieux que quiconque.

Sa préceptrice se raidit.

— L'impératrice compte sur vous. Après vos bêtises avec l'épée lare de la maison Faeregine, vous lui devez d'y consacrer tous vos efforts. Il y a pires punitions que nettoyer les écuries des estalons. Elle a été très indulgente à votre égard.

— C'est vrai, admit Hazel. Mais le sera-t-elle autant avec vous ?

Dame Rascha s'assit pesamment sur un banc sculpté et fit signe à sa pupille de l'y rejoindre.

— Est-ce donc cela le problème ? lui demanda-t-elle. Vous avez peur pour moi ?

— Oui. Si je ne réussis pas, c'est vous qui en assumerez les conséquences. Ça me terrifie.

— Ta-ta-ta. À mon âge, les menaces et les châtiments n'ont guère d'importance. Je ne les redoute pas, alors inutile de vous appesantir dessus. Tout ce qui compte à mes yeux, c'est que vous soyez à la hauteur de vos capacités innées.

— Qui sont ?

— De devenir la plus grande mystique depuis Mina IV.

C'était la dernière chose que souhaitait entendre la princesse.

— Je n'ai aucune envie de lui ressembler, marmonnat-elle. De toute façon, La Faucheuse avait bien plus de pouvoir que moi. C'était une déesse.

Rascha s'inclina sur son bâton.

— On a cru que cette petite était muir durant toute la première période de son existence. Ses talents se sont révélés tardivement. Vous doutez trop des vôtres. Rappelez-vous ce que vous a dit Lord Kraavh avant que *Le Typhon* explose.

Hazel n'avait pas oublié cette conversation ni l'aura paralysante, presque hypnotique, du démon.

— Que je rayonnais, acquiesça-t-elle.

— Plus que beaucoup d'autres créatures, certaines nuits. Plus que les dragons des Portails. La Vieille Magie est en vous, mais vous ne la libérez pas. C'est ce qui vous distingue de La Faucheuse. Elle se délectait de sa puissance enchanteresse.

La jeune fille n'avait pas confié au lycanthrope qu'elle avait capté les murmures de son ancêtre, dans les Bois Funestes. Elle avait encore moins l'intention de lui révéler la vision épouvantable qu'elle venait d'avoir en essayant de se métamorphoser. Rascha faisait des rapports réguliers à l'Araignée, et Hazel ne tenait pas à ce que ce genre d'information circule. Pas maintenant. Pas tant qu'elle-même ne comprenait pas trop de quoi il s'agissait. Qui savait comment sa grand-mère risquait de l'interpréter ?

— Nous allons nous arrêter ici, décida Dame Rascha. Ça vous laisse juste le temps d'avaler un souper rapide. La fantaisie commence à 21 heures.

Hazel fut soulagée.

— Comment M. Smythe s'y rendra-t-il ?

— Il m'accompagnera en tant que domestique.

— Mais il est censé être mon invité. Je ne veux pas qu'il soit obligé de travailler.

— Je ne peux pas faire mieux, Votre Altesse, s'impatienta la vieille louve. Vos sœurs seront présentes. L'impératrice aussi, si ça se trouve. Vous souhaitez vraiment mener ce combat-là ?

L'albinos devina qu'il était inutile de protester, surtout si l'Araignée daignait apparaître. Jamais la souveraine ne tolérerait qu'un muir s'assoie dans la loge royale. Tant pis si les dures contingences de la réalité contrecarraient le plan que Hazel avait concocté : gâter Hob pour célébrer son rétablissement et le remercier de l'avoir aidée à briller au dernier test de Montague. Celui-ci avait particulièrement apprécié sa dissertation comparative sur l'économie théorique et l'économie pratique, au point d'en lire quelques extraits à ses camarades de classe. Isabel avait été impressionnée ; Violet, ahurie ; Imogene, verte de rage. Autant de réactions extrêmement satisfaisantes. Hazel était déçue par la ruse de Rascha. Certes, seuls les serviteurs favoris étaient choisis pour assister à des événements tels que les fantaisies. Il n'empêche, ce n'était pas pareil que les regarder en tant qu'invité de marque.

Elle dîna léger, coquilles Saint-Jacques poêlées et légumes verts, dans le salon commun des appartements des triplées. Violet était déjà partie, car elle devait manger en compagnie de Lady Sylva et de certaines de ses amies. Isabel en revanche était là, à se disputer avec Olo au sujet de la robe qu'elle porterait.

— La turquoise me plaît ! assena-t-elle.

La servante n'était pas d'accord, jugeant le décolleté un peu trop plongeant. Son Altesse était désormais une vraie demoiselle, et il lui fallait penser à ses… *appas*. Hazel jeta un coup d'œil à son propre corps osseux et tubulaire. Personnellement, elle n'aurait pas craché sur quelques appas.

— Qu'en dis-tu, Pamplemousse ? demanda Isabel à son homoncule, perché sur l'ottomane.

La benjamine trouvait ce nom, qui signifiait « gros citron », peu charitable, mais sa sœur l'adorait, et l'intéressé semblait ne pas s'en offusquer. Il releva la tête de son assiette de myrtilles. Pour un nouveau-né, il était d'une maturité choquante.

— La question ne se pose même pas, décréta-t-il. La turquoise, bien sûr.

Vaincue, Olo écarta la discrète tenue grise qu'elle avait choisie. Non sans manifester sa contrariété. Elle n'aimait pas Pamplemousse, qui n'hésitait jamais à exprimer son avis sur ce qui touchait aux vêtements et à la décoration, domaines qu'Olo considérait comme sa chasse gardée. Elle était plus tolérante envers Merlin. Il faut dire que ce dernier ne pipait mot. Hazel le chassa gentiment afin de s'admirer en pleine lumière. Elle était en soie jaune rehaussée de nacre. Pamplemousse l'étudia brièvement.

— Ça ne vous sied pas du tout, ma chère, lui lança-t-il, acide. Pas avec votre teint.

Hazel n'aurait pas été aussi catégorique. Et puis, elle aimait bien la coiffure qu'Olo avait élaborée. Elle la contempla d'ailleurs dans le carrosse qui les emmenait à la crique où les Faeregine ancraient leurs yachts. Ses tresses blanches étaient rabattues sur le côté, aplaties avec un soupçon d'onguent et retenues par une barrette en or. Elle se jugea aussi racée qu'une selkie, très différente d'Isabel à l'indomptable crinière brune. Son aînée lui arracha son miroir des mains afin d'enduire sa bouche du rouge à lèvres qu'Olo lui avait interdit.

— Je déteste les bateaux, marmonna-t-elle.

— Je crois que celui-ci est un clipper.

— Si je dégobille partout, ce me sera bien égal.

Pamplemousse émergea de sous les fourrures de sa maîtresse.

— Attention à vos chaussures ! lui conseilla-t-il.

Isabel l'avait affublé d'un costume en velours mauve taillé pour accueillir ses ailes. Hazel le trouvait horrible. Merlin, lui, portait du tweed, ce qui était beaucoup plus raisonnable.

Sigga ouvrit la portière et le garde du corps d'Isabel, un élément de la Division Écarlate rougeaud à favoris appelé Matthias Rey, aida les princesses à débarquer. Au bout de la jetée, *Le Vespéral* tanguait sur les eaux noires agitées. Agrippant le bastingage (elle avait toujours détesté les souliers à talon), Hazel salua le capitaine, qui les escorta à leur cabine. Heureusement, le trajet serait court. *Le Vespéral* mesurait plus de vingt-quatre mètres, mais il avait été conçu pour les régates estivales, pas pour voguer sur une baie démontée.

— Bon, comment va-t-il ? s'enquit Isabel en déclinant les amuse-gueules que lui présentait un matelot.

— Qui ? répliqua Hazel, alors qu'elle avait parfaitement saisi l'allusion.

— Un certain page de ta connaissance.

L'albinos feignit l'étonnement.

— Oh, lui ? Bien. Les luninsectes sont capables d'accomplir des miracles sur les blessures sans gravité. Même sa dent a été réparée.

— J'ai appris qu'il y avait de fortes chances pour qu'il soit là ce soir.

— Ah bon ?

Isabel leva les yeux au ciel.

— Arrête de faire l'imbécile. Archemnos a surpris Rascha en train d'arranger ça. C'est gentil de ta part de l'avoir convié.

Hazel eut le sentiment que ses épaules se déchargeaient d'un poids.

— Ce n'était que justice, après ce qui s'est passé. Même si je devine que Violet désapprouvera.

Isabel posa ses pieds sur la table.

— Quelle importance ? Elle s'entête à ne plus m'adresser la parole depuis que, selon elle, j'ai « mis la famille dans l'embarras ». Sauf que, sans nous, personne ne saurait que la véritable épée manque à l'appel. Je nous considère comme des héroïnes !

Hazel sourit. Avec sa sœur pour l'épauler, elle aurait été capable de marcher au gibet sans broncher. Son impertinence décontractée était tonifiante. Elle plaça Merlin sur le rebord du hublot. Dehors, le ciel était d'une clarté extraordinaire, le vent ayant repoussé les nuages vers le continent. Tout là-haut, la constellation du Dragon transperçait la nue couleur saphir.

La distance n'était que de huit kilomètres, rien de trop pour se frayer un passage à travers le labyrinthe. Leur destination était l'un des îlots de l'archipel qui hérissait le bras de mer séparant l'île Sacrée d'Impyria. Si la plupart servaient de bases navales, le plus grand, l'île des Rêves, était dédié aux arts.

À son sommet avait été bâti un vaste auditorium dont la spirale blanche évoquait un nautile. Hazel avait toujours apprécié l'élégance et les majestueuses salles sculptées de l'édifice. Ses précédentes visites n'avaient concerné que des représentations musicales ordinaires. Ce soir, elle allait assister à sa toute première fantaisie.

Il y en avait trois par an. Celle du printemps, dite la Grotesque, était de loin la plus populaire. Non seulement elle signait la fin des rigueurs de l'hiver, mais elle avait la réputation d'être plus étrange et choquante que la Pastorale de l'été ou que la Mélancolique de l'automne. L'Araignée avait d'ailleurs interdit aux triplées de se rendre à aucune avant leur douzième année. Des dizaines de yachts et plusieurs barges entouraient déjà l'île. Ces embarcations appartenaient aux Maisons Nobles, aux aristocrates de moindre rang et aux échevins et princes marchands les plus en vue. Les fantaisies étaient ouvertes à qui avait les moyens de s'offrir un billet, soit très peu de monde en vérité.

Les Faeregine possédaient leur appontement personnel, et le capitaine Whelk mena avec éclat *Le Vespéral* à bon port. Une fois le bateau au mouillage, Hazel et Isabel suivirent leurs gardes du corps sur le quai, où la presse les attendait. Elles esquivèrent au mieux les questions.

— Est-il vrai que vous aspiriez à devenir Divine Impératrice, Isabel ?

— Où est Violet ? Y aurait-il des dissensions au sein de la famille ?

— Lord Faeregine va-t-il réellement être destitué de son poste de directeur de la banque ?

Ignorant sa sœur qui la tirait en avant, Hazel s'arrêta net.

— Quoi ?

L'homme qui avait lancé le sujet écarta ses concurrents à coups de coude. Son visage grossier se fendit d'un sourire narquois.

— Bonsoir, Votre Altesse. Gus Bailey, de *L'Abeille Butineuse*. Est-il exact que votre oncle ait été démis de ses fonctions ? Que votre famille soit en train de perdre son contrôle sur la banque ?

— Ce sont des ragots, je ne suis pas au courant, répondit la jeune fille après s'être ressaisie.

Derrière son aînée, elle traversa le cordon de sécurité. Les échos ténus d'une musique de chambre voletèrent jusqu'à elles, en provenance de la salle de concert.

Bailey ne les lâcha pas, cependant.

— Pas de souci, Votre Altesse, pas de souci. Je me renseignais, c'est tout. Fréquenteriez-vous un page, par hasard ? Un certain Hobson Smythe ?

Hazel accéléra le pas, le visage brûlant malgré le froid. Alors qu'Isabel s'était figée, elle n'aspirait qu'à se réfugier à l'intérieur afin de mettre un terme aux rires et aux huées qui la pourchassaient. Elle était habituée aux journalistes insistants et impudents, sauf que là, c'était différent. Elle ne « fréquentait » en rien Hob, l'idée même était risible. Mais c'était typiquement le genre d'histoire susceptible de lui rendre la vie impossible. Qui était à l'origine d'une telle rumeur ?

Elle le devina à la seconde où, dans le vestibule caverneux, elle repéra Imogene Hyde en grande conversation avec Tatiana Castile, Rika Yamato et plusieurs autres précieuses ridicules. Elles se tenaient près du bar, bande sinueuse de séquoia placé sous des sculptures en verre qui flottaient dans l'air. À quelques pas de là, Lord Willem Hyde tenait salon en compagnie des patriarches des clans Castile et Yamato. Si la mère d'Imogene brillait par son absence, son frère Dante était près de leur père, portrait en plus jeune et moins chauve de leur géniteur. Apercevant l'albinos, Imogene sourit de toutes ses dents et lui fit signe de les rejoindre. Méprisant l'invitation, Hazel laissa un domestique la débarrasser de son manteau. Elle retira ses gants, guettant Isabel, qui ne tarda pas à débouler comme une furie.

— Les idiots ! fulmina-t-elle en ôtant ses fourrures. Matthias a balancé le calepin de ce reporter à la flotte, c'est déjà ça. Tu tiens le choc ?

— Oui. À mon avis, c'est Imogene qui a fait courir le bruit.

— Tu m'étonnes ! gronda sa sœur en toisant les pestes.

À cet instant, la benjamine des triplées entendit qu'on la hélait. Se retournant, elle découvrit oncle Basil qui approchait avec une clique de ministres. Il paraissait plus mince et joyeux que la dernière fois qu'elle l'avait croisé. Envoyant ses amis devant lui, il s'attarda pour enlacer ses nièces.

— Vous êtes magnifiques ! Toutes les deux. J'ai conscience qu'il est de règle de débiter des compliments, mais c'est vrai.

— Vous-même avez beaucoup d'allure, lui répondit Isabel.

Leur oncle les examina de nouveau, avec un brin de mélancolie incrédule.

— Dire qu'hier encore vous n'étiez que des créatures dénuées de dents et de cheveux, et voici que vous assistez à votre première fantaisie !

Il s'apprêtait à les quitter quand Hazel le retint par la manche.

— Un journaliste a prétendu que vous démissionniez. Est-ce vrai ?

— Qui ? se renfrogna-t-il aussitôt. Ce type de *L'Abeille* ?

— Oui.

— J'en ai par-dessus la tête, de ce plumitif, marmonna-t-il avant de fixer sa nièce et de se radoucir. Ignore ces racontars, je ne pars pas. Notre famille garde la direction de la banque. Notre famille gardera *toujours* la direction de la banque.

— Entendu, mon oncle.

Il l'embrassa sur le front.

— Bien. Je vous rejoins dans la loge. Et toi, chère voleuse, ne crois pas que j'aie oublié ma sirène. J'exige que tu me la rendes.

Isabel le suivit des yeux alors qu'il s'éloignait.

— De quoi parlait-il ? s'enquit-elle. De quelle sirène ?

— D'un livre. *La Petite Sirène.* Je le lui ai emprunté… hum, fauché, plus exactement.

Nouant son coude autour de celui de Hazel, Isabel l'entraîna au milieu du beau linge.

— Je n'ai jamais aimé cette histoire, commenta-t-elle. Comment peut-on trouver du charme à une coureuse de caleçons amphibie ? Elle me flanque plutôt les jetons, si tu veux mon avis…

Elles discutèrent ainsi jusqu'à la loge royale. C'était la plus vaste du premier balcon. Située en son centre, elle jouissait d'une vue imprenable sur la scène, les différentes fosses d'orchestre et, plus important encore, le public. Elle était déjà à moitié pleine, surtout de Faeregine de moindre catégorie en provenance du continent. Tout parent, aussi éloigné ou vague soit-il, bénéficiait à vie du privilège de s'asseoir dans la baignoire impériale. Les présents s'empressèrent de se lever quand les filles entrèrent.

Elles sourirent poliment çà et là, mais filèrent droit sur Dame Rascha et Archemnos, au deuxième rang. Divers serviteurs se tenaient au garde-à-vous le long de l'allée, dont Hob.

— Désolée, lui chuchota Hazel quand elle arriva à sa hauteur. Je pensais que ce serait… amusant. Malheureusement, ça ressemble plus à du travail.

Le garçon sourit.

— Pas du tout, Votre Altesse. Vous souvenez-vous de M. Grayson ?

— Ça va de soi, opina-t-elle avec un coup d'œil au page qui avait servi de second à Hob lors du duel. Ravie de vous revoir.

Le blondinet s'inclina. Depuis les deux sièges qu'elle s'était appropriés, tout devant, Isabel lui adressa un geste agacé.

— Tu viens ?

Elle avait hâte de se mettre à épier les spectateurs, un passe-temps dont elle raffolait, et ce depuis les premiers récitals auxquels elles avaient assisté. Avec Pamplemousse, elle scrutait déjà la salle, en quête des sujets les plus intéressants. S'installant à son côté, Hazel permit à Merlin de s'asseoir sur la rambarde, d'où il laissa pendre ses jambes maigrelettes. Il se dévissa le cou pour observer ses pairs domanocti qui se juchaient comme des étourneaux sur une perche spécialement aménagée pour eux, près du plafond.

— Scandale en vue ! souffla Isabel. Là-bas, près des hautbois. Il me semble que… Oui ! Il recommence ! Lord Martin est en train de tripoter les fesses de cette dame.

Les deux sœurs ricanèrent, puis Isabel s'intéressa aux loges du même balcon que le leur, appartenant aux autres Maisons Nobles. Elle porta ses jumelles de théâtre à ses yeux.

— Le duc Eluvan se laisse aller, commenta-t-elle. Il a encore grossi.

Pamplemousse suivit son regard.

— Ce n'est pas un duc, persifla-t-il, c'est un tonneau.

L'orchestre s'échauffait. Un basson émit une note mélodieuse qui domina la mêlée générale. Isabel pivota sur son fauteuil.

— J'ignorais que Montague serait là, se moqua-t-elle.

Pour le coup, les deux mauvaises langues cédèrent au fou rire. Pas Pamplemousse, cependant.

— Je vous prierais de ne pas dénigrer mon créateur !

Hazel se calma.

— Tu n'as que quelques semaines et tu en sais déjà tant, dit-elle. Comment ça se fait ?

— L'alchimie. Nous recevons tous une goutte de ceci ou de cela. Je crains que votre Merlin n'ait reçu trop d'antimoine.

L'homoncule concerné ne proféra pas un son, se contentant de se gratter l'oreille à l'aide de son aile.

— Quand pourrai-je voir à travers tes yeux ? s'enquit Isabel.

— Bientôt, ma chère, promit Pamplemousse en lui tapotant le bras. Le processus destiné à établir le lien spécial nous unissant prend du temps. Par ailleurs, aucun démon familier qui se respecte ne saurait partager ses pouvoirs dès le premier rencard.

Les lumières s'estompèrent, et un carillon annonça le début du spectacle. En bas, les retardataires, guidés par des placeurs, se précipitèrent.

— As-tu un programme ? demanda Hazel à sa sœur.

— Il n'y en a pas. Seuls les acteurs savent ce qu'ils nous réservent. Le Dr Phoebus compose chaque Grotesque en état de transe.

L'éclairage continua de baisser, et les musiciens cessèrent de s'échauffer. La salle était à présent quasi pleine, y compris la loge des Lirlandais. Hazel repéra Lord Kraavh et les trois fentes étincelantes de ses prunelles. Le public se tendit, impatient. L'albinos jeta un coup d'œil à Hob, mais il était tourné vers la porte. À cet instant, le chambellan annonça d'une voix de stentor :

— Sa Radieuse Majesté, la Divine Impératrice Mina XLII !

Hazel et les milliers de personnes présentes se levèrent quand l'Araignée, flanquée de Violet et de deux gardes du corps, s'engagea dans l'allée. Comme d'habitude, elle avait évité les atours élaborés au profit d'une tenue simple du rouge des Faeregine. Elle n'arborait ni maquillage ni bijoux, hors la couronne impyriale juchée sur son crâne aux cheveux rares. Dans l'éclat aveuglant des projecteurs de la scène, son visage avait tout d'un masque mortuaire. Ses traits étaient crispés, ses lèvres minces figées en une grimace de veuve. On aurait dit un cadavre, si ce n'avait été pour ses yeux, vifs, noirs et acerbes, rusés comme ceux d'un joaillier. Nul dans la loge royale n'échappa à leur attention, tandis que la souveraine descendait lentement les marches. Son regard s'attarda sur Hazel.

Personne ne broncha tant qu'elle ne fut pas installée. Elle posa une main translucide sur le bras d'oncle Basil et le gratifia d'un baiser sans amour quand il l'aida à s'asseoir. Isabel s'inclina vers sa sœur.

— Elle a l'air si frêle, lui souffla-t-elle.

La benjamine hocha la tête avant de reprendre sa place. Voir une déesse sur un trône d'or était une chose ; observer une vieille bique arthritique se traîner sur quelques marches en était une autre. Tout le monde devait spéculer sur le temps qu'il restait à l'Araignée. Un an ? Un mois ? Hazel éprouva de la pitié pour Violet. Elle ne tarderait pas à prendre la relève.

Après un ultime éclat de lumière aveuglant, une obscurité impénétrable tomba sur la salle. Plusieurs spectateurs poussèrent des cris d'effroi. Hazel agrippa les doigts de sa sœur.

— Ça fait partie de la représentation ? s'inquiéta-t-elle.

— Je... Je n'en sais rien, répondit Isabel d'une voix étrangement voilée.

À l'aveuglette, l'albinos chercha Merlin. En vain. Il semblait s'être volatilisé. Elle agita une main devant ses yeux, ne distingua rien. Elle ne sentait rien non plus, y compris son fauteuil. C'était comme si elle flottait dans de l'encre. Même le son de sa respiration avait disparu. Une espèce de sortilège étouffait systématiquement ses sensations. Un bourdonnement subsonique, grave et lent, résonna. Ses vibrations infiltrèrent peu à peu le corps de Hazel, et les battements de son cœur s'adaptèrent au rythme primitif.

Boum-boum... Boum-boum... Boum-boum...

Le vibrato gagna ses molaires, qui parurent la picoter. Bien qu'elle n'ait pas lâché Isabel, elle ne captait pas la chaleur de sa peau. Il n'y avait à présent plus que le *son*, gigantesque, envahissant. Son esprit planait. Depuis combien de temps était-elle ici ? Une heure ? Des jours ? Quelle était la vitesse de ses pulsations cardiaques ? Tout était engourdi.

Soudain, elle huma un parfum de lilas. Rien qu'un soupçon, mais qui suffit à éveiller un flot de souvenirs. Elle jouait au soleil dans un jardin. Assise non loin d'elle, une femme contemplait la mer. Bien que n'ayant pas encore quarante ans, elle semblait accablée de soucis. Son épaisse chevelure noire voletait dans le vent. Hazel remarqua une chevalière à son doigt. Un garçonnet dodu apporta un scarabée qu'il venait de trouver. La femme lui adressa un sourire contraint avant de regarder Hazel.

— Couvre-toi, Arianna, tu commences à rougir.

Boum !

Un soubresaut ébranla la salle, et la jeune fille hurla. Les timbales rugirent, accompagnées par une lame à tonnerre et des cloches discordantes. Désorientée et terrifiée, Hazel se trémoussa sur son siège.

Les percussions se turent, tandis que des lumières se manifestaient, fleurs aux couleurs les plus pures qui gambadaient çà et là, merveilleusement vivantes et tragiquement éphémères. Elles s'éteignirent en laissant derrière elles un vide douloureux. Hazel reverrait-elle un jour de telles splendeurs ? Pourquoi prenait-elle ces miracles pour acquis ?

Les tambours roulèrent de nouveau, plus bruyants et rapides, prédateurs. Ils lui firent penser aux Bois Funestes. Quelqu'un chantait-il également ? Il lui sembla percevoir un chœur ténu de voix éthérées.

Boum !

Cette seconde déflagration marqua la réapparition de la salle. La scène noyée dans la pénombre grouillait de silhouettes longilignes à l'excès qui se tortillaient, s'entrelaçaient et se balançaient comme des reptiles sur le point de se battre ou de s'accoupler, vision à la fois répugnante et ensorcelante.

Isabel tapota sur son épaule et tendit l'index en l'air. Hazel fut bouche bée. Sur les planches, les mouvements des danseurs paraissaient abstraits ; reflétées au plafond, leurs ombres mimaient une histoire. Elle se demanda comment une gestuelle aussi désordonnée en apparence réussissait à projeter un ensemble aussi cohérent et précis. Cela relevait-il de la magie ou du pur talent ?

D'autres instruments jouaient, maintenant. Un des orchestres exécutait des mélodies, le second une cacophonie assourdissante. L'auditoire avait l'impression que c'était à celui des deux qui s'époumonerait le plus fort. Pourtant, de temps en temps, les sons convergeaient pour former des harmonies si parfaites que Hazel en avait le souffle coupé.

Le spectacle avait un sens. La musique devenait cauchemardesque. Les projecteurs s'attardaient sur les artistes, des némones à la dégaine bizarre et fantastique.

Théoriquement, ils étaient humains, bien que ce soit difficile à croire au premier abord. Durant des millénaires, on en avait fait l'élevage jusqu'à aboutir à une race d'êtres doués d'une grâce extrême. Totalement glabres et androgynes, ils se mouvaient avec une fluidité troublante, à croire qu'ils étaient privés d'articulations. Certains mesuraient plus de deux mètres quarante, presque trois parfois, avec des cous d'un mètre de long et des jambes aux muscles fuselés. Ils passaient toute leur existence sur l'île des Rêves, servis par des domestiques. Si le Dr Phoebus était le grand compositeur et chef d'orchestre des fantaisies, les némones en étaient l'attraction principale.

Hazel se tourna afin de voir si Hob profitait du spectacle. Elle fut consternée : raide comme un piquet, il ravalait difficilement une expression de dégoût. Le cœur de la jeune fille se serra. Elle avait cherché à l'éblouir, à lui montrer un aspect de la vie royale comme il avait partagé avec elle ses expériences au Muirland. Le goût pour les fantaisies et les némones n'était peut-être pas inné.

Les orchestres se turent de nouveau, laissant la voie libre à un seul instrument qu'accueillirent des applaudissements. L'albinos reporta son attention sur la scène. Dans la flaque d'un projecteur, un kitsune en tunique lâche jouait d'un belyaël rouge. Reisu était la plus célèbre musicienne d'Impyrium. Grâce à une paire de bras et à seize doigts supplémentaires, elle avait une habileté inégalée quand il s'agissait de faire sonner les innombrables cordes et perles de son instrument.

Toutefois, aucun doigt superflu n'était nécessaire pour ce morceau-là, dont les notes simples étaient criardes et menaçantes. Les némones reculèrent vers le fond de la scène, tandis qu'une nouvelle attraction émergeait de sous le plateau.

Il s'agissait d'une masse énorme, vaguement anthropomorphique. Une bête ? Un oiseau ? Hazel n'aurait su dire, mais ce tableau requérait sans doute que plusieurs danseurs œuvrent ensemble sous une sorte de peau hérissée de plumes. Le résultat avait quelque chose de désagréablement familier. La créature bougeait, se secouait, tirait sur des chaînes. Des ombres étranges voltigeaient désormais sur les murs. La princesse appuya son menton sur la rambarde. Qu'est-ce que c'était que ce machin ?

Une silhouette enfantine papillonna sur les planches, coiffée de ce qui ressemblait à la tiare des Faeregine. Elle tourna autour de l'amas de plumes, le flatta, le caressa. Au fond, les némones s'agitaient, de plus en plus anxieux. La minuscule danseuse couronnée tenta de diriger leurs mouvements, de les contrôler, mais ils bondirent et la renversèrent sur le sol. Elle se retira alors au milieu de la scène, près de la masse noire entravée qui frémissait.

— Je crois que ce truc est censé représenter La Faucheuse, chuchota Isabel à l'oreille de sa sœur.

Cette dernière hocha la tête. Elle l'avait soupçonné dès l'apparition de la petite ballerine. Mina III avait été une souveraine sans envergure, ce qui expliquait peut-être pourquoi elle était ici représentée sous les traits d'une enfant.

Celle-ci plaça sa couronne sur le monstre enchaîné. Aussitôt, ce fut une explosion de lumière et de bruit. Brisant ses liens, La Faucheuse se redressa, encore et encore, allant jusqu'à dominer les némones les plus grands, qui s'écartèrent, tandis que des flammes d'un vert aveuglant émanaient de la prisonnière libérée, se répandaient sur le plancher et s'attaquaient aux murs. Les spectateurs applaudirent cette illusion de toute première catégorie.

Pas Hazel. La bouche sèche, elle regarda l'abomination aller et venir, tel un rôdeur. De temps en temps, elle se ruait sur un danseur et l'engloutissait dans un frémissement de plumes frénétique. Sa victime disparaissait, et elle grossissait.

La musique devenait de plus en plus échevelée. Le Dr Phoebus agitait sa baguette à droite et à gauche. Ses œuvres reposaient-elles vraiment sur des visions ? Le règne de La Faucheuse remontait à plus de deux mille ans. Pourquoi était-elle le sujet principal de cette Grotesque ? Les murmures qu'elle avait émis dans les Bois Funestes avaient-ils atteint ou influencé le compositeur ?

Les némones avaient formé deux rondes qui tournaient dans des sens opposés à celui du monstre. Ils donnaient l'impression de glisser au-dessus du sol, tant leurs mouvements étaient déliés et sinueux. Leur danse envoûtante suivait un schéma. Ils se transmettaient une épée, visible par l'auditoire mais pas par la déesse assoiffée de sang. Dès qu'elle semblait sur le point de découvrir la lame, celui qui la tenait la lançait à un camarade avec une dextérité et une agilité stupéfiantes.

Les flammes vertes virèrent à l'or au fur et à mesure que la quête de La Faucheuse gagnait en hystérie. Les artistes s'égaillaient à son approche, la fuyaient avant d'être à portée de main, se repassant l'épée si vite que Hazel finit par la perdre de vue. L'ignominie virevoltait dans tous les sens pour tenter de la récupérer. Elle se précipita sur un danseur pour découvrir qu'il n'avait plus le trésor qu'elle convoitait...

Je t'attendais. Je t'attends...

Les mots furent à peine chuchotés dans le cerveau de Hazel que la salle disparut. Au lieu d'assister à une représentation, elle somnolait dans un hamac. Quelqu'un la secoua sans beaucoup d'égards. Elle entrouvrit un œil. Un adolescent était campé près d'elle avec une lanterne dont la moitié des volets étaient baissés.

— Le cap'taine réclame du café.

— Fais-le toi-même, Ratier. Mon quart vient de se terminer.

Ces paroles sortant de sa propre bouche choquèrent Hazel.

— Y a trois heures, Danny ! Debout, ou je t'écorche.

Pourquoi ce gars l'appelait-il Danny ? Quand il vit qu'elle ne réagissait pas, il porta un petit couteau au niveau des cordages qui retenaient le hamac. Se levant en vitesse, Hazel découvrit qu'elle portait des vêtements de toile grossière et de robustes chaussures bon marché. Luttant contre le roulis, elle tituba jusqu'à un lavabo. Le visage ensommeillé qui se refléta dans le miroir n'était pas le sien.

Elle s'était transformée en garçon !

Aucun doute. Hazel Faeregine était un gamin mal coiffé et endormi qui ne devait pas avoir plus de huit ans et n'avait visiblement qu'une envie : retourner se coucher. En bâillant, il attrapa une casquette sur laquelle étaient brodés en fil blanc les mots *L'Étoile Polaire*. L'enfonçant sur ses cheveux châtains, il fusilla Ratier des yeux avant de gagner une cambuse, où il entreprit de moudre des grains en attendant que l'eau chauffe.

Le monde nous attend.

Le bateau fit une brusque embardée qui précipita Hazel contre la coque, tandis que la bouilloire se renversait et que des ustensiles de cuisine dégringolaient de toute part. De l'eau brûlante gicla sur sa main et elle chercha un torchon. La peur affolait son cœur. Elle regarda autour d'elle, craintive, perdue. Que se passait-il ? Dans un frisson grinçant, le navire s'arrêta. Elle poussa un cri.

D'autres lui répondirent, en provenance du pont, suivis par un hurlement qui lui glaça les sangs. Lâchant son torchon, elle se blottit dans un coin, pareille à une souris paralysée de terreur. Un braillement rauque retentit – le capitaine appelant à la rescousse.

Il y eut un coup de canon, dont les échos ébranlèrent la cambuse. D'autres lui succédèrent, tirés au hasard apparemment. Le fracas était abominable. Les cris étaient tels que Hazel plaqua ses mains cloquées sur ses oreilles. Quelqu'un déboula. Le garçon qui l'avait réveillée. Il était d'une pâleur mortelle. S'emparant d'un maillet de charpentier, il lui ordonna entre ses dents de se réfugier dans la cale, de se cacher là où elle pouvait...

Un objet traversa la cuisinette en fracassant les madriers comme des allumettes et coupant la pièce en deux. Ratier avait disparu. Si ça se trouve, il n'avait jamais existé. Hazel resta recroquevillée sur elle-même. Une pluie glaciale l'aspergeait. Elle leva la tête vers le ciel noir tumultueux. Le toit s'était volatilisé.

Tu vois ce que nous devons affronter.

Une forme sinueuse emplit son champ de vision. Un tentacule. Hérissé de piquants. Luisant de l'intérieur. Phosphorescent. Ses dimensions dépassaient l'entendement. Il était beaucoup plus haut que n'importe lequel des mâts pourtant colossaux de *L'Étoile Polaire*. Il grimpait vers les nuages, s'enroulait comme un fouet gigantesque. Lorsqu'il redescendit, la jeune fille ferma les paupières et récita une prière qu'elle ne connaissait pas.

Il est temps que tu me laisses venir.

La princesse sursauta violemment. De retour dans la réalité, elle agrippait la main d'Isabel. Les timbales retentissaient au point d'ébranler les fauteuils. Sur scène, La Faucheuse tournait le dos à un némone qui, soudain, brandit l'épée qu'il cachait. Il prit son élan, et la lame fendit l'air comme une flammèche, une fois... deux... La créature monstrueuse tourbillonna juste au moment où le coup tombait, la transperçant en plein cœur.

Vlan !

La Faucheuse explosa alors en centaines de corbeaux piailleurs et caqueteurs qui s'envolèrent au-dessus de l'auditoire, avant de filer par d'étroites lucarnes percées dans le plafond, poursuivis par les flammes. Les volatiles disparurent dans un assourdissant fracas de cymbales.

Les lumières se rallumèrent pour l'entracte. Les spectateurs, qui avaient applaudi avec enthousiasme, commencèrent à quitter les lieux.

— Génial ! s'exclama Isabel. Qu'en dis-tu, Pamplemousse ?

— J'ai déjà fait mieux, personnellement.

— Pff ! s'esclaffa sa maîtresse. Tu n'as même pas un mois…

Elle s'interrompit en voyant sa sœur, raidie sur son siège, le visage crispé et baigné de sueur.

— Hazel ? Tu as l'air toute patraque.

— Je crois que je vais vomir.

— Un peu d'air te fera sûrement du bien.

Acquiesçant, l'albinos se leva. Immédiatement, ses jambes se dérobèrent sous elle et la pièce se mit à tanguer. Elle tendait le bras pour tenter de retenir sa chute lorsque, soudain, des mains l'attrapèrent par la taille et la redressèrent.

— Ne vous inquiétez pas, je vous tiens, chuchota Hob.

Après l'avoir stabilisée, il la remit aux bons soins de Sigga, qui l'obligea à s'asseoir contre un pilier. Hob resta près d'elle, rempart la protégeant des curieux, tandis que la Grizlandaise et Rascha s'en occupaient. Inquiète, la luperca posa son poignet contre le front de la jeune fille.

— Pas de fièvre, diagnostiqua-t-elle. Vous avez mal au ventre ?

— Non, haleta Hazel. Seulement la tête qui tourne.

La préceptrice fronça les sourcils.

— Il arrive que les fantaisies produisent de drôles d'effets sur les âmes sensibles. Vous en avez assez vu pour ce soir, me semble-t-il.

Sa pupille opina. Isabel surgit.

— Comment va-t-elle ?

— Son Altesse rentre à la maison, annonça la luperca. Souhaitez-vous nous accompagner ?

Isabel déclina l'offre après s'être assurée que sa benjamine n'avait rien de grave. La Grotesque comportait trois actes, et elle ne voulait pas manquer les autres effets pyrotechniques, combats à l'arme blanche et horreurs pataudes composées de corbeaux vivants. Elle reviendrait à bord de *L'Hippocampe*. Elle déposa un baiser sur la joue de sa sœur, puis s'empressa d'aller papoter avec ses camarades de classe.

Hob et Sigga aidèrent Hazel à se relever. Elle avait récupéré mais se sentait toujours nauséeuse. Elle regarda brièvement la scène vide. Dans les fosses d'orchestre, les musiciens changeaient leurs anches en discutant à mi-voix entre eux. Ceci aurait pu être l'entracte d'une symphonie banale ou de n'importe quel opéra. La princesse commença à se reprocher sa sottise. Quelqu'un d'autre avait-il vu ce qui se passait à bord de ce navire ? Était-il normal d'avoir des hallucinations pendant une fantaisie ?

Tandis que Hob filait récupérer leurs affaires au vestiaire, elle remonta l'allée à pas lents. La loge s'était en partie vidée, mais l'Araignée était restée à sa place, entourée par ses domestiques personnels. Quand Hazel approcha, elle invita du geste Dame Rascha à la rejoindre. Cette dernière s'agenouilla de façon à ce que l'impératrice puisse lui parler à l'oreille. Après un bref hochement du menton, la louve retourna auprès de sa pupille.

— Que voulait-elle ? lui demanda celle-ci en clignant des paupières, éblouie par le vif éclairage du hall.

— Rien, Votre Altesse. Votre grand-mère souhaitait seulement savoir si M. Smythe était le garçon qui s'était battu en duel contre Lord Hyde.

L'albinos plissa le nez.

— En quel honneur ?

— Aucune idée, Votre Altesse.

Elles descendirent l'escalier. Hazel se tenait à la balustrade en verre, Sigga dans son sillage. Hob les attendait déjà. Alors qu'il lui présentait son manteau, on la héla. Levant les yeux, elle aperçut Imogene et d'autres précieuses alignées sur la mezzanine.

— Il faut croire que les rumeurs sont fondées ! lança la peste. Amusez-vous bien, vous deux !

Sur ce, elle leur envoya un baiser salué par les ululements moqueurs de ses compagnes. Pivotant sur ses talons, Hazel quitta les lieux, franchit la barrière des paparazzis et regagna le quai auquel était ancré *Le Vespéral*. Il ne fallut que quelques minutes à l'équipage pour larguer les amarres.

Installée dans sa cabine, la princesse fixait les lumières d'Impyria. Il lui était impossible de regarder quiconque, sous peine d'éclater en sanglots. Ces murmures, cette scène sur le bateau… Elle avait la boule au ventre. Lorsque le capitaine Whelk vint aux nouvelles, elle le pria de lui accorder un entretien en privé. Ignorant le regard inquisiteur de sa préceptrice, elle accompagna l'homme sur la passerelle. Sigga leur emboîta le pas mais resta dans la coursive.

— Votre Altesse souhaite-t-elle tenir la barre ? s'enquit le capitaine. Bien que cela remonte à plusieurs années, je suis sûr que vous n'avez pas oublié comment on s'y prend.

— Non, rien de tel. Je me demandais juste si vous connaissiez un navire appelé *L'Étoile Polaire* ?

Le visage du marin s'éclaira.

— Absolument. Le frère de mon épouse y sert. Comme premier quartier-maître. C'est une splendeur. L'un des vieux bateaux hadésiens.

Hazel eut du mal à trouver ses mots.

— Et... il est en mer actuellement ?

— Non, au radoub du côté de Malakos, Votre Altesse. Il ne repartira pas avant au moins une semaine.

La princesse respira plus librement, pour la première fois depuis le début de la fantaisie, lui sembla-t-il. Elle remercia le capitaine, regagna sa cabine et son siège près du hublot. Si la soirée ne s'était pas déroulée comme prévu, au moins, elle ne venait pas d'être témoin d'une catastrophe réelle. Dame Rascha vint s'asseoir près d'elle.

— Qu'y a-t-il ?

— Rien. Une question qui me turlupinait.

— Vous êtes bouleversée. Est-ce à cause de la gamine Hyde ?

— Non. Laissez tomber s'il vous plaît.

Elle ferma les yeux. Dame Rascha excellait dans de nombreux domaines, mais pas dans celui qui consistait à déchiffrer les émotions. Malgré sa bonne volonté, elle était incapable d'empathie dès qu'il s'agissait des sentiments de sa pupille. Les lupercas ignoraient la peur ou la gêne, au sens que leur donnaient les humains du moins. Hazel aurait aimé ressembler plus à Hob. Il avait été confronté à des tas de défis, il avait même vécu des situations violentes sans tomber dans les pommes ou perdre contenance. D'où venait ce genre de rudesse ? Naissait-on avec ou s'acquérait-elle ?

Elle distingua le reflet du garçon dans la fenêtre. Assis face à Sigga, les mains serrées, il fixait un antique globe terrestre vissé au plancher. C'est à son image que la jeune fille s'adressa :

— Vous auriez pu rester, vous savez ?

Sur la vitre, son regard croisa le sien.

— Merci, Votre Altesse. Ce que j'ai vu m'a amplement suffi.

— Vous n'avez pas aimé la Grotesque ?

Court silence.

— Disons que c'était une expérience à vivre.

Se détournant du hublot, Hazel s'appuya contre l'épaule de sa préceptrice.

— C'est drôle. Je passe mon temps à dire à Rascha que je manque d'expériences. Normales, s'entend, pas comme les fantaisies. Je n'étais encore jamais allée aussi loin que l'île des Rêves, vous imaginez ?

Hob tendit l'index sur la rive opposée du bras de mer.

— La plus grande ville du monde se trouve juste de l'autre côté. Pourquoi maître Montague n'y emmène-t-il pas votre classe ? Vous étudiez le Muirland, pourtant.

Hazel s'esclaffa.

— Voilà sans doute trente ans qu'il n'a pas quitté l'île Sacrée. Une fois qu'ils ont décroché un poste à Rowan, les enseignants s'y accrochent comme des bernacles à leur rocher.

— Dans ce cas, allez-y seule.

Rascha se tendit aussitôt. Hazel s'apprêtait à dire qu'elle n'y était pas autorisée, sa réponse habituelle à chacune des invitations à visiter la capitale qu'elle recevait. C'était la façon la plus rapide d'abréger la discussion. Sauf que, là, quelque chose la retint.

Pourquoi pas, après tout ?

Elle était une princesse, pas une prisonnière. Douze années durant, elle n'avait pas bougé de Rowan, en partie par respect de la tradition royale, mais aussi parce qu'elle préférait en général rester dans sa chambre avec un bon livre ou un grimoire. Ses deux sœurs, elles, s'étaient rendues sur le continent. Rarement, mais quand même. À bien y réfléchir, l'albinos avait l'impression d'être un lapin qui, trop timide pour s'aventurer dans la prairie, n'était jamais sorti de sa cage. Cette prise de conscience l'étonna tant qu'elle en oublia la vision dérangeante qu'elle avait eue pendant la Grotesque.

— Ce serait envisageable ? demanda-t-elle à sa préceptrice.

— Quoi donc ? De visiter Impyria ?

— Oui.

— Certainement pas. C'est bien trop dangereux, en ce moment. Vous n'êtes pas d'accord, agent Fenn ?

Sigga ne l'était pas, ce qui irrita vivement la louve.

— Son Altesse devrait se déguiser, mais je ne vois aucun mal à une petite excursion en pleine journée. Ça lui éviterait peut-être de faire le mur la nuit.

— Ça n'est arrivé qu'une fois ! protesta l'intéressée.

Rascha ne céda pas.

— On verra ça après votre anniversaire. En attendant, chaque minute nous est précieuse, d'autant que nous allons perdre une semaine avec le Bal de mai et la nuit de la Saint-Jean. Nous prendrons des vacances après votre anniversaire, je vous le promets. Vous n'avez pas envie de découvrir les Monts des Sorciers ?

— Oh, Rascha, soyez raisonnable ! plaida Hazel. Je ne peux pas attendre jusque-là. Je suis dans une impasse. Si ça se trouve, Impyria m'inspirera, me fournira un matériau inédit auquel me référer. Vous ne voyez donc pas à quel point ce pourrait être *utile* ?

Elle insista sur le dernier mot, ne pouvant guère discuter de ses études de magie devant Hob.

— Et si ça ne donne rien ?

— Nous aurons gaspillé une journée, c'est tout. Et puis, même si cette balade ne *nous* sert pas, je ne doute pas qu'elle se révélera pleinement fructueuse pour ce qui concerne les cours de Montague.

— *Maître* Montague, la corrigea le lycanthrope.

Hazel savait que la victoire était à portée de main dès lors que sa préceptrice se mettait à pinailler. Elle se blottit contre elle.

— Je vous en prie, Rascha ? Rien qu'une petite virée ?

Elle lissa le châle de la louve. Cette dernière poussa un gros soupir et la contempla avec affection.

— Une véritable loupiote qui réclame un joujou, hein ?

— Mais une loupiote adorable, rigola la princesse. Et un joujou très éducatif.

— Entendu. J'en parlerai à l'impératrice. Si elle accepte, vous pourrez y aller. Vous, mon garçon !

Hob tressaillit.

— Oui ?

— Vous connaissez la ville ?

— Certains quartiers mieux que d'autres.

— Bien. Puisque l'idée émane de vous, vous viendrez avec nous. Vous montrerez à Son Altesse toutes les choses muirs. Et si ça se passe mal, je vous aurai sous la main, ça me facilitera la tâche quand je vous étranglerai.

Hob sourit.

Pas la luperca.

CHAPITRE 2

UN PEU
DE TOURISME

Quelles bizarreries ne trouve-t-on pas dans une grande ville,
quand on sait se promener et regarder ?
La vie fourmille de monstres innocents.

Charles Baudelaire, poète pré-cataclysmique
(192-146 av. C.)

Deux semaines plus tard, Hob avalait une tartine grillée
et beurrée à un coin de table, dans la salle à manger des
domestiques. Bien que située au sous-sol, elle était illuminée par des puits de lumière aux parois plaquées de miroirs
dans lesquels le soleil se reflétait. Dans les cuisines voisines,
on entendait les harpies travailler en chantant (et en jurant).

Comme il était 8 h 30 en ce dimanche, les lieux étaient quasi déserts. Les personnes en service avaient déjà mangé – elles n'avaient pas droit à leur grasse matinée. Du coup, Hob récupéra un journal quasiment entier abandonné par les lève-tôt. La première page manquait, mais c'était mieux que d'habitude, où l'on pouvait s'estimer chanceux de parcourir les encarts publicitaires. Le garçon grignota donc son toast tout en profitant du plaisir de lire des nouvelles presque complètes en provenance de tout l'empire. Il tournait une page quand une voix enjouée retentit :

— Eh bien, monsieur Smythe, je vois qu'on prend ses aises !

C'était Maeve Poole, une servante originaire des îles Skeiner. Ayant souvent les mêmes horaires, tous deux s'étaient liés d'amitié. Hob écarta une chaise pour que la nouvelle venue s'assoie, mais elle montra le plateau en argent qu'elle portait.

— Je ne peux pas. Lady Ferrina exige son petit déjeuner chaud et à l'heure. Tu participes au rentre-dedans, aujourd'hui ? Karina et moi pensions voir ça. Il paraît que tes prouesses méritent le déplacement.

— Non. Je bosse.

Maeve regarda avec scepticisme le costume et la casquette en laine de son ami.

— Pas habillé comme ça.

— Sur le continent.

Le visage parsemé de taches de rousseur de la jeune fille se renfrogna.

— Ne serait-ce pas en compagnie d'une certaine princesse, par hasard ?

Hob termina sa tartine.

— Tu sais bien que je n'ai pas le droit de répondre. Les affaires des Faeregine sont privées.

— Surtout celles de la personne concernée. La rumeur est donc fondée ?

— Quelle rumeur ?

La domestique battit des cils. Hob reposa son café.

— Tu lis trop Gus Bailey, lui reprocha-t-il. Ce rapporteur de ragots n'est pas digne de confiance. Ses articles sortent du caniveau.

— Apparemment on partage ton avis, puisque c'est là qu'on l'a retrouvé.

— Pardon ?

D'un geste du menton, Maeve désigna la gazette pliée sur son plateau.

— Gus Bailey est mort. On a découvert son corps hier soir derrière les locaux de *L'Abeille*.

— Que s'est-il passé ?

— Quelqu'un a jugé bon de lui trancher la gorge.

Le page en resta bouche bée. Éclatant de rire, la servante lui lança l'exemplaire de son journal avant de gagner la porte.

— Tu n'as qu'à lire ! Lady Ferrina s'en fiche complètement !

Hob la salua d'un signe de tête. Il digérait encore la nouvelle. Même si Gus Bailey ne lui inspirait que du mépris, il n'appréciait pas d'apprendre le meurtre de quiconque. En même temps, ça n'avait rien de très étonnant. L'homme avait gagné sa vie en irritant les puissants et les riches. Les moustiques qui vous harcèlent trop longtemps finissent par se faire écraser.

Il ouvrit le quotidien. Toutefois, ce ne fut pas la une sur la mort de Bailey qui retint son attention, mais un gros titre tapageur au-dessus de l'ours :

L'Étoile Polaire disparaît en pleine mer
Le galion sombre au large de Malakos. On soupçonne les Lirlandais.

Selon des témoins, *L'Étoile Polaire*, navire amiral de la société de transport maritime Thaler & Company, a coulé avec tout son équipage tôt ce matin, non loin de Malakos. *La Gazette* est au regret d'annoncer que, en plus de la cargaison perdue, plusieurs éminentes personnalités se trouvaient à bord...

Hob serra les mâchoires tout en parcourant la liste des passagers – que des mehrùns et des nobles de seconde catégorie. Nulle mention des nombreux matelots qui avaient eux aussi trouvé la mort dans la catastrophe. Évidemment. Ce n'étaient que des muirs. Il poursuivit sa lecture :

Des pêcheurs racontent que le vaisseau a sombré quelques minutes seulement après avoir franchi les balises signalant son entrée au-dessus des territoires démoniaques. Malgré la tempête nocturne, le sceau lirlandais du bateau était pourtant bien visible. Il faisait voile au sud-ouest quand il s'est brusquement arrêté, de façon inexplicable. D'après les témoins, le fanal a été agité par une secousse violente avant de s'enfoncer dans la mer. Les experts supputent que la coque s'est brisée en deux.

Les premiers soupçons se portent sur les Lirlandais. Lorsque les eaux sont relativement calmes, rares sont les obstacles naturels susceptibles de couler un bâtiment de la taille de *L'Étoile Polaire* et en aussi bon état. Il n'y avait pas d'iceberg dans la région, par ailleurs dénuée de hauts-fonds ou d'écueils. Si les démons sont effectivement responsables, l'incident constituerait une violation flagrante du traité de l'Hiver-Rouge, qui garantit la sécurité de toute embarcation équipée d'un sceau. L'ambassadeur Kraavh a publié un communiqué rejetant toute implication de son peuple. Il ne nous a pas été possible de le contacter pour de plus amples informations, car il est confiné dans sa représentation depuis la récente explosion du *Typhon*. L'enquête se poursuit…

Hob parcourut la fin de l'article en diagonale avant d'émettre un léger sifflement. C'était ce genre d'incidents qui provoquait les guerres. Il se demanda quelle position prendrait la Confrérie en cas de conflit entre Impyrium et les Lirlandes. Il était indubitable que les Faeregine et les Maisons Nobles en ressortiraient affaiblis. Sauf que des milliers – des millions ! – de muirs y perdraient la vie. Encore fallait-il que l'empire triomphe. Que se passerait-il en cas de victoire des Lirlandais ? Le royaume des Faeregine avait tout d'un paradis, comparé au monde dirigé par les démons.

Le garçon emporta sa vaisselle sale dans les cuisines, où les harpies mixaient, écrasaient, hachaient et éminçaient, sous la férule de Bombasta. Ces derniers mois, il s'était pris d'une étrange affection pour les mégères, dont l'apparence terrifiante masquait des qualités plus attachantes. Certes, elles étaient odieuses et bestiales, mais elles pouvaient aussi se montrer généreuses, drôles et d'une loyauté à toute épreuve envers ceux qu'elles jugeaient dignes de leur amitié.

Hob avait gagné ce statut, d'abord parce qu'il s'était battu en duel contre Dante Hyde, ensuite et surtout parce qu'il avait les « roupettes » (terme tout en délicatesse de Gorgo) de courtiser l'une des princesses Faeregine. Dès qu'il se risquait à nier ce dernier haut fait, les harpies se bornaient à agiter les tabloïds dont elles raffolaient comme autant de preuves irréfutables. Bien qu'elles aient parié sans vergogne sur la date de son exécution forcément incontournable, elles respectaient sa témérité. Il était un crétin fini, mais il était *leur* crétin fini.

Déposant son assiette et sa tasse, il se rendit à la table des boissons, où l'attendait Bombasta.

— Tiens, tiens, tiens, Mister Smythe ! À moins qu'il faut que je t'appelle joli cœur ? Bon, ton café, tu le veux comment ?

— Noir.

Elle remplit une Thermos.

— J'aime que mon pognon brille. Tu l'as apporté ?

— On a de bonnes places ?

Le chef haussa les épaules tout en revissant la bouteille.

— Aucune idée, mais le pote qui m'a branchée sur le coup est fan. L'arrête pas de me casser les oreilles avec. Et blablabla, BUT !

— Ça marche.

Hob tira quatre demi-lunes de sa poche. Bombasta secoua sa tête aux cheveux crasseux.

— Six.

— On avait dit quatre, répliqua-t-il en refermant sa paume.

La harpie se pencha vers lui autant que sa bedaine le lui permettait.

— Et moi, j'te dis six ! Pour service rendu.

— C'est du racket.

Elle lui pinça la joue de ses doigts gras.

— Voilà un bon petit page qui va me dégoter deux autres pièces d'argent.

— Sigga Fenn.

Le sourire de la mégère se fana.

— Tu te fiches de moi ?

— Non, c'est son argent.

— OK, le service est gratuit, alors.

Il déplia sa main, elle n'y prit que trois pièces.

— Pour qu'y ait point de malentendu ent' nous, d'accord ? marmonna-t-elle. T'es un bon gars.

Elle tendit la Thermos à Hob tout en fouillant sa volumineuse chemise, en quête des précieux billets. Le garçon accepta sans broncher l'enveloppe moite et froissée, puis il tourna les talons et enfila les multiples rampes et marches qui descendaient jusqu'au port de Rowan. Au poste de garde, il fut fouillé, et ses possessions inventoriées. Depuis qu'on avait découvert la disparition de Bragha Rùn, tous ceux qui quittaient l'île Sacrée étaient soumis à un contrôle en règle de leurs affaires. Pendant qu'un soldat lui vidait les poches, Hob se rendit compte à quel point il avait hâte de poser un pied sur le continent. Il ne s'y était pas rendu depuis qu'il avait été embauché au palais. De nombreux serviteurs n'accomplissaient d'ailleurs le trajet qu'une ou deux fois l'an. Certains n'étaient pas retournés là-bas depuis des décennies. Sa curiosité satisfaite, le garde tamponna ses papiers.

Départ autorisé.

Pour quelqu'un ayant grandi dans les Sentinelles, ces simples mots donnaient le frisson. À l'exception des occasionnels collecteurs d'impôts ou employés chargés du recensement, les habitants de Brune avaient peu de contacts avec les fonctionnaires impyriaux. Le Nord-Ouest était trop sauvage et trop peu peuplé pour que les autorités s'embêtent avec. Ici, c'était une autre histoire ; tout ou presque exigeait de la paperasse et un feu vert. Même Hazel Faeregine, descendante directe de Mina Ire, devait obtenir la permission officielle de s'éloigner de chez elle. Qu'on la lui accorde sans difficulté était hors de propos – un geôlier clément n'en restait pas moins un geôlier.

Hob sortit et inspira à pleins poumons l'air de ce beau matin d'avril. Le printemps était arrivé. On le humait dans la brise saline, on l'entendait chanter dans les cris des mouettes qui survolaient la mer et plongeaient dans les flaques d'eau saumâtre. Le sable gris et humide étincelait de coquillages et était jonché de varech. Les souliers de Hob s'enfonçaient à chaque pas en chuintant, laissant des empreintes que la marée balaierait dans l'après-midi. Bien que cette idée l'attriste, l'adolescent se dit que les hommes n'étaient que de passage sur Terre, finalement, y compris les Faeregine.

Au poste de contrôle, il montra ses papiers à l'un des gardes, dont il ignora le grognement signifiant que l'autre l'avait reconnu. Apparemment, les harpies n'étaient pas les seules à se délecter des journaux à scandale. L'homme lui fit signe d'avancer.

— Ne t'approche pas du *Loup de Mer*, l'avertit-il. Son capitaine a décrété l'état d'urgence après la mésaventure de *L'Étoile Polaire*.

Hob poursuivit son chemin. Il observa le galion en question. Des marins déchargeaient des caisses de sa soute et de son pont à l'aide de cabestans. Un sceau lirlandais luisait comme un soleil fantomatique sous le beaupré. Le navire était d'une taille astronomique. Les remorqueurs et les yachts du port avaient des allures de joujoux, à côté de lui. Revinrent à la mémoire du garçon les lignes de l'article consacré à la disparition de *L'Étoile Polaire*. Quelle force extraordinaire était-elle capable de briser en deux pareil vaisseau ?

Il fut le premier au lieu du rendez-vous. Il s'assit sur un banc et contempla les oiseaux qui tournoyaient autour du phare du cap Kirin. L'ambassade des Lirlandes, un bâtiment qui évoquait une couronne de corail noir, se dressait dans son ombre. Une barricade avait été installée sur la route côtière y menant. À quelques encablures de là étaient ancrés deux destroyers impyriaux. Le garçon songea qu'il lui faudrait en informer la Confrérie.

Il se demanda combien de rapports supplémentaires il allait devoir rédiger. Au fil des semaines, il en était arrivé à la conclusion qu'il était un bon enseignant mais un piètre espion. Il était trop orgueilleux, trop prompt à vouloir défendre son honneur dans des situations où les muirs n'étaient pas censés en avoir un. Les agents doubles dignes de ce nom ne se battaient pas en duel et ne figuraient pas dans les pages people des magazines ; c'étaient des êtres insipides et oubliables qui glanaient les renseignements à leur portée, doublés de petits malins qui fournissaient des informations loin d'être accessibles à tous. C'était cette dernière qualité qui les différenciait des simples indicateurs et, à cet égard, Hob avait piteusement échoué. Ses comptes-rendus sur Hazel s'étaient résumés à décrire son comportement bizarre dans les Bois Funestes et le malaise qui l'avait saisie lors de la fantaisie, ainsi qu'à signaler qu'elle veillait tard chaque soir au sommet de Tùr an Ghrian. Bref, aucun détail susceptible d'apporter un quelconque éclaircissement sur ses aptitudes à la magie.

Il avait pourtant mené son enquête à ce sujet, mine de rien, à force de petites questions innocentes sur le type d'exercices qu'elle faisait, ce à quoi ressemblait la tour du soleil levant, et ainsi de suite. Malheureusement, elles n'avaient abouti qu'à un sévère rappel à l'ordre de Dame Rascha le priant de bien vouloir s'en tenir à ses cours sur le Muirland.

Or ses leçons s'achèveraient sous peu. Il était parfaitement conscient que les notes de Hazel étaient la seule raison expliquant qu'on ne l'ait pas encore renvoyé. Elles s'étaient nettement améliorées, et pas qu'auprès de maître Montague. Il n'empêche, Hob savait qu'il lui restait peu de temps pour en apprendre plus avant la fin de l'année scolaire, date à laquelle on le flanquerait dehors, puisqu'il aurait cessé d'être utile à Hazel Faeregine. Avec un peu de chance, Oliveiro lui fournirait des références et un pécule pour qu'il s'en aille sans faire de vagues. La Confrérie serait déçue, voire fâchée, mais M. Burke lui trouverait bien un autre usage.

Les minutes s'écoulèrent, et il commença à céder à la paranoïa. Plusieurs yachts avaient accosté avant de repartir. Vieux-Tom saluait la fuite du temps. 9 heures. 9 h 30. Toujours pas de Hazel en vue. Le garçon vérifia auprès d'un garde qui patrouillait qu'il était sur le bon appontement. Il était presque 10 heures quand un banquier d'un certain âge en costume gris lui demanda où se trouvait le quai n° 7.

— Vous y êtes, répondit-il en jetant un coup d'œil aux deux jeunes employés de bureau qui accompagnaient l'inconnu.

— Bien, se réjouit l'homme. Il semble que l'illusion soit efficace. Venez, monsieur Smythe.

Hob tressaillit.

— *Sigga ?* souffla-t-il.

— Rascha, riposta le banquier d'un ton sec. Fermez la bouche, mon garçon. Vous ne pensiez tout de même pas que nous nous aventurerions dehors sans être déguisées, si ?

Se levant, il suivit le trio le long de la jetée en essayant de deviner lequel des deux jeunots était la Grizlandaise, lequel la princesse. Rascha les entraîna non vers une élégante embarcation de plaisance mais jusqu'à un modeste voilier dont le capitaine somnolait, un chat sur les genoux. Il entrouvrit un œil quand la luperca s'interposa entre le soleil et lui.

— C'est vous, Yezdani ? maugréa-t-il. Vous êtes en retard.

— Oui. Merci de nous avoir attendues.

L'homme cracha du jus de chique par-dessus bord.

— C'est votre argent. Grimpez donc. Et évitez d'abîmer la peinture.

Il rit à sa propre blague, car le peu de couleur qui restait au *Chien Fou* était passée et écaillée. Les voyageurs descendirent la passerelle, pendant que le capitaine lançait des ordres à une fillette qui, pieds nus, jouait aux osselets à la poupe. Se renfrognant, elle se leva et détacha les amarres.

Le bateau fila. Par les hublots sales de la cabine, Hob vit le capitaine les conduire vers des bateliers qui patientaient, ballottés dans leurs barques. L'un d'eux s'empara de ses rames afin de les guider à travers le labyrinthe. Le plus jeune des employés de banque, un rouquin d'une dizaine d'années, vint se poster près du page.

— Pardon de vous avoir fait languir. J'ai failli me raviser au dernier moment.

Hob ouvrit des yeux ronds.

— Votre Altesse ?

Le gamin hocha la tête. Son comparse, un adolescent basané, repoussa de vieux journaux pour s'asseoir sur un banc.

— Vous aurez droit à votre propre illusion quand nous débarquerons de cette barcasse.

— Agent Fenn ?

— À votre service.

La princesse examina les lieux sordides.

— « Barcasse » est le mot juste, soupira-t-elle.

Rascha se laissa lourdement tomber à côté de Sigga.

— Vous vouliez vivre de vraies expériences, Votre Altesse. *Le Chien Fou* est le bateau le moins cher jusqu'au continent. Il est très prisé des domestiques et des négociants.

La jeune fille déguisée en garçon écarta une miette de sandwich.

— *Le Vespéral* me manque.

Les quatre passagers restèrent dans la cabine, pendant que le voilier suivait le batelier dans les détours sombres du labyrinthe. Il était plus facile d'en sortir que d'y entrer, même si Hob constata qu'ils empruntaient un trajet différent de celui qui les avait menés à la Grotesque. Pour autant, il ne s'habituerait jamais aux parois vertigineuses et aux brumes étouffantes du filet protecteur de l'île Sacrée.

Dès qu'ils s'en éloignèrent, le soleil étincela de nouveau. Ils contournèrent les murs extérieurs du labyrinthe au sud et mirent cap à l'ouest, en direction d'Impyria. La proue du *Chien Fou* fendait les vagues dans de grandes gerbes d'eau. Hob se détourna du hublot… et sursauta.

— Qu'avez-vous ? s'enquit Hazel.

— Vous n'êtes plus déguisées.

— Si, objecta Sigga avec désinvolture.

— Mais je vous vois comme le nez au milieu de la figure, agent Fenn ! Vous avez cessé d'être un jeune homme en costume gris.

— Vous peut-être, admit la Grizlandaise. L'illusion perd progressivement ses effets sur ceux qui sont dans le secret. Ce n'est pas le cas du capitaine ni de la gamine. Regardez.

Produisant un miroir de poche, elle l'inclina de manière à montrer son reflet. À sa grande surprise, le page découvrit qu'elle avait toujours l'apparence d'un employé de bureau. Pareil pour Rascha et l'albinos.

— Les glaces ont tendance à intensifier l'illusion, expliqua Sigga. Elles renvoient une image fausse. Même aux plus avisés, parfois.

Hob avait besoin d'air. Il sortit. Le capitaine fredonnait une chanson paillarde. Le chat s'était couché à côté de la fillette, qui avait repris sa partie d'osselets. L'adolescent s'accouda au bastingage tribord. Au nord, il apercevait l'île des Rêves et son auditorium, pareil à un coquillage blanc échoué sur un lit de roches noires. Il ne distinguait aucun autre édifice et se demanda où vivaient les némones. Baissant les yeux, il suivit son ombre qui bondissait sur la houle. Une deuxième, plus haute, se joignit à la sienne.

— Vous allez bien ? lui lança Sigga.

— Il fallait que je respire. Je n'apprécie pas beaucoup les bateaux.

— Normal, vous êtes originaire des Sentinelles.

Hob acquiesça.

— Je pensais justement à votre village, enchaîna le garde du corps. Brune a été mentionné dans une note des services de sécurité.

— Ah bon ? Il s'est passé quelque chose ? Un raid ? Ma mère et ma sœur…

— Rien de tel, l'interrompit son interlocutrice en balayant d'un geste ses inquiétudes. Il s'agit d'un lieu de fouilles voisin. Les archéologues qui sont revenus reprendre leurs recherches se sont rendu compte qu'un intrus s'y était introduit.

Intérieurement, Hob s'incita au calme.

— Je connais l'endroit. Il est interdit. Quelqu'un y serait donc entré sans autorisation ?

— Oui. Et en a éliminé le gardien. On a trouvé un fusil tordu dans la main du golem. Un Boekka.

La tueuse de la Division Écarlate se tut et observa les vagues d'un air songeur.

— Vous en possédiez un, non ? reprit-elle. C'est avec lui que vous avez traqué ce loup du Cheshire.

— Tout le monde en a un, dans le Nord-Ouest.

Sigga eut un sourire félin, gourmand et rusé qui révélait la Grizlandaise en elle.

— Je ne vous accuse de rien. L'effraction s'est produite vers la mi-octobre. Votre dossier stipule que vous avez été enrôlé à l'École des domestiques en juillet. À moins d'avoir le don de téléportation, vous n'avez pas pu vous rendre sur le site.

— Content de voir que vous êtes aussi consciencieuse, lâcha-t-il en s'appliquant à ne rien trahir.

— Mais il est possible que votre dossier ait été falsifié, poursuivit-elle en martelant le garde-corps des doigts. C'est déjà arrivé, et vous êtes assez malin pour ça. Auriez-vous trafiqué les renseignements vous concernant, monsieur Smythe ?

— Non, répliqua-t-il en soutenant son regard.

— Excellent.

Hob ne réussit pas à déterminer si le ton signifiait qu'elle était satisfaite ou le complimentait d'être un acteur aussi doué.

— Êtes-vous déjà allé à Whitebarrow ? poursuivit-elle avec un coup d'œil en biais.

La question était si inattendue qu'il en resta coi. Whitebarrow était un champ de ruines des hautes Sentinelles, non loin du col qui permettait d'accéder au Grizland. Les habitants de Brune partaient du principe qu'il s'agissait d'une sorte d'antique nécropole ou lieu de culte, ce que nul n'aurait affirmé avec certitude cependant. Les bâtisseurs de ces tertres étaient morts depuis belle lurette, avant même l'installation des Hauja dans cette région inhospitalière.

— Quel rapport ?

— Y êtes-vous allé ? insista-t-elle.

— Je suis passé dans les parages, admit-il. Lors de mon séyu. Mais je n'ai pas mis un pied dans les ruines. Personne n'ose. On dit l'endroit hanté.

— Pourtant, quelqu'un s'y est rendu. Très récemment.

— Et alors ? En quoi est-ce préoccupant ?

La Grizlandaise scrutait ses traits avec beaucoup d'attention.

— Les archéologues ont découvert une offrande sanglante toute fraîche au sommet du tumulus le plus élevé. C'est préoccupant, monsieur Smythe, parce que Whitebarrow a été construit en l'honneur des schibboleths. Vous avez entendu parler d'eux ?

Hob fit appel à ses souvenirs.

— Ce sont des démons, c'est ça ?

— Exact. Très vieux. Ils sont restés dans leur royaume pendant le Cataclysme. Contrairement aux Lirlandais et aux Zénuviens, ils considéraient Astaroth comme un ambitieux et ont refusé de se ranger à son côté.

— Une tribu comme une autre, donc ?

— Une espèce, plutôt. Les schibboleths sont plus anciens que les Lirlandais. Comme ils n'ont pas soutenu Astaroth, leurs territoires n'ont pas été conquis par l'empire, et ils n'ont pas été confinés durant des millénaires dans le monde mortel. On pourrait dire que ce sont des démons intacts. D'une pureté totale.

— J'ai l'impression que vous les admirez, agent Fenn.

Sigga s'esclaffa.

— Je ne serais pas la première. Ils ont eu leurs idolâtres, jadis, qui les vénéraient comme des dieux. Les pires étaient des nécromanciens réunis en un ordre appelé le Sabbat. Ce sont ces mages qui ont érigé Whitebarrow.

— Je ne connais pas ces gens-là. Pourquoi me racontez-vous tout ça ?

— Inutile de monter sur vos grands chevaux, monsieur Smythe. Je tenais juste à vous informer. Si j'avais de la famille à Brune, je la préviendrais. Les nécromants se nourrissent d'humains, et votre village est le vivier le plus proche de Whitebarrow.

Le cœur du garçon se serra douloureusement.

— Vous croyez que les miens courent un danger ?

— Je souhaite que non. Il se peut que la récente offrande soit un canular ou un incident isolé. Après tout, le Sabbat a été éradiqué il y a des siècles. Néanmoins, je ne négligerais pas l'événement et j'alerterais mes parents.

— J'écrirai à ma mère ce soir. Que faut-il que je lui dise ?

— D'être vigilante. Il est délicat de repérer les nécromanciens, qui se cachent dans la peau d'êtres bien vivants. Je conseillerais à votre mère de se méfier des nouveaux arrivants. Si elle repère un suspect, qu'elle vérifie s'il fréquente les lieux de sépulture. Ils sont attirés par la mort ; c'est elle qui alimente leurs pouvoirs.

Hob acquiesça.

— Autre chose ?

Sigga tira de sa poche un mince flacon rempli d'un liquide verdâtre. Hob constata avec étonnement qu'il bouillonnait.

— Qu'est-ce que c'est ?

— Du poison. Inoffensif pour les individus ordinaires, fatal pour les nécromants, car il incinère leur corps d'emprunt. Je vous propose un marché, monsieur Smythe. Si vous buvez cette fiole, je vous en offrirai une semblable que vous pourrez envoyer à votre mère.

Il rit jaune.

— Vous me prenez pour un page possédé par une âme morte ?

— Pas vraiment. Même si ces mystiques sont susceptibles d'endosser l'identité de n'importe qui. Y compris d'un enfant.

Hob toisa la potion avec méfiance.

— Vous êtes sûre que je serai indemne ?

— Disons que je suis optimiste, rétorqua-t-elle en lui remettant le flacon.

Il s'en empara tout en résistant à la forte envie de le balancer à la mer. S'apprêtait-il réellement à ingurgiter ce filtre mystérieux ? C'était risqué. Mais refuser le serait encore plus. Tournant le dos à la cabine, il avala le liquide, qui se révéla d'une amertume âcre et visqueuse. Quand il voulut reprendre la parole, il faillit vomir.

— C'est... c'est dégoûtant ! marmonna-t-il avant de s'essuyer la bouche et de foudroyer son interlocutrice du regard. Combien de temps avant que j'explose ?

Elle lui tapota l'épaule.

— Tranquillisez-vous, monsieur Smythe. Apparemment, votre corps est bien le vôtre. J'en suis heureuse. Je n'aurais pas aimé devoir vous quitter ainsi.

Elle lui remit une deuxième bouteille.

— Que votre mère en fasse bon usage. Et maintenant, passons à un sujet plus agréable. Vous avez les billets ?

— Quatre sièges au balcon et au milieu, répondit-il en caressant sa poche. On devrait être bien placés.

Le membre de la Division tendit la main pour récupérer sa monnaie et eut un hochement de tête appréciateur devant le nombre de piécettes.

— Merci, monsieur Smythe. J'espère que Son Altesse appréciera sa journée. Ce sera mon cas, soyez-en certain.

Sigga Fenn rejoignit ses compagnes. Hob vécut l'heure suivante dans un état de grande anxiété. Ces histoires de nécromancie à Whitebarrow étaient troublantes, mais son souci principal restait la découverte de son Boekka sur le site archéologique. Son passé inventé s'était révélé à la hauteur, certes. Imaginons cependant que la Grizlandaise décide d'enquêter à Brune même ? Pour la plupart, les villageois seraient muets comme des carpes, face à un inspecteur impyrial. Sauf que quelqu'un finirait par parler. Angus Dane, par exemple, ne serait que trop content de cafter aux autorités que Hob avait été là à l'époque du nouvel an.

Qu'est-ce que Sigga soupçonnait exactement ? Ce n'était pas par hasard qu'elle avait provoqué cette conversation. Elle jouait avec lui comme le chat avec la souris, l'effrayait exprès. À quelles fins ? Elle était en mesure de le faire arrêter quand bon lui semblait. Espérait-elle qu'il la conduise à un gibier plus juteux ? Il fallait qu'il garde son calme et réfléchisse. La Confrérie était forcément rodée à ces impondérables. Il contacterait M. Burke sitôt que ce serait sans danger.

Relevant la tête, il constata qu'ils approchaient de la longue digue incurvée qui protégeait le port d'Impyria. *Le Chien Fou* se dirigeait, comme d'autres embarcations, vers l'accès le plus au sud du mur. Hob alla trouver le capitaine.

— Pourquoi passons-nous aussi bas ?

L'homme montra du doigt les drapeaux colorés qui flottaient au-dessus de la digue.

— Le Collet est plus sûr, aujourd'hui. Les courants sont mauvais.

Hob regagna la cabine. Assise près de Dame Rascha, Hazel regardait droit devant elle tout en se mordillant la lèvre. Le garçon remarqua qu'elle avait mis un soupçon de rouge sur sa bouche. C'était une première. Elle n'en avait même pas porté pour la fantaisie. Ses boucles d'oreilles en argent étaient également une nouveauté. De même que son manteau en poil de chameau. D'une main, elle caressait Merlin, tandis qu'elle agrippait l'anse d'un joli petit sac de l'autre. Elle avait l'air d'une gosse le jour de la rentrée scolaire. Le page avait presque oublié que Son Altesse était déguisée sous les traits d'une illusion quand il distingua dans la vitre opposée le reflet d'un employé de bureau angoissé collé à un banquier ronchon.

— Vous vous sentez mieux, mon garçon ? s'enquit Dame Rascha.

— Oui, merci. Le capitaine m'a annoncé que nous étions obligés d'aborder par le sud et de longer le Collet. Son Altesse aimerait peut-être voir ça ?

— C'est quoi ? répliqua l'intéressée sans enthousiasme. Il n'est pas sur la liste des districts de la ville.

— Officiellement. Il est situé dans ses faubourgs. C'est...

— Un bidonville, lâcha Sigga sans ambages.

— Au nom de quoi Son Altesse désirerait-elle visiter les taudis d'Impyria ? s'interposa aussitôt la luperca.

— Je croyais que l'idée de cette excursion était de découvrir le monde réel, plaida Hob. Le Collet en est un élément. Beaucoup plus important que ce que certains estiment.

Rascha le toisa d'un œil torve.

— Seriez-vous en train de me servir un sermon, là ?

— Non, bien sûr que non. Je vais aller demander s'il est possible de le contourner pour éviter...

Hazel sauta sur ses pieds.

— Pas question ! contra-t-elle. J'y tiens. Après tout, je suis là pour vivre de nouvelles choses. Et puis, ça n'est sûrement pas si terrible.

Portée par le vent, la puanteur du Collet voleta jusqu'à eux bien avant que *Le Chien Fou* double la digue. L'odeur insoutenable était un mélange composite d'eaux usées, de poisson crevé et de surpopulation. Plantée sur le pont, Hazel s'empressa de coller un mouchoir sur ses narines.

Quand l'endroit apparut, elle l'accueillit avec un silence ébahi. Dissimulé derrière des falaises fortifiées parsemées de tours de guet, le bidonville était en général invisible de la plupart des quartiers de la capitale. C'était une armée de tentes et de cahutes de fortune qui s'agglutinaient au pied de ces remparts naturels, comme des champignons à l'ombre d'un arbre. Les pauvres refuges étaient fabriqués en matériaux de récupération – bois, métal et voiles de bateau. Ils s'empilaient les uns sur les autres, formant des échafaudages branlants de dix voire quinze niveaux. L'espace était si rare que le peuplement sauvage empiétait sur la mer, grâce à un réseau de radeaux et de barges qui s'agitaient au gré de la houle comme des amoncellements d'algues.

— J'aurais préféré entamer notre visite autrement, haleta Dame Rascha.

— Combien de personnes vivent-elles ici ? demanda sa pupille, captivée.

Hob n'aurait su dire. Au loin, les silhouettes évoquaient des asticots grouillant sur une charogne, flots incessants d'humains regagnant leurs masures, regardant dehors, se soulageant souvent dans l'eau même où ils pêchaient et se lavaient.

— Une centaine de milliers, répondit Sigga. Parfois, les taudis sont anéantis par un incendie, mais ils les reconstruisent toujours.

— Pourquoi ? insista la princesse. Enfin, pourquoi n'habitent-ils pas en ville ? Ou ailleurs ?

Son escorte haussa les épaules.

— Pas par choix, en tout cas. Il y a là des malades, des miséreux et des fous. Beaucoup fuient. Les autorités ou pire. Tout le monde au Collet a un lourd passé. Sauf les enfants. Eux ont juste manqué de chance.

— Y êtes-vous déjà allée ?

— À deux reprises.

— Pour longtemps ?

Un bref silence.

— Non. J'ai traqué mes cibles et je suis repartie. J'ai dû brûler mes vêtements à mon retour.

La Grizlandaise plissa les yeux et cria au capitaine :

— Attention à bâbord !

— Je les ai vus !

— Qui ? demanda l'albinos.

— Des pirates.

Sigga désigna deux bateaux aux voiles pareilles à des éventails. Bien qu'ils soient à plusieurs centaines de mètres, Hob vit qu'ils étaient bondés d'hommes alignés sur le pont ou tirant sur des rames.

— Des *pirates* ? s'esclaffa Hazel. Ceci n'est pas un livre ! Il ne peut pas y en avoir dans le port d'Impyria !

— Les forces de sécurité ne patrouillent pas par ici, expliqua Sigga. Les périssoires du Collet saisissent la moindre occasion se présentant à elles. Nous sommes assez petits pour les intéresser.

L'expression de la jeune fille laissa supposer qu'elle refusait de croire que ce genre d'incident puisse se produire en plein jour.

— Sommes-nous en danger ? murmura-t-elle. Vont-ils… Comment dit-on ? Monter à l'abordage ?

Sa question sembla amuser son escorte.

— Non, Votre Altesse, ce n'est pas nous qui courons le plus grand risque. S'ils s'approchent trop, c'est moi qui donnerai l'assaut.

Le Chien Fou changea de cap pour longer la côte. Les corsaires s'acharnèrent encore une dizaine de minutes. Quand ils comprirent qu'ils ne rattraperaient pas leur proie, ils cessèrent de ramer, et leurs embarcations dérivèrent sur les flots, tels des requins dans des barrières de corail.

Les voyageurs s'éloignèrent du Collet, dépassèrent plusieurs balises et contournèrent une pointe. Alors, Impyria se révéla à eux pour de bon. À la proue, Merlin juché sur son épaule, Hazel contempla le défilé d'usines et d'entrepôts, de docks et de falaises sur lesquelles se perchaient les maisons des marchands et des capitaines. Les vaisseaux à l'ancre dans cette partie du port étaient énormes. Certains, équipés de sceaux lirlandais, étaient voués aux trajets en haute mer, d'autres visiblement destinés à caboter. Hazel montra la poupe d'un chébec jaune.

— Celui-ci vient d'Ana-Fehdra ! C'est écrit sur sa coque !

— Juste, confirma Hob. Que transporte-t-il, à votre avis ?

— Des épices. C'est le produit d'exportation essentiel du pays. Surtout le poivre de djinn et les graines de sucre.

— Et qu'espère Ana-Fehdra en échange ?

— Du blé ? tenta la princesse, incertaine. Une sorte d'insecte n'a-t-il pas ravagé les deux dernières récoltes ?

Hob tendit l'index en direction de dockers qui, sur les quais, chargeaient de gros sacs sur des palettes.

— Ha ! plastronna-t-elle. Je le savais ! Une vraie devineresse !

L'enthousiasme de la jeune fille était si contagieux qu'il ne put retenir un sourire. Agrippée au garde-corps, elle se penchait de tous les côtés afin d'examiner chaque bateau et de deviner ce qu'il transportait ou sa prochaine destination. Elle se tourna vers le page, le regard étincelant.

— Il doit y en avoir des milliers ! s'exclama-t-elle. Qui naviguent sur toute la planète en ce moment même. Je n'arrive pas à l'imaginer tant c'est démesuré !

— C'est le commerce qui régit l'empire, et l'empire est vaste, commenta Rascha. Vous comprenez pourquoi les sceaux sont aussi importants. Rien de tout ce que vous voyez n'aurait lieu sans eux. Est-ce clair, désormais ?

Sa pupille opina avant de tendre un bras vers la falaise la plus haute.

— Le Grand Temple !

— Oui, acquiesça la luperca. Il est beaucoup plus étendu que le palais. Si nous étions arrivés plus tôt, nous aurions pu assister à un service.

— Mais il est trop tard, s'empressa de préciser Hazel, soulagée d'avoir échappé à la corvée. Et ça, c'est quoi ?

Jusque-là caché par les flèches du Grand Temple, un zeppelin rouge venait de surgir, arrimé par des filins à un édifice qu'on n'apercevait pas encore. Trois lettres blanches étaient imprimées sur son flanc : CEI.

— Qu'est-ce que c'est, le CEI ?

— Le Club Euclidien Impyrial, répondit Hob. Un match doit avoir lieu cet après-midi.

— Du football euclidien ? Isabel n'arrête pas d'en parler. Les étudiants de Rowan y jouent.

— Ici, ce sont des professionnels. Les meilleurs au monde.

— On pourra y assister ? demanda la princesse à sa préceptrice.

Cette dernière sut garder la surprise.

— Notre programme est hélas complet. Nous visiterons plusieurs districts puis quelques musées. Il y a une exposition de porcelaines que j'aimerais voir.

— Des porcelaines ? Comme c'est intéressant...

L'adolescente soupira en regardant le dirigeable avec regret. Toutefois, rien n'aurait pu entamer sa bonne humeur très longtemps. La capitale offrait trop d'objets de ravissement, même depuis son seul port. Le capitaine vogua jusqu'à un appontement proche de la jetée du Dragon, où les bateliers encapuchonnés attendaient leurs passagers à destination de l'île Sacrée.

La princesse se délecta de l'échange quelque peu leste entre la gamine aux osselets et le vieux loup de mer grisonnant auquel elle avait lancé un cordage pour qu'il amarre *Le Chien Fou*. Pendant que Dame Rascha réglait la course et organisait leur retour, Hob, Sigga et Hazel débarquèrent. Personne ne leur prêta la moindre attention. Le garçon tenta de se rappeler que nul ne pensait avoir affaire à une héritière Faeregine, juste à de jeunes employés et à un page du palais en goguette. L'entraînant derrière un kiosque à journaux, la Grizlandaise lui tapa le front avec deux doigts après avoir prononcé quelques mots inaudibles.

— Vous n'êtes plus Hobson Smythe, murmura-t-elle. Dorénavant, et jusqu'à la fin de la journée, vous serez Peter. Moi, je suis Isaac, Son Altesse est Billy, et Dame Rascha, monsieur Yezdani. Pigé ?

Elle brandit son miroir de poche, et Hob découvrit qu'il s'était transformé en garçon aux cheveux blonds en bataille et aux prunelles marron. Il cligna des paupières, l'inconnu reflété également. Il frissonna. Puis ils allèrent retrouver les deux autres. Le lycanthrope remettait quelques billets tout neufs de la banque de Rowan à Hazel.

— Voici votre argent de poche. Dépensez-le de façon judicieuse.

— Oui, oui ! Promis ! s'écria la benjamine des triplées, aux anges.

Sur ce, ses trois compagnons consacrèrent le quart d'heure suivante à tenter de la dissuader d'acheter toutes les horreurs que proposaient les étals alignés sur les quais. Elle s'était notamment entichée d'un tableau sur velours qui représentait une licorne rose sautant par-dessus le mot *Impyria* en belles lettres déliées. Il serait parfait, décréta-t-elle, absolument *idéal* pour orner l'espace séparant les deux fenêtres de sa chambre. Dame Rascha lui rappela à mi-voix qu'il était déjà occupé par un autoportrait inestimable de Mina VII. Elle lui signala également qu'une dizaine de mochetés identiques étaient en vente dans les cahutes voisines. Hazel finit par ranger ses sous, non sans un dernier regard chagrin à la licorne.

Le groupe décida de remonter à pied l'avenue de la Vouivre, s'arrêtant çà et là pour que la vieille luperca reprenne son souffle et pour que sa protégée profite des environs. Une main en visière au-dessus des yeux, elle resta pantoise devant la voie sinueuse qu'avait créée Ardent le Doré, des siècles auparavant.

— Elle doit mesurer au moins soixante mètres de large, calcula-t-elle.

Légèrement haletante, Rascha toussota et s'assit sur le premier banc venu.

— Aucune des descriptions que nous avons ne rend vraiment justice aux dragons. Les sceaux lirlandais ont été taillés dans les écailles les plus modestes d'Ardent, et j'en ai pourtant vu certains sur lesquels on aurait pu dormir. Talysin est le plus modeste des gardiens des Portails, mais il a lui aussi des dimensions qui dépassent l'entendement. Vous aurez l'occasion de vous en rendre compte en personne au mois de juin.

— Inutile de me le rappeler, répliqua Hazel en s'intéressant à une charrette débordant de nourritures bigarrées.

Ils repartirent, et Hob réfléchit aux paroles qu'il venait de surprendre. Sauf erreur de sa part, il était donc prévu que la princesse accomplisse un voyage aux Portails de l'Au-delà. Il connaissait l'existence de ces derniers grâce aux contes que sa mère lui avait racontés, les tenant elle-même de son père le shaman. Il y en avait quatre, accès magiques aux mondes parallèles. C'était La Faucheuse, Ankü pour sa mère, qui les avait érigés, à l'apogée de sa puissance mystique.

À en croire les Hauja, il ne pouvait exister qu'une seule voie de communication à la fois entre deux dimensions. En en créant quatre permanentes, Ankü avait empêché ses ennemis d'en ouvrir d'autres, histoire d'éviter qu'ils la défient avec l'aide de quelque dieu ou esprit venu d'ailleurs. Son ouvrage achevé, plus rien n'avait pu franchir le seuil du royaume des mortels sans passer devant les dragons qu'elle avait postés en sentinelles. Pour les Hauja, les Portails de l'Au-delà étaient des abominations, des barrières artificielles qui perturbaient le flux naturel entre les mondes.

Arrivés au sommet de l'avenue de la Vouivre, les promeneurs se dévissèrent le cou afin d'admirer le Grand Temple, non sans se boucher les oreilles à hauteur des Miauleurs, et prirent la direction du quartier du marché. À deux reprises, Sigga fut obligée de tirer Hazel de sous les roues d'un chariot ou d'une voiture. Son Altesse était bien trop occupée à sourire de toutes ses dents avec une expression d'extase abrutie devant les badauds et les artistes de rue pour prêter attention à des détails aussi futiles que la circulation.

Ils marchèrent ainsi jusqu'au district des artisans et défilèrent, sur l'artère principale, devant les guildes de la ville abritées dans de grands immeubles en briques aux vitraux illustrant leur pratique : maçons, ferronniers, charpentiers navals, tisserands, souffleurs de verre, horlogers, menuisiers, cordonniers… Hazel s'arrêta devant une aveugle qui avait installé son métier à tisser dehors. Des curieux s'étaient rassemblés et s'émerveillaient devant la femme qui choisissait ses couleurs et les travaillait avec une dextérité et une précision troublantes. Elle avait posé un chapeau par terre afin de récolter des piécettes, ce qui incita certains des spectateurs à soupçonner une entourloupe. Ils ne se trompaient pas : l'idée était de les captiver.

Pendant que les sceptiques étudiaient de près le visage de la femme ou agitaient leurs mains sous son nez pour la faire réagir, les deux complices de celle-ci, des galopins qui n'avaient pas plus de cinq ans, soulageaient les candides de leur bourse. Ce que Hob montra discrètement à Hazel.

— Des pickpockets ! s'exclama cette dernière.

Pouf !

Trois bouffées de fumée sulfureuse s'élevèrent, cependant que la tisseuse et les garnements se volatilisaient, remplacés par des lutins, petites créatures qui nourrissaient une passion insatiable pour les jeux d'argent et les canailleries. Ils s'enfuirent à toutes jambes en hurlant de rire et en agrippant leurs bonnets rouges. Leurs victimes se lancèrent à leur poursuite, criant à la garde, tandis que les minuscules voleurs s'engouffraient dans une ruelle.

Enthousiasmée par l'incident, Hazel ne cessa de jacasser jusqu'à l'heure du déjeuner. Rascha choisit un café en extérieur, à la frontière de trois districts. L'endroit évoquait la confluence de trois rivières, où des marchands, des fonctionnaires et des mystiques se retrouvaient pour former un mélange éclectique de muirs, de mehrùns et d'êtres fantastiques. Des acteurs aux visages poudrés passèrent devant le groupe, en route pour leurs matinées. La jeune fille les observa longuement avant de s'adresser à Hob.

— Comment supportez-vous ça ? lui demanda-t-elle.

Il goba le morceau de pain qu'il mâchonnait et, avant de répondre, se souvint qu'il n'était pas en compagnie d'une princesse mais d'un camarade de bureau :

— Comment je supporte quoi ?

— D'être domestique sur l'île Sacrée au lieu de vivre ici, expliqua-t-elle en baissant le ton et en montrant des balcons drapés de plantes grimpantes fleuries. Vous pourriez louer un appartement. Celui-ci, par exemple, au-dessus de la boulangerie. Il y a tellement de vie, ici, tellement d'agitation. Ce serait amusant !

Hob fut tenté d'informer Son Altesse que le loyer mensuel devait sûrement représenter cinq fois les gages annuels d'un page. Il se retint. Après tout, elle avait toujours habité le palais, où des serviteurs veillaient au moindre de ses besoins. L'argent était donc un concept abstrait, pour elle. Lorsque Dame Rascha lui avait remis une poignée de billets, elle avait dû lui préciser de quoi il s'agissait. L'ignorance de Hazel face aux détails matériels était presque touchante. Et puis, un détail plus important s'imposait :

— Cet immeuble est réservé aux mehrùns.

— Hein ? Qu'en savez-vous ?

Du doigt, il désigna une étoile à quatre branches gravée sur le linteau de la porte.

— C'est donc à ça qu'elle sert, commenta Hazel en la fixant. Il y en a sur de nombreuses vitrines aussi.

— Une vieille loi, trancha sa préceptrice. Certains commerçants à l'époque préféraient ne pas servir les muirs. Ça date d'avant la révolte de 1619.

— Pourquoi ne m'en a-t-on pas parlé en cours ?

— Les professeurs ne peuvent pas s'attarder sur tous les édits et coutumes, plaida la louve. Ils sont obligés de s'en tenir à l'essentiel.

Sa pupille posa ses baguettes à côté de son bol.

— Un demi-million de personnes peuplent Impyria, dont la moitié de muirs. Ça ne compte donc pas ?

Dame Rascha jeta un coup d'œil irrité à Hob.

— Les muirs et les mehrùns n'ont pas pour habitude de se mélanger. Je suis sûre que les premiers ne sont même pas au courant de cet édit archaïque.

— Un décret injuste serait donc acceptable parce que la majorité de la population ne le connaît pas ? s'esclaffa l'albinos, incrédule. Ça n'a aucun sens.

— Nous attirons l'attention, intervint Sigga à mi-voix avant d'avaler un dernier morceau de poisson.

En effet, plusieurs convives alentour observaient avec une curiosité réprobatrice le jeune employé trop bavard. Un client se leva même pour aller s'entretenir avec le patron. S'essuyant la bouche, Rascha se pencha vers la princesse.

— Si la Divine Impératrice estime qu'une loi est bonne, je n'ai pas à la discuter, siffla-t-elle, rageuse. C'est valable pour vous et pour tout le monde dans l'empire.

Sur ce, elle déposa quelques pièces sur la table et, d'un signe, indiqua aux trois autres de se lever avant que le gérant vienne les trouver. Une fois la rue traversée, elle s'adressa de nouveau à Hazel :

— Soyez plus discrète. Pareils propos sont susceptibles de vous faire arrêter.

L'ignorant, sa pupille interrogea Hob.

— Que se passerait-il si j'entrais dans cette boulangerie affublée comme je le suis ?

— On vous prierait de sortir.

— Et si je refusais ?

L'expression de la jeune fille déplut au garçon. Elle s'exaltait et s'indignait en même temps, un mélange dangereux quand on n'avait pas la moindre idée des conséquences éventuelles de ses paroles. Consultant Rascha du regard, il comprit qu'elle souhaitait qu'il fournisse une réponse aussi neutre que possible.

— Le propriétaire serait alors en droit d'en appeler à la garde, lâcha-t-il.

Qui vous battrait comme plâtre avant de vous traîner devant un juge, songea-t-il *in petto. Pour peu qu'il soit clément, tous vos biens seraient confisqués et vous-même seriez déportée dans*

les provinces. Si, en revanche, il décidait de faire un exemple…
Il était heureux que Son Altesse prenne enfin conscience du fardeau que supposait l'omniprésente étoile, mais il était inutile d'insister. Pour l'instant, du moins.

— Ça n'en vaut pas la peine, ajouta-t-il donc d'un ton léger. D'ailleurs, la vue n'est pas terrible, depuis cet appartement. Sans compter que je déteste l'odeur du pain frais. Bon, le district des mystiques est juste à côté. On y va ?

Bien que peu convaincante, la diversion suffit pour que Hazel retrouve le sourire. Elle ne tarda pas à poser d'autres questions, comme si elle avait oublié la ségrégation entre muirs et mehrùns. Le garçon avait remarqué qu'elle avait eu la même réaction au Collet. Si la misère du bidonville l'avait vraiment choquée, elle avait rapidement écarté ses émotions à la vue d'autres spectacles pittoresques. Était-elle superficielle à ce point ou juste submergée par autant de nouveautés ? Par tout ce dont elle avait jusqu'alors ignoré l'existence ?

Au fur et à mesure qu'ils s'enfonçaient dans le quartier, les larges avenues laissaient place à des allées tortueuses pleines d'échoppes et d'officines proposant des ingrédients alchimiques, des sortilèges mineurs et des enchantements à la demande. Les boutiques donnant sur la rue étaient miteuses, pièges à touristes qui n'offraient pas de mystique digne de ce nom.

Des lieux plus sérieux existaient, en revanche. À la Confrérie, Hob avait entendu mentionner des établissements où il était possible de louer les services de sorcières de haut vol ou d'acheter des produits aux pouvoirs extraordinaires et d'origine louche. Mais ces endroits se passaient de vitrine et de carillon. Ils étaient situés très au-dessus (ou au-dessous) du trottoir, et on n'y accédait que sur rendez-vous.

Il fut rapidement évident que la princesse trouvait les lieux décevants. S'arrêtant devant l'étal d'un colporteur, elle examina les nombreux scarabées exposés sur un carré de soie bleue. Le marchand aurait ressemblé à un vieil Hauja sans les tatouages sous ses yeux ; dans la tribu de Hob, seules les femmes avaient le visage décoré.

— Tu as bon goût, félicita-t-il Hazel. Si tu accroches cette amulette au-dessus de ton lit, aucun mauvais esprit ne viendra troubler ton sommeil.

— Elle n'est pas magique, rétorqua-t-elle après l'avoir observée de près. Elle n'est même pas en argent.

L'homme lui arracha l'objet des doigts. Montrant les dents, il agita vivement les mains.

— Que faites-vous ? s'esclaffa-t-elle. Vous essayez de m'envoûter ?

— File avant que je lance ma goule à tes trousses !

Hazel regarda la saucisse à pattes qui ronflait derrière lui.

— Votre goule, c'est un carlin ?

Le colporteur lâcha des jurons et prit la bête dans ses bras. Réveillée en sursaut, elle manifesta son mécontentement en mordillant son maître avant de montrer les crocs à la jeune fille.

Dame Rascha se dépêcha de héler deux pousse-pousse et ordonna aux satyres qui les tiraient de les conduire au district des jardins. Sigga monta en compagnie de Hazel, la luperca avec le page, ignorant superbement les jérémiades de leur faune qui leur reprocha d'être plus lourds que ce qu'ils avaient l'air d'être et les avertit qu'il exigerait un supplément.

Lorsqu'ils eurent démarré, elle posa un regard sévère sur son voisin.

— Votre tâche est d'instruire ma pupille des secrets du Muirland, pas de lui bourrer le crâne avec des bêtises sur les droits des vôtres.

— Je me suis borné à expliquer la signification d'un emblème.

— Ne me racontez pas d'histoires. Vous me prenez pour une sotte ? Vous réussissez toujours à mettre en avant les problèmes des muirs : les banques les rançonnent, les voyages leur sont interdits, leurs inventions sont mises sous le boisseau, les postes importants ne leur sont pas accessibles…

— Sauf votre respect, préféreriez-vous que je mente ? Comment voulez-vous qu'elle comprenne le Muirland si elle ne sait rien de l'existence réelle de ses habitants ?

La luperca marqua une pause.

— Dorénavant, vous vous en tiendrez aux faits basiques et aux techniques destinées à les mémoriser. Je vous interdis d'aborder les sujets controversés. Entendu ?

— Oui.

Dame Rascha se plongea dans un silence agité, tandis que Hob s'absorbait dans la contemplation des immeubles majestueux du quartier des fonctionnaires. Juste en face d'eux, au-delà des musées et jardins impyriaux, l'immense zeppelin rouge planait au-dessus du Coliseum Athleltica. Les spectateurs se rendaient en masse au stade, qui arborant le gris de Ferropolis, qui la pourpre d'Impyria.

Une grosse paluche tapota le genou du page. Se tournant, il découvrit le visage lupin de sa voisine incliné vers lui.

— Vous êtes un bon garçon, le complimenta-t-elle avec raideur. Son Altesse a beaucoup progressé auprès de vous. Vous rendez les leçons intéressantes. Et vous lui remontez le moral. Tout cela me plaît. Mais vous n'avez pas le droit de vous mêler de ses devoirs envers l'empire.

Quand ils eurent franchi l'arche délimitant la zone des jardins, elle ordonna au satyre de s'arrêter puis adressa un clin d'œil complice à Hob.

— L'heure de ma petite plaisanterie a sonné, lui chuchota-t-elle.

Pendant qu'elle réglait les deux courses, Hazel virevolta sur elle-même afin de ne rien louper des musées et du miroir d'eau, des parterres floraux et des arrangements de buissons. Si les jardins d'Impyria ne soutenaient pas la comparaison avec ceux de l'île Sacrée en termes de luxuriance et de rareté des espèces, leur échelle était sans rivale.

Dame Rascha les entraîna vers le musée le plus proche, une monstruosité à colonnes dont les affiches annonçaient diverses expositions, parmi lesquelles une sur la porcelaine et les émaux du XIIe siècle.

— La visite dure trois heures, annonça-t-elle. Après, il nous faudra rentrer à la maison.

La princesse jeta un coup d'œil au dirigeable du CEI.

— Ne me dites pas que vous préféreriez assister à un jeu frivole ? enchaîna la préceptrice en suivant son regard.

— Non, non… D'ailleurs, vous avez vu tous ces gens ? Il n'y a sûrement plus de place.

Obéissant à un signe de la luperca, Hob brandit quatre billets embossés d'aluminium. L'albinos les étudia avec stupeur.

— Je ne comprends pas… marmonna-t-elle.

Puis elle se tourna vers Rascha, à la fois choquée et enchantée.

— Vous m'avez fait marcher !

— Vous pouvez dire merci à l'agent Fenn, répondit le lycanthrope, un éclat malicieux dans les yeux. C'est elle qui vous offre ces tickets.

Sigga balaya d'un geste les paroles de gratitude de la jeune fille.

— Vous méritez de vous divertir. Et puis, je suis une supportrice de Ferropolis. Venez, sinon, nous allons rater le coup d'envoi.

Tous quatre traversèrent rapidement les jardins, se joignant aux milliers de fans qui se rendaient au match avec drapeaux et tenues aux couleurs de leur équipe de prédilection. Hazel se couvrit les oreilles quand ils passèrent devant les joueurs de tambour et de fifre.

Le Coliseum était une énorme construction en pierre et marbre rouge dont le pourtour était éclairé par des feux sorciers. En montait une clameur faite de chants, de cornes et de piétinements frénétiques. L'endroit subjugua la princesse, même si le vacarme et l'agitation l'impressionnèrent. Le temps qu'ils gagnent leurs sièges, elle pouvait à peine respirer. Tout en bas, sur le gazon couleur émeraude, les capitaines se serraient la main. Hazel et Rascha s'assirent entre Hob et Sigga.

— Alors, demanda Son Altesse au page, comment ça fonctionne ?

— C'est plutôt simple. L'équipe qui marque le plus de buts gagne.

Il avait dû hurler, car l'arrivée des footballeurs avait déclenché les rugissements enthousiastes de l'assistance.

— C'est quoi, un but ? s'égosilla Hazel.

Hob entreprit de lui expliquer les bases.

— Ils n'ont pas le droit de toucher le ballon avec les mains ?

— Non. Ils doivent uniquement se servir de leurs pieds.

— Mais c'est idiot !

— Ce sont les règles.

— Encore des règles ! maugréa la princesse.

Le concept de hors-jeu la sidéra encore plus, mais Hob ne put détailler, car Ferropolis venait de démarrer la partie. Le ballon incandescent forma un arc de cercle étincelant au-dessus du terrain, et les joueurs se positionnèrent pour le réceptionner. Quand il amorça sa descente, de grandes ondulations agitèrent la pelouse, à croire qu'un géant invisible secouait son tapis.

Certains hommes tombèrent comme des quilles, d'autres réussirent à rester debout et se disputèrent la balle, tandis que le gazon magique continuait de se soulever dans tous les sens. Hazel hurlait, riait et agrippait le poignet de son voisin. Elle le lâcha cependant quand le milieu de terrain d'Impyria prit le contrôle de la balle et se mit à courir vers les cages adverses. Il feinta à gauche, dribbla un adversaire, vira à droite pour tirer...

Tout le stade gronda quand une vague le bouscula avec la force d'un rhinocéros. Le malheureux s'envola, fit plusieurs galipettes et retomba par terre comme un sac. Sautant par-dessus la lame ravageuse, le gardien de but de Ferropolis en profita pour dégager, et un arrière récupéra le ballon. C'en fut trop pour le sensible Merlin, qui se réfugia sous le manteau de sa maîtresse.

Hob ne loupa pas une miette du match, émerveillé par les prouesses athlétiques et l'agilité des joueurs. Il n'y avait rien de naturel là-dedans, bien sûr, puisque tous étaient des mystiques entraînés à améliorer leurs aptitudes physiques. Il n'empêche, voir des humains courir plus vite que des loups du Cheshire ou bondir quinze mètres au-dessus des mouvements de la pelouse était à couper le souffle. Les passes et les tirs étaient si puissants que la balle de feu n'était souvent qu'une forme floue.

Ferropolis marqua en premier, boulet de canon à cinquante mètres dont le sillage phosphorescent dessina une parabole dans les airs. Hazel poussa un hourra ravi. Peu après, un joueur d'Impyria égalisa par une tête alors qu'il était à dix mètres de hauteur. Hazel applaudit tout en essayant d'imiter le sifflet assourdissant d'un supporteur tout proche d'eux.

— Vous ne pouvez pas encourager les deux équipes ! lui cria Hob, tandis que les fans d'Impyria entonnaient un chant guerrier.

— Pourquoi ça ?

— Vous devez choisir un parti et vous y tenir.

— N'y comptez pas !

Sur ce, elle reprit les paroles de la chanson, tandis que Merlin ululait.

Tous deux s'époumonaient encore quand, quatre-vingt-dix minutes plus tard, le coup de sifflet final retentit. Impyria avait battu Ferropolis par cinq buts contre quatre. Sigga était déçue, mais le coliseum était en liesse.

— C'était super ! croassa la princesse d'une voix éraillée, quand ils quittèrent les lieux.

Dame Rascha confirma tout en observant le ciel embrasé de rose et d'orange.

— Je hèle un carrosse, annonça-t-elle. Nous sommes attendus au *Chien Fou* à 18 h 30.

— On a le temps, objecta sa pupille.

Elle s'approcha d'un vendeur qui gravait des médailles avec la date et le score du match.

— J'en prends quatre ! lança-t-elle avec ferveur.

Tout excitée, elle regarda l'homme placer les disques de cuivre sous une presse et abaisser un levier. Elle choisit des couleurs de ruban distinctes et tendit fièrement une coupure au graveur, qui crut à son jour de chance. Jusqu'à ce que Sigga exige qu'il rende la monnaie.

— J'avais oublié que les billets sont de valeur différente, dit l'albinos en fourrant son argent dans son sac à main. En tout cas, je ne me suis jamais autant amusée.

Elle distribua les médailles souvenir, choisissant le ruban bleu pour Hob et se gardant le vert. En proie à une émotion qui ne lui ressemblait pas, Sigga suspendit le rouge à son cou.

— Merci, Votre Altesse.

— De rien. J'espère qu'il me reste assez pour le tableau que j'ai repéré ce matin au port.

Ils regagnèrent le district des fonctionnaires, ses éclairages rouges, ses grands boulevards et ses hauts immeubles aux porches flanqués de statues. La luperca désigna au loin un édifice gigantesque.

— Voici la banque de Rowan.

— Qu'est-ce que fabriquent toutes ces personnes ? demanda Hazel.

Une foule était en effet rassemblée sur les marches du perron, face à un rang de gardes impyriaux armés de carabines. Des gens brandissaient des pancartes, d'autres braillaient à tue-tête.

— Elles manifestent, expliqua Sigga. Je crois qu'elles exigent des réponses à propos du navire.

— Quel navire ?

— Un galion de commerce qui a coulé au large de Malakos la nuit dernière. Il semblerait qu'il ait été attaqué par les Lirlandais.

L'albinos cligna lentement des paupières. La nouvelle, choquante, ravivait un souvenir désagréable.

— Comment s'appelait-il ? chuchota-t-elle.

— *L'Étoile Polaire*, répondit la Grizlandaise en contemplant les parages. Nous ferions mieux de partir.

Ils traversèrent la rue et dépassèrent la bourse. Ils étaient au niveau du musée de l'Atelier quand la louve s'aperçut que sa pupille n'allait pas bien.

Elle pleurait.

Plantée au milieu du trottoir dans son manteau en poil de chameau, elle agrippait sa médaille, secouée par des sanglots silencieux. Rascha se dépêcha de la rejoindre devant la vitrine du musée dans laquelle était exposée une automobile argentée.

Décontenancé par le chagrin de Hazel, Hob voulut se rapprocher, mais la luperca, qui avait pratiquement enveloppé la jeune fille dans une étreinte, le chassa. Du regard, il chercha à déceler si Sigga avait une idée de ce qui bouleversait à ce point la princesse, mais elle était occupée à surveiller les manifestants, auxquels de nouveaux venus ne cessaient de s'agglutiner.

La cohue était de plus en plus dense. Ils étaient des centaines, maintenant. Les cris isolés s'étaient transformés en revendications furieuses. Il y avait de la tension dans l'air, chargé d'une électricité que les masses donnaient l'impression de générer tout en s'en nourrissant.

Hob escalada le pied d'un réverbère afin d'avoir une meilleure vue. Les mécontents ressemblaient à une ruche d'abeilles agitées et secouées par des mouvements brusques. Les hommes de la sécurité formaient au contraire un mur rouge parfaitement immobile, stoïque, impassible. Les protestataires les plus proches n'en étaient séparés que par quelques pas et des barrières basses.

Ça va mal se terminer.

Il balaya des yeux la masse remuante, en quête d'une arme quelconque. Soudain, il repéra une connaissance.

Badu Gabriel, avec lequel il s'était lié d'amitié pendant son stage d'orientation à la Confrérie, tenait une pancarte et s'égosillait. D'autres visages familiers émergèrent, éparpillés à des intervalles d'une étonnante régularité au milieu des manifestants. Certains avaient fait partie de la cohorte bleue de Hob ; quant aux autres, il se souvenait de les avoir croisés dans les couloirs ou à la cantine. Les membres de la Confrérie s'étaient déplacés en force, dans le but évident de jouer les agitateurs.

Le page éprouva un peu d'envie. À son humble avis, il aurait dû participer à ce genre d'actions, quand il s'était engagé auprès de M. Burke : affronter les autorités, faire entendre sa voix. Badu et ses camarades œuvraient de façon concrète et efficace, à la différence de lui-même, qui donnait des cours sur le Muirland à une princesse adorable et inoffensive.

Inquiet que quelqu'un l'identifie et lâche une parole compromettante, il sauta à terre. Ses craintes se révélèrent infondées, cependant, car il aperçut son reflet dans la vitrine du musée – il était toujours dissimulé sous l'illusion que lui avait créée Sigga. Dame Rascha n'avait pas bougé. Agenouillée près de Hazel, elle la consolait comme on berce une enfant réveillée par un cauchemar.

Soudain, un chœur de hurlements furibonds s'éleva, et le page se retourna. Des gardes impyriaux sortaient de la banque en escortant une poignée d'officiels. Malgré la distance, Hob reconnut Lord Faeregine. Il était accompagné par un Lord Hyde fort maussade, par Lord Yamato et par un dernier homme en chapeau à large bord et pardessus.

L'oncle de Hazel salua les contestataires d'un geste bienveillant, comme s'ils étaient de dévoués supporteurs et non un groupe d'excités réclamant sa tête. Se rendant compte de sa présence, la princesse délaissa Rascha et alla se placer près de Hob et de Sigga afin d'assister à la déclaration officielle que, clairement, le directeur de la banque s'apprêtait à faire. Il n'y parvint pas, toutefois, car sa voix fut couverte par les sifflets et les cris de la foule. Il renonça à la seconde tentative.

Les soldats avaient commencé à repousser les mécontents loin des barrières, afin de dégager de la place pour un énorme carrosse noir. Quelques-uns refusèrent de bouger, jusqu'à ce qu'ils découvrent que la voiture était tirée par des estalons. Effrayés par les bêtes qui secouaient leurs crinières en montrant les dents, ils se débandèrent. Dès que les lords et muirs se furent engouffrés à l'intérieur, le cocher fouetta les chevaux magiques qui partirent au galop sans se soucier des malheureux qui se trouvaient sur leur chemin.

Sigga tira vivement Hazel en arrière. Les chevaux surnaturels passèrent devant eux, les prunelles allumées par une sauvagerie réelle, des étincelles jaillissant de leurs sabots. Hob, lui, ne recula pas. Il fixa les monstres, les vitres du carrosse. Un des passagers regardait dehors. Leurs yeux se croisèrent avant que l'homme tire le rideau et que l'équipage disparaisse. Ses compagnes se ruèrent vers le page.

— Êtes-vous devenu fou ? l'apostropha la Grizlandaise. Ils auraient pu vous tuer.

— Pardon… Je…

Des coups de feu résonnèrent dans leur dos, suivis d'une clameur de détresse. Le garçon voulut se retourner, mais Sigga l'avait empoigné par le col et poussa tout son monde dans une venelle. Sans perdre de temps, elle les entraîna par une volée de marches dans un réseau de petites rues latérales jusqu'à un quartier résidentiel plus calme. Là, elle héla une voiture et ordonna au cocher de les conduire à la jetée du Dragon.

Pendant le trajet, personne n'ouvrit la bouche. Hob était comme engourdi. Il évitait de regarder Rascha qui, depuis la banquette opposée, le toisait d'un air rageur. Elle s'était opposée à l'excursion dès le départ, l'avait menacé de le tenir pour personnellement responsable si les choses viraient au vinaigre. Éviter à une princesse en larmes une émeute et une fusillade devait entrer dans la catégorie du vinaigre, songea-t-il. La luperca donnait le sentiment de vouloir le tuer.

Il pria pour que ni Badu ni aucun de ses anciens camarades n'ait été blessé, tendit l'oreille, à l'affût d'une nouvelle salve. Sans résultat. Surtout, il essaya de ne pas penser à l'homme qui avait plaqué son visage à la vitre du carrosse et dont le regard s'était attardé sur lui. Malgré l'illusion, il avait identifié Hob. La surprise avait éclairé ses prunelles à l'instant où il l'avait aperçu. Il ne s'agissait pas de Basil Faeregine ni de l'un des autres lords ; c'était le gentleman en chapeau et pardessus.

C'était M. Burke.

CHAPITRE 3

RÉSONANCES

L'homme avisé se demande d'où il vient ;
le sage s'efforce de l'oublier.

Proverbe du Muirland

Il était plus de 22 heures quand Hob regagna sa chambre. Par chance, Victor était de service de nuit. Hob appréciait son coturne, mais il était bavard comme une pie, et le page avait besoin de calme pour réfléchir à la situation.

Il posa sa veste sur le dossier de sa chaise et retira ses chaussures d'un coup de pied. Ôtant la médaille commémorative, il l'examina un moment, touché par la joie qu'avait éprouvée Hazel quand elle la lui avait offerte. Il restait d'autant plus intrigué par ce qui avait pu provoquer son changement d'humeur, aussi brutal que spectaculaire. Ça n'avait aucun rapport avec la vue de quelques contestataires excités, car ses larmes avaient commencé bien avant qu'on réprime la manifestation. Avait-elle simplement réagi à l'annonce du naufrage ? Si oui, l'intensité de son chagrin était surprenante. Plus que bouleversée, elle avait été traumatisée.

Quant à lui-même, il était encore secoué, tant par son échange avec Sigga à bord du *Chien Fou* que par la brève vision de M. Burke à bord du carrosse noir. Lui qui avait eu l'intention d'écrire à sa mère sitôt revenu dans ses quartiers, afin de lui parler de Whitebarrow, soupçonnait qu'un message l'attendait dans son guide officiel d'Impyrium. Il ne fut pas déçu.

Surpris de t'avoir vu là-bas.

Un grand froid l'envahit. C'était la confirmation que M. Burke l'avait reconnu. Comment y était-il parvenu, malgré l'illusion de Sigga ? Avait-il également identifié ses compagnes ?

Néanmoins, son souci le plus immédiat concernait le groupe dans lequel son mentor lui était apparu. Que diable fichait-il en compagnie de Lord Faeregine, de Hyde et de Yamato ? Depuis son duel contre Dante, l'apprenti espion s'était demandé si la Confrérie était impliquée dans des complots de plus vaste envergure avec la collusion des Maisons Nobles. Il savait qu'il n'était qu'un pion sur l'échiquier d'un autre. Ça lui était égal tant qu'il comprenait la partie et croyait en l'objectif visé. Mais l'échiquier était, semblait-il, beaucoup plus vaste que ce qu'il avait imaginé. Cette journée lui permettait de se rendre compte qu'il ne savait pas qui étaient tous les joueurs. Il n'était même pas sûr de savoir à quel jeu il participait.

Cela l'effrayait. Et lui donnait l'impression d'être un sot, pas plus malin que les badauds qu'avaient blousés les trois lutins, près de la guilde des tisserands. Il était évident que Sigga s'amusait avec lui et le manipulait à ses propres fins. Était-ce aussi le cas de la Confrérie ? Hob qui, toute sa vie, avait été plus intelligent que son entourage, venait de perdre ce statut.

Que devait-il faire ?

Il doutait du bien-fondé de confier son analyse de la conduite de Sigga. Si jamais la Confrérie découvrait que le membre de la Division Écarlate était après lui, il n'était pas certain qu'elle lui viendrait en aide ou, à l'inverse, le lâcherait, par crainte qu'il n'amène la Grizlandaise sur la piste de l'organisation.

Il méditait encore quand un deuxième message se dessina :

Je m'étonne que tu ne nous aies pas informés de ta visite de la capitale avec Son Altesse. Es-tu totalement investi dans ta mission ? Crois-tu à un Impyrium libre ? À l'égalité des droits pour les muirs ?

— Bien sûr, ronchonna Hob.

Il s'empressa de rédiger sa réponse :

Je suis convaincu par notre cause. Mais je n'apprécie pas qu'on me cache des choses. Apparemment, je ne suis pas le seul à avoir des secrets.

Il revint à la page de réception, à la fois inquiet et boudeur. Il s'écoula plusieurs minutes avant qu'il obtienne une réaction.

Il est grand temps que nous ayons une conversation. Demain, tu recevras par zéphyss une convocation au Vieux-Collège. Il y a derrière la chapelle de la Rose une maisonnette de gardien inoccupée. La porte en sera déverrouillée. Tu descendras à la cave.

Cette proposition était plus que ce que Hob espérait, voire que ce qu'il voulait. La perspective de s'aventurer dans un sous-sol obscur seul avec M. Burke ne le rassurait pas. Le mouvement clandestin avait beau mettre en avant les valeurs de camaraderie et de fraternité, il ne tolérerait pas qu'un agent compromis nuise à ses projets. Dans les Sentinelles, on ne laissait pas les engelures se propager – on amputait.

Il contre-attaqua en suggérant un lieu moins isolé.

Impossible, lui renvoya-t-on. *Puisque c'est à moi de me déplacer, cet endroit est la seule option. Nous ne te reprochons rien. Au contraire, nous estimons que l'heure a sonné de t'informer plus avant de nos plans. J'aimerais aussi que nous parlions de ton père. Viendras-tu ?*

Hob lut le message plusieurs fois de suite, le digérant lentement. Un refus amènerait à une rupture consommée avec la Confrérie et impliquerait qu'il renonce à en apprendre plus sur le destin d'Anders. Au mieux, il se retrouverait seul, sans amis ; au pire, on tenterait de le réduire au silence. Bien qu'agacé, il continuait de penser que les motivations de l'organisation étaient justes. Il estimait même qu'avoir emmené Hazel Faeregine à Impyria était susceptible de favoriser les intérêts de la cause.

Son Altesse avait bon cœur et une nature à privilégier la justice. Certes, les manifestants l'avaient apeurée ; ils lui avaient cependant montré que la population ne plaisantait pas quand elle réclamait des changements. Ils avaient illustré que le Collet et les étoiles à quatre pointes n'étaient pas que de vagues désagréments rencontrés au hasard d'une promenade, mais de véritables problèmes qu'il fallait résoudre. Hob était sûr que l'excursion porterait ses fruits. Durablement.

L'Araignée ne tarderait pas à mourir, les triplées incarnaient l'avenir de la dynastie. Si le garçon réussissait à se rallier Hazel, elle saurait peut-être influencer ses sœurs et inciter à une évolution du régime. En tout cas, c'était une possibilité à ne pas négliger. Hob ne pouvait pas tourner le dos à la Confrérie, pas maintenant. Il avait besoin de temps, pas d'ennemis supplémentaires. Et puis, si M. Burke ou ses pairs souhaitaient l'éliminer, ils trouveraient toujours un moyen de le faire, avec ou sans cave.

Il contempla la page durant une bonne minute avant de gribouiller qu'il serait au rendez-vous. Ensuite, il écrivit une longue lettre à sa mère, à laquelle il ajouta le flacon remis par Sigga Fenn. Victor avait des contacts au service courrier. Hob lui demanderait de veiller à ce que sa missive soit acheminée en priorité.

Le zéphyss arriva peu après 10 heures le lendemain. Hob était à son poste, dans le vestibule du palais, où il passait la plupart de ses débuts de journée. Dès l'aube, banquiers et émissaires avaient défilé afin d'évoquer les récents revers commerciaux. La situation ne cessait de s'aggraver.

Un autre navire avait sombré. Contrairement à *L'Étoile Polaire*, aucun témoin n'avait assisté au destin fatal du *Tempétueux*, mais sa figure de proue brisée ainsi que plusieurs caisses s'étaient échouées dans un port de pêche guère éloigné de sa destination initiale. La nouvelle s'était répandue à la vitesse d'une traînée de poudre. Partout dans Impyrium, des bateaux faisaient demi-tour ou refusaient de lever l'ancre. Si cela perdurait, le négoce finirait par cesser entièrement, et le royaume serait confronté à une véritable catastrophe. Les incidents comme l'émeute de la veille devant la banque se banaliseraient. La matinée fut donc très occupée, les dignitaires se rassemblant en petites coteries pour discuter et maugréer, tandis qu'ils patientaient avant d'être reçus par le lord de ceci ou le ministre de cela.

De ce que Hob parvint à saisir, deux camps se formaient : celui qui prônait la guerre contre les Lirlandais, et celui qui suggérait de recourir à des moyens de transport alternatifs. Un monsieur voulait savoir pourquoi on s'entêtait à braver les mers infestées de démons quand on disposait de zeppelins et de machines volantes capables de livrer leur cargaison par les airs. L'Atelier possédait les techniques et les matériaux nécessaires à pareille mutation. Il suffisait juste que l'impératrice revienne sur certaines restrictions…

— Monsieur Smythe ?

C'était Chalmers, cinquième majordome adjoint, un homme dans la soixantaine à la figure constamment tendue. Un zéphyss planait près de son oreille, tel un bourdon lumineux. Comme le page n'était pas chargé des messages ce jour-là, c'est avec un froncement de sourcils que Chalmers

lui fit signe de venir. On ne devenait pas cinquième majordome adjoint en s'autorisant à dévier d'un système bien
rodé. Hob traversa la pièce.

— Monsieur ?

— On vous demande, marmonna son supérieur d'un
ton acide. Maître Strovsky souhaite que vous lui appor-
tiez certains documents au Vieux-Collège. Vous savez où
se trouve son bureau ?

— Oui, monsieur.

— Alors, filez.

Le garçon s'éloigna en ignorant les regards envieux de
ses congénères. Qui disait course à faire disait mouvement,
libération d'une immobilité forcée dans une salle enfumée
pleine de balourds imbus d'eux-mêmes.

Dehors, il bruinait, ce qui n'empêcha pas Hob d'apprécier l'air frais. Il traversa au petit trot les jardins en fleurs
jusqu'à l'étroite sente boisée qui conduisait à l'université.

Le campus fourmillait d'étudiants et de professeurs drapés dans des tuniques et des châles. Ils déambulaient le long
des allées ou bavardaient sous les branches des arbres en
boutons, leurs grimoires pressés contre leur torse. Les lieux
étaient dénués de la gravité pesante qui accablait le palais.
Rowan avait été un établissement d'enseignement supérieur longtemps avant de recueillir les Divines Impératrices.
L'endroit vivait à son propre rythme, lent et majestueux,
enraciné dans des traditions qui n'avaient rien à voir avec
le commerce ou la politique.

La maisonnette était située derrière la chapelle de la
Rose, au-delà d'un cimetière aux stèles usées par le temps.
Un ruisseau coulait non loin de là, enfoui entre des bou-
leaux et des persistants. Le logis n'avait pas servi depuis

un moment, à en juger par ses vitres brisées et sa peinture écaillée.

Hob s'arrêta et scruta les alentours, attentif aux moindres oiseaux et créatures détalant dans les sous-bois. Hazel était en classe, Sigga Fenn aussi, donc, mais il était envisageable que la Grizlandaise ait confié la surveillance du page à un sous-fifre. Il ne vit cependant que des écureuils, n'entendit que le clapotis de la pluie sur les feuilles.

Il se faufila dans la bicoque, une main dans la poche de sa veste, d'où il sortit un petit couteau de cuisine emprunté aux harpies plus tôt ce matin-là. S'il avait accepté le rendez-vous, il n'avait pas eu l'intention d'y venir vulnérable. Certes, sa modeste lame ne payait pas de mine mais, tranchante comme un rasoir, elle était mieux que rien. De toute façon, il n'aurait pas pu transporter d'arme plus voyante.

La porte de la cave était au-delà de la cuisine, près d'un placard à balais. Hob l'ouvrit sans bruit et inhala une odeur de terre humide. L'escalier était plongé dans la pénombre, mais une lueur diffuse vacillait au pied des marches, comme si une bougie ou une lanterne brûlait en bas.

Le garçon essuya la sueur qui trempait ses paumes. Sa peur l'irritait. Il ne prit pas la peine de ranger son couteau. Tant pis pour M. Burke s'il s'en offusquait. En admettant qu'il soit déjà là. Toutes les paroles de cet homme étaient susceptibles d'être mensongères, et il était à craindre qu'aucune explication n'attende Hob au sous-sol ; que, à la place des réponses qu'il souhaitait, il découvre un exécuteur prêt à supprimer un espion de la Confrérie dont la loyauté était sujette à caution.

Il tira le battant derrière lui et descendit à tâtons, le regard fixé sur la lumière tremblotante. En bas, il trouva son mentor assis à un modeste établi sur lequel était posée une lampe à huile. L'homme ne manqua pas de repérer la lame. Un éclat amusé traversa ses prunelles pleines d'entrain.

— Ce couteau m'est-il destiné ou comptes-tu peler un fruit ?

— Je n'en sais encore trop rien.

— C'est ma faute, j'imagine. Je recule cette conversation depuis le premier soir, à Brune. Je redoutais qu'elle soit trop dure, trop précoce. Je constate que je me suis trompé.

Il désigna une seconde chaise.

— Assieds-toi et laisse-moi te raconter.

— Une minute. Comment m'avez-vous reconnu, à Impyria ? Êtes-vous un mehrùn ?

— Bien sûr que non.

Inclinant la tête en arrière, M. Burke retira avec délicatesse une lentille translucide de son œil.

— Un transfuge de l'Atelier lassé par les interdits impyriaux me l'a fabriquée. Tu sais sans doute que les miroirs renforcent les illusions. C'est vrai... dans certaines limites. Quand l'une d'elles s'est reflétée trop souvent, ses effets finissent par entièrement s'estomper. La lentille de mon ingénieux ami reproduit ce phénomène à une toute petite échelle. Je n'en porte qu'une, ce qui me permet de distinguer entre ce qui est réel et ce qu'un mehrùn espère me faire prendre pour la réalité. Très pratique.

Il remit la lentille et cligna des paupières à plusieurs reprises.

— D'autres questions ?

— Oui. Qu'est-il arrivé à mon père ? Je n'en écouterai pas plus tant que vous ne me l'aurez pas dit.

M. Burke croisa les doigts.

— Tu veux que je sois franc ? À ta guise. Il a été exécuté pour trahison au Saut-du-Chien le 16 novembre 3001.

Cette réponse, d'une brutalité qu'il n'avait pas anticipée, abasourdit Hob pendant plusieurs minutes. À bien des égards, sa vie ressemblait à un patchwork constitué de bouts de tissu dont certains avaient des nuances vives, pas toujours agréables à regarder, et d'autres, surtout ceux concernant son père, des teintes si neutres qu'il avait dû les colorer lui-même. Son imagination lui avait dépeint Anders Smythe sous les traits d'un garde impyrial tombé à une bataille contre les Lirlandais ou des géants. Les versions variaient : il n'était pas mort et explorait des contrées fabuleuses, voire des univers parallèles. La préférée de Hob était celle où son géniteur n'était pas un mortel mais Kayüta le rusé déguisé en humain. C'était ce qu'il y avait de merveilleux dans l'ignorance : tout pouvait être vrai.

Plus maintenant. Les dieux, les géants et la gloire avaient cédé la place à une fosse noircie, un jour gris d'hiver. Anders Smythe n'avait même pas été fusillé comme un soldat honorable, il avait été jeté dans un trou comme un rebut balancé aux ordures.

— Tu devrais t'asseoir, mon garçon, dit M. Burke avec douceur. C'est difficile, j'en ai conscience. Les dates et les détails rendent les choses péniblement concrètes. Désires-tu en apprendre davantage ou en as-tu assez entendu ?

Hob s'installa sur la chaise, séparé de son interlocuteur par la lampe à huile.

— Il est trop tard pour faire machine arrière, murmura-t-il.

M. Burke approuva de la tête.

— Comme je te l'ai dit, Ulrich venait d'une famille de serfs de Novaslo. Il s'en était enfui après avoir tué un mehrùn qui avait assassiné son père. Une fois qu'il a eu intégré la Confrérie, il a connu une ascension fulgurante. Quand nous avons eu vent d'une éventuelle présence d'ormeisen dans le Nord-Ouest, je l'ai choisi pour m'aider à l'acquérir.

L'ormeisen, ou « fer de dragon », comme l'appelaient d'aucuns, car la légende prétendait qu'on ne le trouvait que sur le lieu de naissance des créatures fantastiques. Les vieux mineurs adoraient faire croire aux bleus que du schiste banal valait des sommes folles.

— Je pensais que l'ormeisen n'était que contes de bonnes femmes.

— Non. Il existe bel et bien. Existait, du moins. Il reste peu de dragons de par le monde. Leurs nids, à l'exception d'un seul, ont tous été découverts il y a fort longtemps, et les filons exploités jusqu'à épuisement. Voilà pourquoi personne n'a vu de ce fameux minerai depuis des siècles.

— On s'en servait pour quoi ?

— Il est empreint d'une mystique sans égale. Quand il est correctement travaillé, les épées dont on le forge sont capables de vaincre des êtres surnaturels incroyablement puissants, même ceux doués de Vieille Magie. De telles armes seraient inestimables pour la Confrérie ou pour tous ceux qui luttent contre les grands enchanteurs. C'est une lame en ormeisen qui a servi à liquider La Faucheuse. Du coup, Mina V a confisqué tout le minerai de l'empire. Peu importait que l'épée lare d'une maison soit faite du précieux alliage, il a fallu la remettre aux autorités, sous peine d'une petite visite de Prime l'Immortel.

— Sauf que quelqu'un a fini par localiser le dernier nid de dragon ?

— C'est ce qu'on a cru, en effet. Selon certaines rumeurs, des érudits avaient réussi à situer les origines de Hati le Noir dans les Sentinelles. Ton père et moi avons infiltré la garde impyriale et nous sommes joints au détachement envoyé là-bas. Ça a été une campagne pénible, durant un hiver d'une atrocité dépassant l'entendement. Nous serions morts sans la tribu qui nous a recueillis.

M. Burke fit glisser quelques clichés sur l'établi. Le premier le montrait avec Anders en uniforme, les joues mal rasées et la peau boucanée par les vents des Sentinelles. Ils étaient très haut sur la montagne, et le monde s'étalait en miniature à leurs pieds. Au loin, Hob distingua le lac aux Ours. Sur les autres photos, le soldat Smythe pêchait dans la glace ou construisait un abri de fortune.

— Les Hauja, je suppose ?

— Oui. Nous leur avons fourni assez de nourriture et de carburant pour qu'ils nous tolèrent pendant quelques mois. Mais ils n'ont guère apprécié qu'un jeune militaire s'éprenne de la fille de leur shaman.

M. Burke sourit. Pas Hob. Son interlocuteur devait penser qu'il racontait à un gamin une jolie anecdote du temps jadis sur ses parents. Il ne mesurait pas quelles épreuves et souffrances cette funeste histoire d'amour avait engendrées.

— Avez-vous mis la main sur ce que vous cherchiez ? s'enquit Hob, sans trop savoir si la question s'adressait à son mentor ou à lui-même.

— L'ormeisen ? Non. La mission a tourné au désastre. Les avalanches et les géants ont décimé presque tout le régiment. Avec Ulrich, nous avons compris que la meilleure chance de survivre était de nous séparer de nos camarades. Après avoir erré des semaines dans ces contrées sauvages, nous sommes parvenus au village où ta mère s'était réfugiée après que les siens l'avaient bannie parce qu'elle portait un enfant skänder. Ton père a été ravi de ces retrouvailles et d'apprendre qu'il avait un fils. Il aurait aimé rester à Brune afin de t'élever, mais son sens du devoir l'a emporté. Nous avions une tâche à terminer. Il a promis à ta mère de revenir avant que tu sois en âge de fréquenter l'école. Malheureusement, les Parques en ont décidé autrement.

Raide comme la justice, Hob fixait la flamme de la lampe. S'il s'exprimait, il fondrait en larmes. Or il ne s'était pas autorisé à pleurer depuis si longtemps qu'il redoutait de ne plus pouvoir s'arrêter. M. Burke le dévisagea avec compassion.

— Tu n'as jamais connu ton père, c'est cruel. Rares sont ceux qui choisissent leur mort, mais tout le monde peut choisir sa vie. Ulrich est tombé alors qu'il défendait une noble cause, là où la majorité des hommes se contentent d'agoniser en luttant contre la goutte.

— Que s'est-il passé, entre Brune et le Saut-du-Chien ? demanda Hob en essuyant ses yeux.

— Ton père était un soldat hors pair. Si doué que nous avons préféré qu'il ne quitte pas la garde, où il était certain d'obtenir de l'avancement. Il a donc réintégré notre régiment, racontant qu'il était l'unique survivant de l'expédition. De mon côté, j'ai gagné la capitale où je me suis lancé dans les affaires pour financer la Confrérie et ses projets.

M. Burke s'interrompit. Vieux-Tom sonna l'heure. Hob jeta un coup d'œil vers l'escalier. L'homme lui promit qu'aucun majordome adjoint ne l'attendait avant un bon moment.

— Répondant à nos espoirs, Ulrich s'est très bien débrouillé, enchaîna-t-il. Il a été promu deux fois de suite en quelques mois et élu pour accompagner la souveraine lors de son pèlerinage annuel à l'un des Portails de l'Au-delà. Cette année-là, elle avait décidé de rendre hommage à Graazh, le dragon qui garde l'accès au Nether. Normalement, seules les Faeregine restent sur place quand la voie a été ouverte, mais les prêtres ont autorisé un garde à accompagner la fille de l'impératrice, car elle était enceinte. Cette nuit même, le travail d'Elena a commencé.

— Et elle a accouché des triplées.

M. Burke se pencha en avant et baissa la voix, comme si les murs de la cave avaient des oreilles :

— Les uniques témoins des événements ont été la Divine Impératrice, Ulrich Doyle et Graazh. Ton père a vu quelque chose qu'il n'aurait pas dû voir, et ça lui a coûté la vie. Voilà pourquoi j'hésitais à te révéler la vérité. Elle est souvent dangereuse.

— Plus de secrets, insista Hob en muselant sa peur. Je veux tout savoir.

— Elena pensait attendre des jumeaux. Elle était encore vivante quand les deux premiers bébés sont nés. Mais un troisième a suivi, une larve minuscule, pleurnicharde, pâle, aux yeux décolorés. Elle a inhalé son premier souffle alors que Son Altesse poussait son dernier. Mina XLII veillait sur les jumelles. Alertée par l'ultime cri de sa fille, elle a découvert le drame. D'après Ulrich, elle a perdu la raison. Elle a décrété que l'enfant était une abomination et elle l'aurait tuée de ses propres mains ou condamnée au Nether si ton père et Graazh n'étaient pas intervenus.

— Quoi ? Le dragon s'en est mêlé ? Comment ?

— Ulrich a maîtrisé l'impératrice qu'il a tenue à distance de Graazh, pendant que ce dernier s'enroulait autour du bébé. Il l'a protégé tout en dévorant le cadavre d'Elena.

— Il a *mangé* la mère de Hazel sous ses yeux ? se récria le garçon, horrifié. Et après ?

— La souveraine s'est calmée. Lorsque les prêtres et prêtresses sont revenus, elle a inventé un conte à dormir debout. Loin d'avoir voulu tuer le nouveau-né, elle l'avait accueilli comme un don de Graazh, qui avait honoré Elena comme Ardent le Grand avait honoré Mina Ire. Il fallait y voir des présages extraordinaires, les signes évidents qu'Impyrium était à l'aube d'un nouvel âge d'or.

M. Burke eut un rire amer.

— Ils l'ont crue, évidemment, poursuivit-il. Ils sont toujours prêts à gober n'importe quelle fadaise, à condition qu'elle soit assez ronflante et mystérieuse. Sauf que l'Araignée avait un petit souci.

— Un témoin…

— Exact. Elle a donc accusé ton père de tentative de meurtre sur l'enfant et l'a fait arrêter pour haute trahison. On l'a ligoté et ramené sur l'île Sacrée pour y être exécuté.

Hob était partagé entre colère et révulsion. Il imaginait Anders assis dans une cellule sombre, attendant que le bourreau le précipite vers un destin encore plus sombre. Le Saut-du-Chien était maudit. Aucune âme n'y trouvait jamais le repos. Il lutta pour garder une voix ferme.

— Comment avez-vous appris tout cela ?

— Ulrich était intelligent. Les condamnés sont autorisés à se confesser avant d'être mis à mort. Il a rédigé un texte en y glissant une partie encodée qui racontait ce qui s'était réellement passé. Le prêtre n'y a vu que du feu et a transmis le parchemin à un disciple pour qu'il l'archive. Ce dernier était l'un des nôtres.

Hob hocha la tête avec lenteur.

— Ainsi, conclut-il, c'est l'Araignée qui a assassiné mon père.

— Oui. Pour avoir commis l'impardonnable, pour avoir sauvé un nouveau-né des griffes de sa grand-mère. Mais la fin d'Ulrich n'aura pas été vaine. Sa confession nous a révélé énormément de choses, encore vitales aujourd'hui.

— Lesquelles ?

L'homme leva une main.

— À mon tour de te poser une question. Explique-moi pourquoi tu sembles aussi suspicieux à l'encontre de la Confrérie. Voilà un moment que Mme Marlowe et moi-même sentons que tu ne nous dis pas tout. Pour quelle raison, par exemple, ne nous as-tu pas avertis que tu accompagnais Son Altesse à Impyria ?

— J'ai l'impression, ces derniers temps, que j'ignore ce que la Confrérie fabrique, répondit le page, les yeux rivés sur la table. Que nous agissons à une échelle bien plus vaste que ce que je croyais. Cette affaire des sceaux lirlandais, l'épée lare dérobée, vous hier avec ces représentants des Maisons Nobles. Je n'apprécie pas d'être tenu ainsi dans l'ignorance.

— Je vois… Tu estimes donc qu'il te revient de droit, à toi, membre très récent du mouvement, d'être mis au courant de toutes nos opérations ? Pardonne-moi, mais n'est-ce pas présomptueux de ta part ?

M. Burke avait l'air moins en colère que légitimement perplexe devant une attitude qui, présentée comme ça, Hob dut l'admettre, ne jouait pas en sa faveur.

— Écoute, continua son mentor, j'ai de grands projets pour toi, mais tu dois être patient et confiant. À l'heure où je te parle, des milliers d'âmes courageuses risquent leur vie dans des centaines d'actions. Seules deux personnes en sont informées.

— Vous et Mme Marlowe ?

— Exact. Nous œuvrons sur tous les fronts : renseignement, recrutement ou simples missions humanitaires. En cet instant, la Confrérie ravitaille clandestinement les muirs d'Ana-Fehdra. Les édiles locaux ont confisqué l'ensemble des vivres pour les stocker dans les greniers à grain municipaux. Sans nous, les villageois crèveraient de faim. Il en va de même ailleurs dans l'empire. Alors, pardon, mon garçon, mais nous ne pouvons pas te rendre compte de toutes nos initiatives, histoire d'obtenir ta bénédiction.

— Je comprends. Mais acceptez-vous de répondre à une de mes interrogations ?

— Oui. Une seule, ça devrait être possible.

— Lord Faeregine. Que fichiez-vous avec lui hier ?

— Je connais Basil depuis des années. Je représente un groupe d'investisseurs ayant des parts significatives dans le capital de la banque. Basil a toujours été d'une incompétence crasse, mais *Le Typhon*, c'est le pompon, en termes de cupidité et de bêtise. Il a pris trop de risques, a emprunté des sommes astronomiques à l'établissement qu'il est censé diriger, à Lord Hyde et à d'autres dignitaires du régime.

M. Burke poussa un soupir apitoyé.

— Pauvre Basil ! Personne ne déteste contracter une dette autant que les aristocrates. Plus l'homme est riche et plus son clan est en vue, moins il estime être tenu d'honorer ses obligations. Dans son esprit, il n'y a que les rustres et les mal-élevés pour exiger qu'il rembourse ce qu'il doit.

— Très pratique, commenta Hob, ce qui fit rire son interlocuteur.

— Les membres des Maisons Nobles sont passés maîtres dans l'art de te donner l'impression que tu fais partie du club quand ils ont besoin de toi et de te montrer la porte quand tu leur as donné ce qu'ils voulaient.

— Lord Faeregine manigance pour se dérober face à ses créditeurs ?

— Il essaie, oui. Il nous a proposé des terres, des œuvres d'art, des faveurs et des titres… Tout sauf de l'argent sonnant et trébuchant.

— Mais ces choses ont une valeur, non ?

— Les terrains évoqués sont de la toundra infertile, les tableaux des croûtes, les recommandations de Basil lettre morte, et les titres insignifiants. Une dette domestique de la Maison Faeregine serait à la rigueur acceptable, mais seule l'impératrice peut autoriser pareille mesure. Pour résumer, Basil est dans la panade. Il est redevable de trop d'argent auprès de types trop importants.

— Vous, Lord Hyde, Lord Yamato.

— Entre autres. Et si tu crois que Hyde est prêt à passer l'éponge, c'est que tu n'as pas été assez attentif. Lord Willem espère bien s'approprier le contrôle de la banque. Yamato, lui, aspire à sa part de sceaux lirlandais.

— Et vous ?

— Moi, je veux tirer profit de la situation au maximum. Hyde et Yamato cherchent mon soutien. Quant à Basil, il me donnerait n'importe quoi pour que je le renfloue.

— Quelles sont vos intentions ?

— Utilise ta tête. Que ferais-tu, toi, à ma place ?

Hob réfléchit pendant quelques minutes.

— J'attendrais, finit-il par murmurer. Plus la situation s'envenimera, plus ils s'inquiéteront que vous vous entendiez avec un concurrent. Du coup, vous êtes libre de faire monter les enchères.

— Bien vu. Nos errements apparents reposent sur une méthode rationnelle, Hob. Nous infiltrons peu à peu les Maisons Nobles, y gagnons une influence que nous pouvons exercer quand bon nous semble. Lady Sylva n'a eu d'autre choix que satisfaire à nos exigences, lors de ce fameux dîner. Quand nous avons appris qu'elle souhaitait se débarrasser de ses beaux-parents, nous avons veillé à ce qu'il leur arrive un accident. Grâce à nous, elle est désormais la plus jeune matriarche d'une Maison Noble et peut s'en délecter à sa guise... tant qu'elle nous obéit au doigt et à l'œil. Le clan Sylva appartient à présent à la Confrérie. Ce sera bientôt le tour des Hyde et des Yamato.

— On dirait Arcadie ! s'exclama Hob, impressionné.

Un mauvais joueur se concentrait sur ses pions, là où un bon s'intéressait à la stratégie d'ensemble. L'organisation secrète s'arrangeait pour imposer sa domination sur le plateau, tandis que les aristocrates continuaient à pourchasser des pièces d'étain.

— Vous êtes en train de les dépouiller de leurs privilèges !

— Exactement. Je ne te reproche pas d'être soupçonneux, mon garçon. La paranoïa est courante, dans notre
profession. Mais la Confrérie ne saurait fonctionner sans la
confiance de ses membres, et la confiance exige un minimum de foi. Tu es l'un des rouages indispensables à un
mécanisme complexe. Tu as ton travail, les autres ont le
leur. Si tu interromps ta tâche pour t'interroger sur ce que
font tes camarades, la machine se cassera. Voilà qui nous
ramène à ta mission, d'ailleurs.

Le page se raidit, prêt à subir une rebuffade qui, il se
l'avouait maintenant, était sans doute méritée.

— Je te prie d'excuser notre impatience. Ton rôle est
délicat et il t'a été attribué alors que tu y étais relativement
peu préparé. Je te félicite pour la façon remarquable avec
laquelle tu t'es introduit dans les bonnes grâces de Son
Altesse. Tu as intrigué comme un chef.

Le verbe, qui supposait qu'il avait manipulé Hazel et
tiré avantage de sa gentillesse, déplut à Hob. Même s'ils
n'étaient pas amis au sens strict du terme, un lien les unissait. Il se trémoussa sur sa chaise, gêné.

— Tu t'es attaché à elle, remarqua M. Burke avec douceur. Ça n'a rien d'étonnant. Seul au milieu de nos ennemis, il était naturel que tu commences à t'identifier à eux.

Le garçon se redressa aussitôt.

— Hazel Faeregine n'est pas notre ennemie !
s'offusqua-t-il. Elle s'intéresse beaucoup plus au sort des muirs
que vous ne le pensez. Sa seule faute est d'être née dans la
famille royale. Une famille où, d'ailleurs, elle n'a jamais exercé
le moindre pouvoir. Je comprends mal qu'elle vous passionne
à ce point.

— Il y a pouvoir et *pouvoir*. Son Altesse prend ses dons de mystique très au sérieux, j'imagine, pour passer toutes ses soirées enfermée dans Tùr an Ghrian.

— C'est le lot des étudiants de Rowan que d'étudier la magie.

— Certes. Mais les autres élèves sont-ils sujets à des transes qui les conduisent droit vers l'un des tombeaux de La Faucheuse ? Ont-ils été agressés par un fomorlet ?

— L'homme-cerf ?

— Oui. On les appelle des fomorlets, une lignée de géants de moindre importance, rejetons des antiques Fomoriens. Ils sont en voie d'extinction. Les rares rescapés ont tendance à rôder autour des sépultures de Mina IV.

— Pour quelle raison ?

M. Burke remonta la mèche de la lampe qui s'était mise à crachoter.

— Je n'ai pas d'explication avérée, mais je crois qu'ils ont pour rôle de veiller à ce qu'elle n'en sorte pas. Elle a failli les exterminer, après tout.

Reposant la lampe sur l'établi, il s'essuya les doigts avec un mouchoir.

— Entre parenthèses, reprit-il, que sais-tu de Mina IV ?

— Née Arianna Faeregine en 308, récita Hob comme un écolier ayant retenu sa leçon, elle est montée sur le trône à quinze ans. Elle a été la Faeregine la plus douée en magie, surpassant même Mina Ire. Elle a créé les Portails de l'Au-delà, a écrasé la Grande Révolte, a étendu l'empire jusqu'aux frontières que nous lui connaissons aujourd'hui. Elle a été assassinée en 401, et ses cendres ont été éparpillées dans des centaines de sites funéraires différents.

— Très beau par cœur.

— Merci.

— Ce n'était pas un compliment. Les faits bruts, quand on ne les analyse pas, ne servent à rien. Tu viens de te borner à me décrire une femme qui a sécurisé les accès aux dimensions parallèles, a poussé à l'extrême de leurs limites ses pouvoirs mystiques et a développé les possessions de son clan.

— Et ?

— Ne trouves-tu pas étrange que les Faeregine l'aient émiettée sur toute la surface du globe ? L'emplacement de ses tombes est connu de tous. Pourquoi une des impératrices suivantes n'a-t-elle pas ordonné qu'on rassemble ses restes pour les ensevelir sur l'île Sacrée ?

Hob n'en avait pas la moindre idée.

— Peux-tu situer le mémorial à La Faucheuse ?

Cet interrogatoire n'était pas sans évoquer Oliveiro.

— Non. Je n'ai rien lu à ce sujet.

— Parce qu'il n'en existe aucun, assena M. Burke avec un regard significatif. As-tu déjà croisé un de ses portraits au palais ?

Le garçon réfléchit. La demeure des Faeregine pullulait d'œuvres d'art. Pourtant, il ne se souvenait pas d'avoir vu une peinture ou une sculpture de Mina IV, pas même dans le court chapitre de son guide impyrial qui lui était consacré. Quant à la caryatide censée la représenter, dans le hall de la salle du trône, ses traits avaient été totalement martelés, ce qui n'était le cas d'aucune des autres Mères Fondatrices.

— Non, marmonna-t-il.

— Les omissions sont parfois révélatrices. À ton avis, pourquoi la famille régnante minimise-t-elle l'existence de cette ancêtre ? Au point de quasiment l'effacer de la mémoire collective officielle ?

— Je ne sais pas.

— Parce qu'elle *terrifie* ses héritières. Il y a des dons que le monde des mortels n'est pas capable de supporter. Leur seule existence engendre des déséquilibres qui menacent la survie de l'espèce.

— La Faucheuse était un monstre, ce n'est un secret pour personne. Quel rapport avec Hazel ?

— La réincarnation, ça te dit quelque chose ?

— Bien sûr. C'est quand un esprit renaît dans un autre corps. Certaines religions y croient.

— Il se pourrait que toi aussi, d'ici quelques secondes.

De sa mallette, M. Burke tira une photographie encadrée et la mit sous les yeux de Hob.

— Regarde.

D'abord, le garçon ne saisit pas l'intérêt. Sous le verre protecteur, le cliché en noir et blanc fané montrait une jeune fille très mince et d'une pâleur inhabituelle. Pourchassée par un petit garçon, elle courait dans un jardin en riant aux éclats. Hob l'étudia de plus près... et sursauta : si ses cheveux avaient été plus clairs, elle aurait pu être Hazel Faeregine.

— Qui est-ce ? demanda-t-il, mal à l'aise.

Son interlocuteur s'adossa à son siège.

— Arianna Faeregine, quelques années avant qu'elle devienne Mina IV. Nous supputons qu'un artiste de la cour a utilisé cet instantané afin de réaliser un portrait, qui a été détruit quand Mina V a proscrit toute représentation de sa mère. Heureusement, quelqu'un de très courageux a réussi à sauver ce cliché, saine précaution pour que les générations futures n'oublient pas à quoi le mal peut ressembler.

Une bonne minute, Hob contempla sans ciller la photographie. La cave froide et humide était tellement silencieuse que lui et M. Burke avaient l'aspect de deux ombres dans un tombeau. Le visage joyeux de la fille n'avait rien de mauvais. Son ravissement était exactement le même que celui de Hazel lors du premier but marqué au match, la veille. Le page se concentra sur le garçonnet qui la poursuivait.

— Qui est-ce ?

— Son frère cadet, le prince Maximillian. Il a trouvé la mort l'année d'après, lors de la tentative d'assassinat avortée de leur mère. On raconte que, ensuite, Arianna n'a plus été la même.

Hob s'apitoya sur le gamin, qui avait eu tout au plus trois ans à l'époque. Il se rendit compte qu'il était obligé de se rappeler qu'il n'était pas en train de contempler Hazel, mais Arianna. Chaque fois, il était saisi d'un frisson convulsif. Il finit par se racler la gorge.

— Ce n'est qu'une coïncidence, souffla-t-il. Les Faeregine se ressemblent énormément.

Son mentor appuya le cadre au mur.

— Ce qui explique pourquoi tu es aussi blanc que Son Altesse.

— Je ne prétends pas que ce n'est pas troublant.

M. Burke eut un petit rire sans joie.

— Hazel Faeregine n'est pas une quelconque adolescente qui, par hasard, a des traits en commun avec un personnage historique. Elle a vu le jour près d'un Portail de l'Au-delà, la veille de la Toussaint, et sa naissance imprévue a provoqué deux décès, celui de sa mère et celui de ton père. Physiquement, elle n'a pas grand-chose de ses proches actuels, mais il est presque impossible de la distinguer d'Arianna Faeregine. Si ce n'était qu'une coïncidence, pourquoi s'est-elle rendue comme une somnambule sur une tombe de La Faucheuse ? Pourquoi a-t-elle fait un malaise pendant une fantaisie qui mettait en scène l'assassinat de cette même Faucheuse ?

— Votre dernier argument ne tient pas. Moi aussi, j'ai failli tomber dans les pommes.

L'homme balaya l'objection d'un revers de main.

— Tu es rationnel, Hob. Or aucun être rationnel n'a besoin de preuves supplémentaires pour subodorer qu'il se trame un truc extrêmement louche.

— Mais je connais Son Altesse ! s'entêta le garçon avec un coup d'œil à la photographie. Ce n'est pas un monstre.

— Arianna Faeregine non plus, au départ. Tous les témoignages concordent, elle n'a fait preuve d'aucune disposition particulière pour la magie avant la puberté. La situation n'a changé qu'après la mort de Maximillian et son premier pèlerinage.

Rangeant le cadre dans sa mallette, M. Burke fixa le page avec gravité.

— Mon objectif, continua-t-il, n'est pas seulement d'obtenir l'égalité des droits pour les muirs, mais d'y arriver en versant un minimum de sang. D'ici deux ans, Impyrium sera gouverné par une impératrice inexpérimentée et impressionnable. À ce moment-là, nous contrôlerons la majorité des Maisons Nobles, plusieurs institutions clés et de nombreuses villes et régions. Sa Radieuse Majesté n'aura d'autre choix que d'accepter nos conditions.

— Parce que vous avez l'intention de laisser une Faeregine sur le trône ?

— Au début, en tout cas. Les extrémistes prônent la violence, mais le peuple, dans sa majorité, la déteste. Si nous tentions de renverser la dynastie en une seule nuit, nous pousserions nos adversaires à prendre des mesures drastiques tout en nous aliénant la population que nous tâchons d'aider. Nous devons être forts, avisés et patients. Dans une génération, les muirs seront les égaux des mehrùns et des aristocrates. Dans deux, ces derniers auront disparu.

Un sourire enfantin étira les lèvres de l'homme, qui abattit son poing sur la table.

— Nous sommes plus malins qu'eux. Mieux organisés aussi, et notre cause va au-delà de la simple préservation d'un titre et d'un mode de vie. Après des siècles d'oppression, nous sommes presque en position de gagner la partie. Tu imagines ça ?

Hob n'en était pas certain. Il aurait bien aimé, mais l'idée qu'une telle issue soit envisageable était si dérangeante et extraordinaire qu'il avait du mal à se la représenter. Il songea soudain qu'il était devenu membre de la Confrérie parce qu'il y avait vu un moyen d'établir un lien avec son père et parce qu'il croyait au bien-fondé de la lutte qu'elle menait. Il avait en réalité fort peu réfléchi au résultat final. Au fond, il n'avait jamais trouvé le projet très réaliste. Sauf que son mentor s'exprimait comme si la victoire était possible ; plus, même : comme si elle était imminente.

Mais les paroles qui suivirent furent si sombres qu'elles ramenèrent brutalement le garçon au présent.

— Si Hazel Faeregine est bien ce que nous la soupçonnons d'être, tous nos efforts auront été vains. Non seulement elle gagnera la partie, mais elle brûlera l'échiquier. Le monde ne s'est toujours pas remis des horreurs que lui a infligées la première Faucheuse. Il ne survivra pas à une seconde.

Se levant, Hob entreprit d'arpenter la cave.

— Vous projetez de l'éliminer, hein ? Ne me dites pas le contraire.

Croisant de nouveau les doigts, ce fut d'une voix mesurée que M. Burke répondit :

— Nous avons déjà placé un tueur à gages dans son entourage, mais il est censé patienter avant de frapper. J'attends d'obtenir plus d'informations, Hob. Si tu ne me les fournis pas, je me verrai contraint de partir du principe que la mort de la princesse est inévitable.

Le garçon se figea brusquement.

— Il existe donc une chance de la sauver ?

— Nous avons nos propres érudits, en matière de magie. Pour eux, il y a deux explications à la ressemblance et au comportement de Son Altesse. La première, c'est qu'elle est effectivement la réincarnation de La Faucheuse, auquel cas, elle doit disparaître. La seconde est qu'elle n'est qu'une jeune innocente possédée par une entité extérieure, un fragment de l'esprit de La Faucheuse peut-être. Auquel cas, un exorcisme suffirait.

Bien qu'une lueur d'espoir se dessine, Hob résista.

— Et si elle n'était ni l'une ni l'autre ? Si j'avais raison, si elle était juste une fille normale ?

— Toi comme moi savons que ce n'est pas vrai.

— Pourquoi alors voulez-vous vérifier qu'elle est susceptible d'être épargnée ? Vous vous fichez d'elle, en tant qu'individu.

— J'ai plusieurs raisons. Malgré ce que tu as l'air de penser, je ne suis pas un assassin sans pitié. Ce n'est pas à la légère que j'ordonnerais l'exécution de quelqu'un n'ayant rien à se reprocher, surtout d'une enfant. Par ailleurs, il faut être pratique. La disparition violente d'un membre de la famille royale déclencherait une vague de rétorsions massive. L'impératrice serait folle de rage, et les Maisons Nobles nous opposeraient un front commun, ce qui reporterait d'autant nos plans. De plus, si Son Altesse est aussi sensible à l'injustice que tu l'affirmes, elle pourrait devenir un allié utile pour les réformes que je prépare. Je n'ai pas l'intention de la tuer si ce n'est pas nécessaire.

Hob fut obligé de reconnaître que ces arguments étaient recevables. S'il laissait libre cours à ses propres émotions, il n'en ressortirait rien de bon. Il se rassit.

— Que voulez-vous que je fasse ?

— Que tu me renseignes, comme c'était prévu quand nous t'avons confié cette mission. Mes spécialistes en mystique doivent comprendre ce que Son Altesse étudie, cerner l'ampleur de ses dons. Ce n'est qu'alors que nous saurons à quoi nous avons affaire. Si tu te révèles incapable de nous donner une idée claire de ce qu'elle est, nous serons forcés d'envisager le pire.

— Pigé. Vous aurez ce que vous souhaitez.

— Je l'espère. Le temps presse. La princesse a douze ans. Dans quelques mois, elle effectuera son premier pèlerinage, et ses pouvoirs risquent de se révéler en plein. As-tu du neuf à me confier ?

— Je ne suis pas autorisé à assister à ses leçons et je ne l'ai jamais vue pratiquer la magie. J'ai juste deviné qu'elle avait une tâche à accomplir ou un examen à réussir avant son prochain anniversaire. Dame Rascha lui a promis des vacances après.

M. Burke croisa les bras et s'abîma dans la contemplation de la mèche de la lampe.

— Voilà qui est important, murmura-t-il au bout d'un moment. L'Araignée est la seule à pouvoir imposer une charge aussi lourde à sa petite-fille. Si cette dernière passe des heures dans Tùr an Ghrian, c'est que la tâche en question est liée à la sorcellerie. Il y a urgence. L'impératrice fait pression sur Son Altesse, elle essaie d'accélérer les choses tant qu'elle exerce une influence sur elle… Je crois qu'elle a deviné ce qu'est Hazel. Je suis même prêt à le parier.

— Sauf que, encore une fois, les Faeregine ont désavoué La Faucheuse. Pourquoi Sa Majesté voudrait-elle en créer une deuxième ?

— Aucune idée. Les dirigeants ont une vision du monde différente de la nôtre. L'héritage de Mina IV effraie peut-être la dynastie, mais il a sauvé l'empire et c'est grâce à lui que le clan règne depuis deux mille cinq cents ans. La Faucheuse était un feu de forêt. Si elle a détruit Impyrium, elle a redonné souffle à ses propres descendantes. Tu dois trouver ce que mijote Hazel Faeregine.

— Comptez sur moi. Y a-t-il quelque chose en particulier que je suis censé chercher ?

— Non. Mentionne *tout* ce que tu verras ou entendras, aussi banal que cela puisse te sembler. Ne filtre pas, n'analyse pas, n'interprète pas. Ça, c'est le travail de nos savants.

— D'accord. En échange, vous devez m'aider avec Sigga Fenn. Elle doute que je sois un simple page.

Hob expliqua ce que le garde du corps lui avait raconté à propos du site archéologique, du fusil découvert près du golem et du souci suscité par Whitebarrow. Ce dernier détail provoqua l'hilarité de M. Burke.

— Sigga Fenn t'a accusé de *nécromancie* ?

Le garçon s'empourpra.

— Pas exactement. Elle m'a obligé à boire cette potion par mesure de précaution. Et ce n'est pas drôle. Ma mère et ma sœur vivent près de Whitebarrow.

— Pardonne-moi, s'excusa son interlocuteur dont les yeux pétillaient. Il est normal que tu t'inquiètes, mais inutile d'en perdre le sommeil. C'est moi qui ai procédé à ces offrandes.

— Hein ? La Confrérie est derrière ça aussi ?

— Une autre des idées lumineuses de Mme Marlowe. Quand, à l'automne dernier, je suis reparti pour le Nord-Ouest, elle a suggéré que je sème une graine à Whitebarrow. Visiblement, ça a donné une jolie fleur. Les Faeregine sont paranoïaques, quand on parle de nécromancie. Si La Division Écarlate croit qu'un ennemi aussi ancien que le Sabbat refait surface, ce sera encore mieux. Elle se lancera dans une traque vaine, ce qui nous laissera le champ libre.

Hob se détendit. Il devrait envoyer un nouveau courrier à sa mère pour l'avertir que c'était une fausse alerte. Pas de souci.

— Bref, résuma-t-il, c'était une diversion.

— Naturellement. La Division ne compte que douze membres, que notre astuce dispersera aux quatre vents. Revenons à Sigga Fenn. T'a-t-elle concrètement incriminé ?

— Non. Mais je mentirais si je soutenais que je n'ai pas la frousse.

— Rien de plus normal. Garde à l'esprit qu'elle ne te considère pas comme une menace directe pour Son Altesse, cependant. Sinon, tu serais déjà mort. En revanche, il est évident qu'elle te soupçonne d'œuvrer pour quelqu'un. Si elle t'effraie, c'est pour que tu retournes ta veste et que tu te rapproches d'elle, que tu lui demandes sa protection. Une tactique courante. Et efficace, apparemment.

S'emparant du couteau de cuisine, M. Burke en testa la lame. De nouveau, Hob rougit.

— Il est facile de céder à la paranoïa, se défendit-il. Vous l'avez vous-même dit tout à l'heure.

L'homme parut ému, soudain, comme si les réticences du garçon le blessaient.

— La Confrérie est une famille, Hob. Nous ne te trahirons pas, et je sais que tu ne nous trahiras pas non plus. Et puis, tu es le fils d'Ulrich Doyle.

De la poche de son manteau, il sortit un canif au manche de corne et le lui tendit.

— Je l'ai retrouvé dans les affaires de ton père. Il ne l'avait jamais sur lui, par crainte qu'on le lui confisque. Les Doyle étaient de pauvres gens sans grandes ressources, mais ce couteau a été transmis sur six générations. Tu es l'heureux représentant de la septième.

Hob examina le cadeau. Il ressemblait à un jouet qu'on offrirait à un petit garçon pour qu'il s'amuse à tailler du bois. Mais pour lui, que sa tribu Hauja avait rejeté, ce lien avec son père était inestimable. Il fondit en larmes, ce dont il ne se soucia plus, cette fois. Il examina de près le manche, discerna six initiales gravées en colonnes. Il ajouterait les siennes plus tard.

M. Burke lui assena une bourrade sur l'épaule.

— Merci de ta venue et de ta franchise. Nous sommes tout proches de gagner, Hob, et ton rôle est vital. Effectue ton boulot, je me charge de Sigga.

Essuyant ses yeux, le garçon jeta un coup d'œil sur l'escalier.

— Et si elle m'avait fait suivre ?

— Ce n'est pas le cas.

— Qu'en savez-vous ?

— Parce que *je* t'ai fait suivre, rigola l'homme. Inutile de te vexer, c'est la procédure. Nous contrôlons cette cave depuis trente ans, il nous serait très désagréable de la perdre.

Hob s'en alla, conscient de tout ce qui avait changé, cette dernière heure. Les révélations sur Hazel l'effarouchaient, mais il se sentait capable de les affronter avec détermination. Il ne s'était pas rendu compte à quel point il était isolé, ici. La visite de M. Burke avait rallumé la flamme, ranimé son impression d'appartenir à un mouvement qui allait améliorer le monde, le préserver, peut-être.

Quant à l'albinos, il refusait de croire qu'elle était La Faucheuse ressuscitée. Certes, il se passait quelque chose, il était possible qu'un esprit ou un démon soit en train de guetter la princesse pour s'emparer d'elle. Hob était bien décidé à la sauver, à l'instar de son père lorsqu'elle était née. Sans être religieux, il ne pensait pas que les coïncidences de ce genre relèvent du hasard. Les dieux avaient sûrement un objectif précis et supérieur.

Il s'apprêtait à quitter la maisonnette par la porte de derrière quand il s'aperçut qu'il avait oublié le couteau des harpies. Il rebroussa chemin et se précipita au sous-sol.

— Désolé, je…

Il s'arrêta net. En bas, la cave était plongée dans l'obscurité et un silence sinistre.

— Monsieur Burke ?

Il scruta la pénombre. La lampe ne brûlait plus. Il n'y avait pas un bruit. Ni aucune trace de son mentor.

CHAPITRE 4

LA LINGUA MYSTICA

Les mystiques suivent une partition ;
les mages composent des symphonies.

David Menlo, archimage
(17 av. C – 72 apr. C.)

Hazel se réveilla en poussant un cri. Pendant une minute, elle resta pétrifiée dans l'obscurité, tandis que la transpiration refroidissait sur sa peau. Merlin s'était envolé de l'oreiller pour se réfugier sur la commode, d'où il la scrutait avec inquiétude, ses prunelles luisant dans la pénombre. S'asseyant, Hazel rejeta ses couvertures trempées d'un coup de pied et s'efforça de reprendre son souffle. Dehors, le ciel ténébreux sans lune indiquait que l'aube était encore loin.

C'était la troisième fois qu'elle faisait ce cauchemar depuis la fantaisie Grotesque. Elle y planait au-dessus d'un océan qui s'agitait dans son sillage. La nuit était grenat et terne, aucune étoile n'y brillait. Des tours cristallines se dressaient à la surface de la mer, pareilles à des antennes. À l'approche de l'albinos, elles se fendillaient puis explosaient, et leurs débris retombaient dans l'eau comme des morceaux de glace se détachant d'un iceberg. À l'horizon affleurait un promontoire à l'allure menaçante surplombé par une ville de basalte noir. Des oriflammes claquaient au vent. Y était représenté un croissant de lune entrelacé d'une ciguë. L'étendard de la reine Lilith, le drapeau de l'antique Zénuvie. Les énormes portes de la cité s'ouvraient sur une armée aux cors tonitruants. Quand l'ombre de Hazel, immense, déchiquetée et ténébreuse, la recouvrait, des milliers de visages se levaient et comprenaient alors que l'heure de la damnation avait sonné.

La jeune fille avait cessé d'avoir peur de ce cauchemar ; il lui inspirait plutôt de la colère. Sautant au bas du lit, elle fonça sur la cheminée et dessina un symbole dans l'espace. Elle avait créé une nouvelle cachette au portrait donné par Rascha, où ni ses sœurs ni Olo ne le découvriraient. Un feu sorcier vert crépita aussitôt dans l'âtre, et ses lueurs fantomatiques envahirent la pièce. Hazel s'accroupit et plongea sa main dans les flammes. L'opération était douloureuse, mais elle en réchapperait sans brûlures ni cloques. Ses doigts atteignirent ce qu'elle cherchait. Arrachant le tableau du feu, elle le jeta sur un siège. Des volutes de fumée s'élevèrent de la toile et du cadre argenté. Son sujet fixait la princesse d'un air placide.

— Fiche-moi le camp ! grogna Hazel. Sors de ma tête.

Ce n'était pas la voix d'une enfant qui la harcelait, mais celle d'une femme âgée, dont les cordes vocales avaient été gauchies, tordues et étirées par les ans jusqu'à émettre des sons à peine humains.

Ce n'est pas moi qui suis dans ta tête, petite. C'est toi qui es dans la mienne.

Hazel serra ses poings menus.

— Si ça continue, je dis tout. Je rapporte à Rascha.

Cette déclaration fut accueillie par ce qui ressemblait à un rire étouffé.

Tu n'en parleras à personne. Surtout pas à elle. Pauvre Rascha. Elle aurait mieux fait de ne pas insister...

— C'est toi, la coupable !

Vraiment ?

Haletante, l'albinos dut admettre qu'elle ne comprenait pas très bien ce qui était arrivé à sa préceptrice, plus tôt dans la semaine. Elles étaient en train de travailler dans Tùr en Ghrian, quand la luperca avait exigé qu'elles s'exercent à la télépathie. À deux reprises, elle avait tenté d'entrer dans l'esprit de son élève. En vain. Soit Hazel, soit La Faucheuse l'en avaient empêchée. À la troisième tentative, la louve avait été victime d'une syncope et s'était effondrée. Elle se remettait, mais gardait le lit depuis plusieurs jours.

Rascha voudrait que tu t'entraînes. On commence par les progressions ?

Plantée devant la peinture, Hazel croisa les bras. Dans son dos, le feu sorcier épousa les formes que, mentalement, elle lui ordonnait de prendre. Elles se succédèrent rapidement, parfaites, leurs contours aussi nets que si elles avaient été forgées dans du métal.

Plus vite.

Les avatars s'accélérèrent au point de devenir flous, comme un jeu de cartes que l'on bat. Ils étaient aussi de plus en plus complexes : géométriques, organiques, cristallins, monstrueux…

Assez. Tu es prête.

Le brasier s'éteignit peu à peu, et la chambre fut replongée dans la pénombre.

— À quoi ? murmura la princesse.

À réussir le sortilège de transformation, petite. N'est-ce pas ce que souhaiterait Rascha ?

Hazel opina sans enthousiasme, ignorant Merlin qui battait des ailes avec anxiété. Fermant les paupières, elle imagina le porcelet qu'elle avait si souvent tenté de devenir – rose pâle, avec des moustaches blanches et des oreilles tombantes, des pieds agiles et…

Bien.

Ouvrant les yeux, la jeune fille leva une main. Ses doigts fins se fondaient lentement pour dessiner un sabot. Le plaisir fit battre son cœur plus fort. La matière était bien malléable ! Mieux encore, l'apprentie magicienne n'était pas obligée de se cantonner aux porcs. Elle pourrait désormais se transmuter en… en ce qu'elle désirait !

Le goret qu'elle s'était représenté s'évanouit au profit d'une créature gigantesque et sombre, emplumée, maléfique. Sa main fut agitée par des tremblements incontrôlables. Ses chairs se mirent à bouillonner comme de la pâte portée à ébullition.

Une douleur aiguë élança soudain son autre main. Baissant la tête, elle constata que Merlin venait de planter ses dents aussi fines que des aiguilles dans sa paume. Elle

tenta de s'en débarrasser d'un geste brusque, mais l'homoncule s'accrocha, tenace. Il s'agrippait et mordillait avec une
force désespérée. Hazel finit par l'expédier violemment en
l'air. Il roula aile par-dessus tête et atterrit sur le lustre dans
un tintinnabulement de pampilles.

— Qu'est-ce qui te prend ? le gronda-t-elle.

Merlin assura sa prise et stabilisa sa position. Puis il
poussa un ululement doux et interrogateur. Furieuse qu'il
ait interrompu le sortilège, elle le toisa un moment et le
menaça du poing.

— Franchement, Merlin ! J'ai drôlement envie de te…

Elle s'interrompit, horrifiée par le moignon difforme qui
émergeait de sa manche. Sa main n'avait plus rien d'humain. Elle ressemblait à un pied de cochon qui aurait été
calciné. Une grosse griffe noire luisante saillait d'un sabot
fendu comme une saucisse trop cuite.

S'arrachant à ce spectacle répugnant, la princesse scruta
les parages. Une lumière matinale transperçait les fenêtres,
et le ciel avait revêtu une couleur pâle, presque pêche. Elle
ne s'était pas aperçue de la fuite du temps. Dehors, un tintamarre retentit. Ouvrant la croisée, elle perçut des hurlements assourdissants. Apparemment, tous les chiens du
Vieux-Collège s'égosillaient à l'unisson.

Refermant le carreau, elle verrouilla la fenêtre et attrapa
le portrait d'Arianna Faeregine. Comme d'habitude, elle se
jura de ne plus jamais le regarder. Elle fit resurgir le feu sorcier et flanqua la toile dans la cheminée. Les flammes s'éteignirent, emportant le tableau avec elles.

Se détournant, Hazel contempla sa main avec accable-
ment. Elle grimaça. Rascha parviendrait-elle à réparer les
dégâts ? Elle avait l'intention de lui rendre visite plus tard

dans la journée. Que serait-il advenu si Merlin ne l'avait pas distraite ? Elle leva la tête en direction de son homoncule, qui l'épiait avec prudence depuis son perchoir.

— Oh ! s'exclama-t-elle. Redescends ! Je suis désolée. Je n'étais plus moi-même.

L'interpellé se pencha, ulula doucement et vola vers elle. Il se posa sur son épaule et étira son cou fripé, telle une tortue se pavanant. La jeune fille lui gratta le menton.

— Bon, souffla-t-elle, le soleil s'est levé. Inutile de nous recoucher.

Elle sortit de la pièce quinze minutes plus tard, enveloppée dans un peignoir pelucheux trop grand aux manches idéalement longues. Ses sœurs étaient déjà dans le salon commun, et la table du petit déjeuner dressée.

— L'as-tu senti toi aussi ? l'apostropha Isabel qui, assise près de la fenêtre ouverte, savourait l'air frais.

— Quoi donc ?

— Le tremblement de terre, répondit Violet, plongée dans son journal. Pourquoi les cabots aboient-ils, à ton avis ? Ils sont très sensibles à ces phénomènes.

Hazel s'installa en prenant soin de garder sous la table le piètre résultat de ses expériences.

— Je n'ai rien remarqué. Il ne devait pas être très puissant.

— Ha ! ricana Isabel. Un cataclysme ne te réveillerait pas. Tu dors comme une morte.

— Dont elle a tout l'air, renchérit l'aînée en jetant un coup d'œil à la benjamine. Ces cernes sont atroces, Hazel, appliques-y du jus de citron.

Isabel poussa un soupir de contentement.

— Rien ne vaut les dimanches matin à cette époque de l'année. Pas de cours, pas d'obligations, un air assez doux pour ouvrir la fenêtre et assez frais pour profiter d'un bon feu. Si vous deux n'étiez pas là pour me gâcher la journée, je serais au paradis.

Elle sirota une gorgée de nectar et s'empara d'une tranche de lard frit.

— Je t'en prie, Isabel, gave-toi de bacon, ricana son aînée. Ce n'est pas comme si nous devions prochainement assister à un bal. Oups ! Maintenant que j'y pense, si !

— Et alors ? On est censées s'affamer alors que les hommes se gavent comme des selkies ? On nous reproche de grossir, on les félicite d'avoir du coffre. Quand tu seras impératrice, ma vieille, interdis l'usage des corsets. Ou alors, oblige le sexe fort à en porter également.

— Motion soutenue ! pépia une voix depuis la panière.

Violet abaissa le quotidien qu'elle lisait.

— Ne dis pas de sott… Beurk !

Elle abattit la gazette sur Pamplemousse, qui s'empressa de déguerpir des croissants. Elle le visa de nouveau, mais l'homoncule était d'une agilité étonnante, au regard de son bedon. Il esquiva le coup, et Sa Majesté Impyriale faillit atteindre Merlin, qui bascula de la table. Sans réfléchir, Hazel tendit le bras pour le rattraper, exposant alors la déformation qu'elle avait jusque-là dissimulée. Violet en lâcha son journal.

— Qu'est-ce que c'est que cette horreur ?

L'albinos tenta de minimiser la chose. Posant Merlin à côté d'elle, elle se servit elle aussi de bacon.

— Ma main, lâcha-t-elle d'un air dégagé. J'ai eu un petit accident.

Isabel en avait la mâchoire décrochée.

— Genre ?

— J'essayais de me transformer, et... j'ai eu un pépin.

— Et tu voulais transmuter en quoi ?

L'intéressée essaya de noyer le poisson.

— N'est-ce pas évident ?

Violet examinait le tronçon de chair et son demi-sabot.

— Serait-ce un pied de cochon ? demanda-t-elle.

— En théorie, oui, admit la benjamine, bizarrement heureuse que son aînée ait deviné.

— Et tu boulottes du porc ? s'exclama Isabel, faussement choquée. Cannibale !

Hazel grogna comme une truie, ce qui ne fit que renforcer l'hilarité de sa sœur. Comme d'habitude, la seule à garder son sérieux fut Violet.

— Pourquoi te risques-tu à ce genre de sortilège quand Rascha est malade ?

— Je voulais juste voir si j'en étais capable.

Isabel tripota le moignon avec une baguette en bois.

— C'est dégoûtant ! rigola-t-elle. Tu sens quand je te touche ? Pouah ! C'est une *griffe*, ça ?

— Oui.

Violet lissa son journal avec agacement.

— Tu te transformes en cochon, tu prends des cours avec un page... Décidément, ma petite, tu fais honneur à la famille.

— Allons, Vi, plaida la cadette, il est incroyable qu'elle ait réussi pareille prouesse. D'accord, ce n'est pas parfait, il n'empêche... Personnellement, je suis incapable de muter. Et toi ?

— Ce n'est pas la question.

— Bien sûr que si ! L'Araignée exige que Hazel soit une mystique accomplie dans six mois, je te rappelle ! Comment t'en sors-tu, d'ailleurs, ma chérie ?

L'albinos jeta un coup d'œil las à son extrémité porcine.

— Si je me contentais de me qualifier en tant que premier rang, je ne m'inquiéterais pas. Pour le troisième, il faut savoir devenir un mammifère, un oiseau et un reptile. J'ai encore du boulot. Mais bon, ceci peut sans doute être considéré comme un progrès.

— Mais oui bien sûr ! se moqua la future impératrice.

— Ça te ferait si mal que ça de la féliciter ? la rabroua Isabel.

— Excuse-moi, ironisa l'interpellée. Va savoir pourquoi, je suis un brin chamboulée. Quatre nouveaux navires ont disparu, et je suis attendue à un conseil de guerre cet après-midi. Mais bravo, Hazel ! Tu es en partie cochon. Ça donne très envie.

— Quatre autres bateaux ? s'écria la benjamine. Quand est-ce arrivé ? Le dernier dont j'ai entendu parler, c'était *Le Tempétueux*.

Elle lut les gros titres en diagonale.

— Pourquoi la presse n'évoque-t-elle pas ces naufrages ?

— Parce que nous l'achetons à coups de pots-de-vin exorbitants pour qu'elle la boucle, rétorqua son aînée avec raideur. Les manifestations d'Impyria ont commencé à faire tache d'huile. Si le peuple savait la vérité, nous aurions droit à des émeutes quotidiennes dans tout l'empire.

— Allons-nous entrer en conflit avec les Lirlandais ? s'inquiéta Isabel.

Violet jeta son journal sur la table.

— Aucune idée. Les démons nient avoir enfreint la loi. Je ne comprends pas comment Lord Kraavh ose mentir aussi effrontément. Il est évident que ce sont eux qui coulent les galions, avec ou sans sceaux. Ils nous provoquent, et oncle Basil écume de rage. Il les a déjà accusés d'être responsables de la catastrophe du *Typhon*.

— Qu'en dit l'Araignée ?

— Pff ! Rien du tout ! Elle se borne à écouter ses conseillers et à foudroyer tout le monde de ses yeux de requin. À mon avis, elle devient gâteuse. Ce qui explique pourquoi elle s'intéresse à Hazel.

— Arrête ! Tu crois qu'elle est prête à abdiquer ?

— D'après Lady Sylva, je pourrais l'y forcer. Impyrium réclame une souveraine puissante, et grand-mère est trop vieille pour ça.

— Tu ne devrais pas aborder ces sujets avec Lady Sylva !

— Et avec qui pourrais-je le faire, je te prie ? Mes sœurs ? Alors que l'une se transforme en truie, et que l'autre flirte de façon éhontée avec Andros Eluvan ?

— Lady Sylva n'est *pas* notre amie. Chaque fois que tu la rencontres, tu te mets à délirer sur l'Atelier. Elle est à leur solde, bon sang ! Il faut être aveugle pour ne pas le voir !

Pour le coup, Violet se mit à fulminer.

— Quel bonheur ce doit être d'envisager tout en noir ou blanc, d'avoir réponse à tout ! T'a-t-il traversé l'esprit que le soutien de l'Atelier pourrait se révéler nécessaire ? Que j'ai *envie* d'en parler ? Que nos ingénieurs seraient susceptibles de se révéler utiles si, au pire, un conflit nous opposait aux Lirlandais ?

— Nous avons déjà vaincu les démons.

— Quand ? Il y a deux mille ans ? Mina XVI était une magicienne confirmée, elle avait un réel pouvoir sur eux. L'Araignée n'est même pas une mystique digne de ce nom.

— N'est-elle pas de cinquième rang ?

— Ne sois pas naïve ! Elle a déjà du mal à allumer une simple bougie. Jadis, nos érudits prométhéens étaient forcés d'être de sixième rang. Sais-tu combien il nous reste de mystiques de cette qualité ?

Elle tendit trois doigts avant de poursuivre :

— Aucune n'est une Faeregine, soit dit en passant, et on n'a pas revu l'une d'elles depuis vingt ans. Si les prouesses de Hazel se bornent à terminer avec un pied de cochon griffu en guise de main, crois-moi, nous risquons d'avoir sacrément besoin de l'Atelier.

Isabel fut abasourdie par cette diatribe.

— Je... j'ignorais que...

Hazel, qui n'avait pipé mot durant tout cet échange, baissa la tête. Maintenant, elle comprenait mieux la mission que lui avait confiée l'Araignée.

— Eh bien, te voilà au courant ! gronda Violet. Alors, la prochaine fois que tu partiras du principe que je suis une idiote, essaie de te dire que je détiens peut-être des informations que tu n'as pas. Parfois même plus que je le souhaiterais, figure-toi...

Sa Majesté Impyriale était au bord des larmes. Isabel posa une paume apaisante sur son bras.

— Si tu gardes tout comme ça par-devers toi, tu vas finir par exploser. Nous pouvons t'aider, tu sais ?

Les yeux rivés sur son thé vert froid, sa sœur sembla ne pas l'avoir entendue.

— L'Araignée se meurt, souffla-t-elle. Ce n'est pas une couronne que je vais hériter, c'est un conflit.

Elle releva la tête, et son regard tomba par hasard sur le moignon de Hazel.

— Que comptes-tu mettre pour le bal ?

— Je n'ai pas encore décidé. J'ai une séance d'essayage après mes révisions sur le Muirland.

Isabel se mit debout.

— Choisis une tenue avec des gants. Nous ne sommes pas en position d'être la risée de la cour.

— Au moins, plaida Isabel, ça montre que notre clan est de nouveau doué de magie puissante.

— Non, riposta l'aînée. Ça montre tout le contraire.

Elle se glissa dans sa chambre en refermant la porte derrière elle. Les deux plus jeunes gardèrent le silence, chacune plongée dans ses pensées. Même Pamplemousse s'abstint d'un commentaire désagréable, préférant engloutir un beignet à la place. Tout à coup, la situation paraissait plus grave et dangereuse. Le Bal de mai était un événement important – non seulement il marquait le retour des beaux jours, mais il commémorait la date où une magicienne avait porté le premier coup dans la guerre opposant l'humanité à la démonie. Hazel se demanda, vu les derniers événements, s'il n'aurait pas dû être annulé ou reporté. On frappa, et Olo apparut pour débarrasser la table. Hazel se dépêcha de dissimuler sa main sous sa manche. Isabel secoua la tête.

— Si tu sors, mieux vaut que tu empruntes mes moufles.

Une heure plus tard, Hazel quittait les appartements des triplées, habillée et gantée pour la journée. Sigga l'attendait dans le vestibule, et toutes deux descendirent l'escalier de la tour.

Si l'albinos s'était doutée que les relations avec les Lirlandais étaient tendues, elle n'avait pas imaginé une seconde qu'un conflit ouvert soit envisageable. Or voici que Violet allait participer à une réunion susceptible d'aboutir à une déclaration de guerre en bonne et due forme. Avec quelles conséquences ? En douze années d'existence, la princesse n'avait eu vent d'aucune rébellion, encore moins d'une guerre. La seule qu'elle avait vue était celle de son abominable rêve récurrent. Elle jeta un coup d'œil à son moignon emmitouflé.

Plus jamais ça, songea-t-elle. *Il faut que tu la tiennes éloignée, sinon tu vas devenir folle.*

Flanquée de son garde du corps, elle atteignit le campus de Rowan et entreprit de grimper les marches de Vieux-Tom. S'arrachant à ses sombres ruminations, elle revint à un présent plus terre à terre. Elle avait beaucoup pensé à Hob, depuis leur excursion à Impyria, deux semaines auparavant.

Cette journée avait été à la fois une des meilleures et une des pires de sa vie. Elle n'avait pas tenté d'expliquer les raisons de son bouleversement au moment de la manifestation, devant la banque. Qu'aurait-elle pu dire, d'ailleurs ? Qu'elle avait eu une vision prémonitoire du naufrage de *L'Étoile Polaire* ? Qu'elle avait assisté, via les yeux terrifiés d'un mousse, à la destruction du navire par les Lirlandais ? Le page l'aurait accusée de démence. Résultat, elle n'en avait soufflé mot à personne, pas même à Rascha ou à Isabel.

Le problème, c'est qu'elle avait *envie* d'en parler à Hob. Elle se sentait en sécurité, avec lui. Non qu'il la protège physiquement. C'était plutôt qu'il ne jugeait pas. Sérieux, voire intimidant, il exsudait aussi le respect d'autrui. Sa première réaction était d'écouter pour essayer d'aider, au lieu de condamner, de se moquer, de rejeter. Hazel aurait aimé qu'il y en ait un comme lui parmi les petits marquis de cour, avec lequel converser en public.

Au lieu de quoi, il lui fallait emprunter des chemins détournés à travers le palais, dans l'espoir de le croiser au hasard de ses activités de page. Sigga – qu'elle en soit chaudement remerciée – ne protestait pas quand Hazel suggérait un trajet absurde ou glissait la tête dans telle galerie ou salle, où elle ne trouvait en général que d'austères ministres, même si, parfois, elle avait la chance de repérer le domestique en question planté au garde-à-vous près d'un mur. Lorsqu'il la remarquait, il la saluait d'un hochement de tête imperceptible accompagné d'une ombre de sourire avant de reprendre son expression détachée et stoïque. La princesse adorait ces « rencontres imprévues », tout en songeant qu'un double de l'agenda de Hob lui serait sacrément utile. Ces tours et détours lui donnaient des allures de touriste égarée.

Ce n'était pas la première fois qu'elle s'amourachait d'un garçon, mais il était inédit qu'il ait à peu près son âge. À six ans, elle s'était toquée du beau capitaine Hutchens, qu'elle avait qualifié de « fracassant » devant ses sœurs. Isabel continuait de la taquiner avec ça.

Hob était différent. Elle le connaissait, à force d'avoir passé de nombreuses heures en sa compagnie. Pour elle, ils se comprenaient mutuellement depuis qu'ils avaient échangé ces regards furtifs au dîner organisé par Lady Sylva. Sans lui, elle n'aurait jamais eu l'occasion d'explorer la splendeur chaotique d'Impyria, de rire aux farces des lutins, de s'émerveiller à un match de football euclidien. Elle n'aurait jamais découvert non plus le Collet, appris le sens de ces étoiles à quatre pointes, ni ressenti la colère brute qui couvait chez les protestataires. Hob était un pont entre l'île Sacrée et le vaste monde, ensemble composite de beautés et de joies, de chagrins et de tragédies. Elle désirait ardemment en voir davantage à l'avenir. Mieux, elle savait qui elle choisirait pour l'accompagner dans ses aventures – un page tatoué originaire des Sentinelles. La vie était bizarre.

Il l'attendait déjà à Kaslabarak, dans son uniforme repassé à la perfection. Il s'inclina.

— Bonjour, Votre Altesse. Agent Fenn.

— Quelles tortures m'avez-vous préparées ? badina Hazel en retirant son manteau pour le poser sur une chaise.

Elle venait de constater que toutes les tables étaient recouvertes par des cartes muettes de diverses régions du Muirland.

— Rien de trop douloureux, promit-il. Je pensais commencer par un peu de géographie. Sur laquelle, m'avez-vous dit, votre professeur est très à cheval.

Exact. L'examen de fin de semestre était dans quinze jours, et les anciens élèves n'avaient pas manqué de lui narrer l'horreur qu'il représentait. À les en croire, Montague se bornait à distribuer des cartes sans aucune légende sur lesquelles il fallait localiser les provinces, les duchés, les villes, les activités industrielles essentielles et tout un tas de détails spécieux du même acabit. La princesse avait progressé, mais elle allait devoir briller à ce test si elle voulait obtenir les félicitations et satisfaire aux exigences de l'Araignée.

— C'est un travail écrit, Votre Altesse, précisa Hob. Je vous conseille de retirer vos moufles.

— Oh ! Désolée, mais je suis gelée, ce matin. Je préfère les garder.

Sigga s'assit au fond de la salle, pendant que le page se mettait à interroger sa pupille sur les steppes Caspiennes. Agrippant son stylo, elle réussit à situer quelques duchés, pas plus de la moitié cependant.

— Rappelez-vous, dit Hob. Noie L'Uhlan Pour Mieux Bondir.

Ce moyen mnémotechnique lui permit de retrouver l'Unterlyn, rien de plus malheureusement. Délaissant la carte, elle regarda les fiches d'interrogation qui les accompagnaient. Son tuteur retourna la première.

— Quelle est la culture principale de la région ?

— Le riz.

Le page secoua la tête.

— Pensez à la latitude. Les steppes sont trop arides et bien trop au nord pour du riz.

— Le maïs ? essaya-t-elle, pleine d'espoir.

Il plaça la fiche sous les yeux de son élève.

— Le froment. Essayons une autre question. Quelle est l'espèce non-humaine la plus répandue dans l'Unterlyn ?

— Les gnomes.

— De quelle tribu ?

— Ça, je sais ! plastronna-t-elle, car elle se souvenait d'une gravure sur bois reproduite dans son manuel. Les Jodhpurs noirs. Ils se déplacent sur des ânes rouges et portent d'adorables petits pantalons. Ce sont les commerçants les plus puissants de la province.

— Bien. Et maintenant, qui règne sur la Volgadie Centrale et en quoi cette personne est-elle incontournable ?

Son Altesse se creusa les méninges. Elle s'était crue prête, mais toutes ses connaissances paraissaient se mélanger.

— J'ai oublié, finit-elle par soupirer.

— Ce n'est pas grave. Lord Trystum est duc de la Volgadie Centrale, siège ancestral du gouvernement dans la région. Il fait appliquer la loi et collecte les impôts pour l'empire. Il règne sur une population de… ?

— Trente mille âmes ? proposa-t-elle, incertaine.

— Quatre millions.

Laissant tomber les fiches, Hob invita le cancre à s'intéresser à une deuxième carte.

— Voici le sous-continent de Rowana. Il n'a sûrement aucun secret pour vous.

Hélas, si. À l'exception d'Impyria, tout le reste était devenu un halo d'endroits indistincts les uns des autres. L'albinos fixa le dessin, consciente de son public et des secondes qui s'écoulaient. Sous ses moufles, elle transpirait abondamment.

— J'ai un trou de mémoire, avoua-t-elle au bout du compte.

— Et si vous commenciez par ce que vous savez ?

D'une écriture maladroite, elle inscrivit le mot Impyria le long de la côte.

— Et comment se nomme la grande ville au nord ? l'encouragea Hob.

Elle ferma les yeux. Elle le savait, elle en était sûre. Un gros port de pêche. De la production de schiste bitumeux. Des ennuis récurrents avec les centaures, un traité quelconque signé en 2819. Elle s'affaissa sur la chaise la plus proche.

— J'ai oublié. Je ne comprends pas ce qui m'arrive. Et si nous remettions notre séance à plus tard ?

— Non, répliqua-t-il d'une voix ferme. Vous n'avez pas oublié et nous ne reporterons pas ces révisions. Qu'avez-vous ?

Elle haussa les épaules. Elle se sentait ridicule et perdue. Les larmes menaçaient de déborder, ce qui renforçait son impression d'être une sotte. Hob s'installa sur le siège en face d'elle.

— Je l'ignore, souffla-t-elle, les paupières closes. Je suis fatiguée. Je m'inquiète pour Rascha. Elle n'avait jamais été aussi malade. Jamais.

— Elle se rétablira.

Hazel hocha la tête, mais elle ne l'aurait pas parié. Dame Rascha servait les Faeregine depuis des décennies, elle avait même été la préceptrice de la mère des triplées. La luperca était très vieille. Un jour, elle mourrait.

— Je suis une incapable, murmura-t-elle. Vous feriez mieux de tirer un trait sur moi.

— N'y comptez pas. Ni aujourd'hui, ni demain. Pas pour tout l'or d'Impyrium.

Elle le dévisagea. La mâchoire serrée, les bras croisés, il la fixait sans ciller de ses prunelles gris-vert. Il paraissait inflexible, ce pour quoi elle l'aimait et le détestait à la fois.

— Vous êtes extrêmement têtu, monsieur Smythe. Ça m'irrite.

Il sourit.

— On me l'a déjà dit, en effet. J'ai une idée, Votre Altesse. Ça vous intéresse de l'entendre ?

— Je vous en prie.

— Intervertissons les rôles. Voici trois mois que je vous parle de mon univers. Et si vous me parliez du vôtre ?

— Du mien ? Mais vous y vivez. Vous le voyez tous les jours.

Il réfléchit un instant.

— Certes. Sans être mehrùn, cependant. Je me suis toujours demandé à quoi ça ressemblait de pratiquer la magie. Est-ce aussi amusant que je me l'imagine ?

— Ça l'était, soupira-t-elle. C'était ma matière préférée, fut un temps. Plus qu'amusante, la mystique était belle.

— Qu'est-ce qui a changé ?

Elle balaya des yeux la bibliothèque, ses livres poussiéreux et ses fenêtres aux volets fermés, tout ça pour éviter de croiser le regard de Hob. Elle n'était pas autorisée à aborder ce sujet.

— Cette discussion est inutile, nous sommes censés travailler sur le Muirland.

— C'est ce que nous faisons. Simplement, nous l'abordons de manière différente. Parfois, il faut arrêter de fendre du bois pour aiguiser sa hache.

— Est-ce un proverbe Hauja ?

— Non, il sonnerait sûrement mieux, si c'était le cas. C'est une phrase que répétait souvent la mère Howell, chez moi à Brune. Cette femme avait beaucoup de bon sens. Et de bois.

Malgré elle, la jeune fille rigola.

— Très bien, monsieur Smythe. Aiguisons ma hache, donc, quelle que soit la signification que vous donniez à ces mots. Je vous écoute.

— Vous disiez que la magie était belle. Comment dois-je l'entendre ? S'agit-il de ses effets ?

Posant les coudes sur la table, le page contempla son interlocutrice avec attention.

— Non, murmura-t-elle lentement. Je pense plutôt à un magnifique puzzle. Depuis des millénaires, on tente d'en rassembler les pièces pour voir comment elles s'agencent entre elles. La *lingua mystica* est exactement ça : l'ultime version d'un puzzle jamais terminé. Désolée, j'aimerais être plus explicite.

Se levant, elle se mit à faire les cent pas. Hob avait eu raison. Il était agréable d'abandonner un instant le Muirland pour s'intéresser à un domaine qui la passionnait. Elle ferma les paupières.

— Représentez-vous une harpe invisible, enchaîna-t-elle. Immense, aussi vaste que le monde. Les muirs ne la voient pas, mais les mehrùns devinent sa présence et en pincent quelques cordes. Ce que vous appelez un sortilège est en réalité une mélodie, une suite de notes émises par cet instrument surnaturel. Plus le mystique est doué, plus sa musique est splendide.

— Logique. Mais en quoi est-ce un puzzle ?

— On n'en joue pas avec les doigts, mais avec le langage et sa force de conviction. Si tous les mots recèlent un pouvoir, certains sont plus puissants que d'autres. La *lingua mystica* en a ainsi plus de deux mille pour « feu », tirés de toutes les langues possibles. Chacun a son application personnelle. Pour tel sort, par exemple, c'est l'araméen qui conviendra le mieux. Le latin ou le dryade sera plus adapté à un autre. Il suffit de changer un seul terme d'une incantation pour devoir modifier les autres également. Toutes les combinaisons ne sont pas efficaces. C'est comme une partie d'échecs ou d'Arcadie. Il existe des millions de mouvements théoriques, mais on n'en utilise que peu.

— Il y a sûrement des manuscrits qui les recensent.

— Bien sûr. Les mages et autres sorciers rédigent des grimoires depuis la nuit des temps. Ce qui est génial, c'est qu'il y a toujours mieux que les charmes répertoriés, qu'il reste des formules à découvrir.

— Et comment s'y prend-on ?

La jeune fille s'échauffait. Rascha l'aurait désapprouvée, elle en était consciente, mais il était si bon d'évoquer un sujet qu'elle connaissait sur le bout des doigts. Où elle n'était pas nulle. Enfin !

— De trois manières. La plus courante consiste à améliorer des incantations notoires en remaniant très légèrement des détails tels que la syntaxe, les réactifs et les gestes. Les mages, eux, s'aventurent sur des territoires inconnus, mais comme ils ne sont qu'un ou deux par génération, les succès sont rares. Et puis, tous les mille ans environ, un virtuose se révèle, qui non seulement joue des airs nouveaux mais pince des cordes dont tout le monde ignorait l'existence. Ce sont des explorateurs, des êtres qui élargissent réellement nos connaissances. Mina Ire, par exemple. Le seul à avoir approché la métamagia, soit la magie parfaite dans l'idéal, a été Astaroth, ce qui nous a hélas menés au Cataclysme. Le bémol étant qu'il ne se servait pas de sa mystique personnelle. C'était un tricheur.

— Comment ça ?

— Il possédait un outil, le Livre de Thoth, qui contenait tous les vrais noms, les dénominations sacrées de la création. Ça lui a permis de transformer l'univers à sa guise. Heureusement, le recueil a disparu. Le premier archimage d'Impyrium a recouru à la propre sorcellerie de l'ouvrage pour le mettre hors d'atteinte. Autant de savoir concentré en un seul lieu représentait un trop grand danger.

— Même moi, j'ai un vrai nom ?

— Naturellement. Comme tout un chacun. Comme chaque chose. Sans vrai nom, rien ne nous rattacherait au monde. Nous n'aurions ni substance, ni moi intime, ni âme.

— Les Hauja ont une croyance similaire. Leurs shamans soutiennent que les rivières et les rochers ont une âme. Est-ce identique ?

La princesse acquiesça.

— Et si on le prononce, poursuivit Hob, est-ce que ça convoque ce ou celui qui y répond ?

— En principe, oui. Sauf qu'un vrai nom va au-delà des simples lettres qui le composent et du son qu'elles forment. Le pouvoir n'est libéré que quand il est invoqué par quelqu'un ayant la force et la volonté de maîtriser l'entité y correspondant. C'est pourquoi les êtres surnaturels, comme les Lirlandais, gardent les leurs secrets. Ils redoutent qu'on les utilise contre eux.

— Mais puisqu'ils sont tellement secrets, comment les mystiques s'y prennent-ils pour les découvrir ?

Hazel s'esclaffa.

— Ils ne relèvent pas du pur hasard. La nature de ce qu'ils désignent, son lieu de naissance, sa lignée et des tas d'autres éléments sont à prendre en considération. Les enchanteurs et les érudits mènent d'interminables recherches pour réunir ces informations éparses. La puissance des mages tient moins à leurs dons surnaturels qu'à leur instinct. Quelqu'un de très doué serait capable de deviner votre vrai nom rien qu'en vous regardant.

Hob arqua les sourcils.

— Le pourriez-vous ?

— Je ne prétends pas être une érudite prométhéenne. Et même si j'en étais une, je ne ferais jamais ça. Ce n'est pas un jeu, monsieur Smythe. Votre vrai nom est votre essence la plus authentique, la plus personnelle et la plus vulnérable. Si je le connaissais, je serais en mesure de vous influencer, de vous briser, de vous transformer, de vous aliéner, de... n'importe quoi.

— Que des actions néfastes. On ne fait donc rien de bien avec les vrais noms ?

— Cette question est sujette à controverse. Certains estiment que nous devrions y recourir pour améliorer le monde. D'autres défendent qu'ils sont un don sacré et, par conséquent, qu'il serait sacrilège de vouloir les modifier ou les influencer. Interférer serait corrompre leur raison d'être initiale.

— Et vous, quel est votre avis ?

— Je pense qu'il a été sage de dissimuler le Livre de Thoth. Dame Rascha dit qu'il faut beaucoup de mains pour construire un temple, mais qu'une seule suffit à l'abattre.

— Voilà qui ressemble à un proverbe Hauja. C'est drôle, à mon arrivée sur l'île Sacrée, je croyais qu'il y aurait de la magie partout. Mais à part le labyrinthe et les Bois Funestes, je n'ai pas l'impression d'en voir vu tant que ça.

La jeune fille fut interloquée par cette insensibilité si typiquement muir.

— Pourtant, se récria-t-elle, tout ou presque ici en est empreint ! Des formules millénaires sont imbriquées sur l'île, notamment ici, à l'université. Enchantements de défense, incantations qui renforcent la mystique pratiquée entre ces murs. Mais il s'agit de Vieille Magie, plus forte et plus subtile que les lumières féeriques ou les feux sorciers. Une des raisons qui ont poussé Astaroth à déclencher les séismes du Cataclysme était de réduire Rowan à néant. Or l'école a résisté, alors que ses environs sombraient dans la mer. La Vieille Magie la protège.

Le page regarda autour de lui avec ahurissement.

— Et vous en sentez la présence ?

— Bien sûr ! Parfois, je devine même qui a établi tel ou tel envoûtement. Ainsi, l'œuvre de Mina Ire est reconnaissable entre toutes.

— Ah bon ? Ça marche comme les chiens qui marquent leur territoire ?

— Pardon ?

— Désolé pour cet exemple, mais nous avons de nombreux chiens, à Brune, et ils passent leur temps à renifler celui de leurs congénères qui les a précédés dans tel ou tel endroit.

— Hum, je vois… Je dirais que ça s'apparente plutôt à un artiste capable d'en identifier un autre. La magie de Mina Ire a une élégance et une symétrie que n'a pas celle de Mina II. Et si celle de Mina III a des allures de marmonnement, celle de Mina IV est un cri. Elle utilisait moins de mots que les autres, mais dans des combinaisons bien plus étranges. Ses enchantements ressemblent à des poèmes dont le sens précis nous échappe et qui, pourtant, modifient notre appréhension du monde.

— Si vous savez ce que disent ces sortilèges, pourquoi ne pas les répéter ?

— Tous les jours, vous voyez des centaines de tableaux, aux murs du palais. Combien d'entre eux seriez-vous en mesure de reproduire ?

— Aucun.

— C'est la même chose avec la magie. Les mystiques peuvent admirer la technique d'un confrère, ça ne signifie pas qu'ils sont capables de la copier. Sinon, les mages de dixième rang se compteraient par dizaines, alors que notre histoire n'en recense qu'un. Une incantation ne tient pas qu'à sa formulation. Entrent dans sa composition la personnalité de l'enchanteur, des éléments concrets et le contexte. Un sort lancé au milieu de l'hiver aura parfois plus d'effets que s'il avait été prononcé à un moment différent de l'année. Les facteurs sont innombrables. C'est pour ça que certains consacrent leur vie entière à les étudier. Telle est la beauté dont je vous parlais.

Hob afficha une expression pensive, presque mélancolique.

— C'est stupéfiant, finit-il par murmurer. Est-ce que vous pourriez me faire une démonstration ?

Depuis son siège, Sigga intervint.

— Je ne crois pas que Dame Rascha approuverait, Votre Altesse.

Hazel jeta un coup d'œil navré au garçon.

— Elle a raison.

— Je comprends. C'était de la simple curiosité de ma part. Rien qu'une lumière féerique, par exemple.

L'albinos hésita. Avoir expliqué les principes de la magie à quelqu'un lui avait rappelé combien elle aimait la pratiquer. Elle avait envie de montrer ce dont elle était capable, même si ça la rendait anxieuse. Son cœur sauta dans sa poitrine. Un petit tour de rien du tout ne porterait sûrement pas à conséquence. Quelque chose de facile, qu'elle aurait pu exécuter les yeux fermés.

— Vous allez devoir garder ça pour vous, souffla-t-elle. Promettez-le-moi.

La soudaine gravité de la jeune fille intrigua Hob, qui acquiesça.

— Je vous le jure, Votre Altesse.

— D'accord. De toute façon, il n'est même pas nécessaire d'être de premier rang pour celui-ci, et il n'est jamais mauvais de réviser les fondamentaux. On le nomme « bibliosk ». Les documentalistes en raffolent.

Levant ses mains gantées, elle prononça la formule en échangeant le traditionnel mot grec pour désigner « nom » par l'akkadien. Aussitôt, les ouvrages rangés dans Kaslabarak filèrent de leurs étagères. Hob se baissa pour éviter le déluge de volumes reliés et de brochures qui se réorganisèrent d'eux-mêmes en ordre alphabétique inversé. Dix secondes plus tard, le dernier livre gagnait sa place et secouait son dos pour l'aligner avec celui de ses voisins.

Toussant, Hob chassa la poussière dont les tourbillons avaient envahi la pièce. Un immense sourire étira ses lèvres avant de se transformer en franc éclat de rire. Hazel ne put s'empêcher de s'esclaffer elle aussi.

— Incroyable ! croassa-t-il.

La jeune fille s'efforça d'afficher la modestie.

— Je vous l'ai dit, celui-ci est facile. Je ne doute pas que n'importe quel mehrùn de l'île Sacrée sache le réaliser.

— Par les dieux ! s'exclama le page, ravi. Il vous a presque suffi d'un claquement de doigts. À votre place, je passerais mon temps à ça.

— C'est tentant, en effet, et les écoles comme Rowan servent justement à canaliser ces pulsions. Faire de la magie superflue, que certains maîtres surnomment « magie erratique », est jugé vulgaire et dangereux. Les enchantements ont toujours un prix et ne sont pas sans risques.

Inspirant profondément, Hazel retira sa moufle et tendit sa main déformée. Bien qu'elle se soit sentie vulnérable à de nombreuses reprises dans l'existence, cet instant fut différent. Elle n'aurait su déterminer pourquoi, mais elle souhaitait montrer ça à Hob.

Sigga se précipita aussitôt sur elle.

— Quand cela est-il arrivé, Votre Altesse ?

— Tôt ce matin, répondit la princesse en ôtant un brin de laine coincé dans la griffe. Rassurez-vous, je suis certaine que Rascha se débrouillera pour arranger ça.

Elle glissa un coup d'œil inquiet au page, qui n'avait pas reculé et ne manifestait aucune répulsion. Il paraissait soucieux, plutôt.

— Comment une telle chose peut-elle se produire ?

— J'essayais de me métamorphoser. À mon examen, il faudra que je prouve que je suis en mesure de me transformer en toutes sortes d'animaux. Du coup, je… eh bien, je m'efforçais de prendre l'apparence d'un cochon.

— Est-ce donc beaucoup plus difficile que le bibliosk ? s'enquit Hob en fixant la griffe.

Hazel eut un petit rire contraint.

— Rascha soutiendrait que non. Qu'il n'y a pas de différence fondamentale entre les deux. D'où sa frustration face à mes revers répétés.

— Sauf que si vous, vous estimez qu'il y en a une, c'est qu'il y en a une. Même si elle n'est que dans votre tête. Qu'est-ce qui vous semble facile, dans le bibliosk ?

— Je l'ignore. Je le trouve rigolo, j'imagine.

— Et se transformer en porc ne l'est pas ?

— Absolument pas !

Ce garçon avait une façon bien à lui de poser des questions simples qui rendaient limpides les problèmes complexes et apparemment insolubles. Très pratique quand il s'agissait d'étudier le Muirland. Mais on parlait magie, ici.

C'était beaucoup plus personnel, et la jeune fille hésitait à emprunter le chemin vers lequel il la poussait.

Hazel déglutit et ferma les yeux.

— Si je ne réussis pas cet exercice, je n'atteindrai pas le troisième rang. Or l'examen est pour bientôt. J'aurai treize ans en octobre.

— Oh, ne vous bilez pas, vous y arriverez. À être troisième rang ou que sais-je encore.

— Ah oui ? riposta-t-elle en brandissant son moignon.

— Ce n'est qu'un détail. Vous savez tout ce qu'il faut savoir pour vous métamorphoser. Comme vous avez les connaissances pour briller au test final de Montague. Tout est là, en vous.

— Pourquoi n'y parviens-je pas, alors ? murmura-t-elle, la gorge serrée.

— Parce que vous ne vous l'autorisez pas.

Encore une fois, elle eut un rire sans joie. À sa grande surprise, il insista sans se démonter.

— Je ne plaisante pas. Certaines personnes ont tellement peur de l'échec qu'elles en oublient l'objectif qu'elles visent. Elles ne s'efforcent pas de réussir, juste de ne pas échouer. Ce n'est pas du tout pareil. J'ai vécu ça lors de mon séyu et des Provinciaux. Vous considérez bibliosk comme facile, parce que vous n'en craignez pas le résultat. Il vous amuse même. Il est grand temps que vous commenciez à croire en vous, Votre Altesse. Que vous vous permettiez non seulement le succès, mais aussi l'excellence.

Elle recula d'un pas. Il était trop passionné, trop sérieux. De telles paroles l'effrayaient. Énormément. Quelles sottises ! On ne se donnait pas la permission d'être excellent.

L'excellence venait de... Hazel fronça les sourcils. D'où venait-elle ?

Son appartenance au clan Faeregine impliquait de répondre à tout un tas d'exigences. Elle en avait toujours été consciente, comme elle l'était que ces exigences s'accompagnaient presque systématiquement de craintes – celle de faillir, d'être rejetée, tournée en ridicule. Elle n'avait jamais envisagé la perfection comme une source de joie, un état d'esprit ou une manière d'être. Pour elle, ce n'était qu'un critère intimidant. Certes, elle rêvait de s'illustrer – qui y échappait ? Mais s'était-elle réellement permis d'essayer ? Non, sans doute. Après tout, cela supposait qu'elle pense valoir quelque chose, qu'elle se croie susceptible d'apporter sa contribution au monde.

Était-ce le cas ? Violet estimait que non. Les précieuses ridicules aussi. Pas Isabel, peut-être, mais elle considérait comme un devoir de défendre sa sœur. Une brusque lumière se fit en elle.

L'opinion d'autrui ne compte pas.

C'était tout bête, comme une parole qu'un parent consolateur aurait pu souffler ; pourtant il y avait là une vérité essentielle. La terre entière pouvait bien croire en l'excellence de Hazel, si elle-même la jugeait irréaliste, ça n'y changerait rien. À l'inverse, que la terre entière tourne en ridicule ses ambitions, si elle-même les estimait fondées, elle les concrétiserait. Le triomphe ne pouvait naître que d'elle, pas de l'extérieur.

Elle cligna des paupières. Depuis combien de temps réfléchissait-elle ainsi ? Aucune idée. Elle s'aperçut qu'elle pleurait. Penché vers elle, Hob n'avait pas bougé. Sigga était immobile comme une statue. La mécanique de l'horloge de

Vieux-Tom cliquetait et grinçait au-dessus de leurs têtes. La princesse contempla sa main abîmée.

Elle n'eut pas besoin de prononcer l'incantation à voix haute ; ce n'était pas nécessaire quand la magie n'affectait qu'un seul individu. Elle se borna à réciter les mots par-devers elle et à se concentrer sur son but.

Avec des allures d'un nœud compliqué qu'on défait en tirant doucement sur une extrémité du fil, ses doigts se détachèrent les uns des autres puis s'allongèrent pour retrouver leurs proportions normales, tandis que la griffe se rétractait. Hazel agita ses doigts, moins étonnée que prise d'un plaisir étourdissant. Quelques heures auparavant, la tâche lui avait paru désespérée. À présent, elle était aussi naturelle que respirer.

Elle regarda Hob et Sigga. Un immense sourire se dessina sur son visage, tandis qu'elle imaginait un porcelet rose, lisse et rond comme un polochon.

Soudain, elle rétrécit. Les pupitres, les chaises, tout dans la pièce s'éleva à des dimensions gigantesques, tandis qu'elle-même rapetissait. Elle ne distinguait plus que le pantalon et les chaussures du page. Elle vit qu'il se levait et contournait vivement la table. Se débarrassant agilement de ses vêtements, l'albinos perçut un couinement paniqué.

Est-ce moi qui viens de grogner comme un goret ?

Elle fila en direction de son garde du corps, dont la silhouette avait perdu toutes ses ombres et tous ses dégradés subtils pour s'aplatir et devenir noir et blanc, avec des traces de rouge, de vert et de bleu dans un spectre de couleurs réduit. La Grizlandaise s'était accroupie pour mieux assister au phénomène. Piaillant comme un animal affolé, Hazel se carapata derrière une étagère de livres d'où émanait une forte odeur de chêne, de papier poussiéreux et de cire. Elle huma la trace du domovoï chargé de l'entretien de Kaslabarak, détecta même celle des étudiants qui avaient manipulé les ouvrages les plus proches. Son groin lui apportait tant d'informations qu'il compensait largement sa vision un peu floue.

— Tout va bien, Votre Altesse ? lança Sigga.

Bien sûr que oui ! Elle se portait à merveille ! Elle était juste devenue cochon ! Poussant un cri de joie, elle se mit à galoper entre les rayonnages, enchantée par sa vitesse et son adresse. Rigolard, Hob trottait derrière elle pour tenter de la voir avant qu'elle fonce se cacher derrière d'autres livres.

Quelle journée !

Elle mourait d'envie de courir jusqu'au Vieux-Collège, de fouir les bois vallonnés, de provoquer les professeurs à coups de reniflements sonores, de leur secouer sa queue tirebouchonnée sous le nez. Quant à Rascha ! La luperca bondirait de son lit quand elle apprendrait que sa pupille pouvait se métamorphoser. Hazel était impatiente, il fallait qu'elle le lui annonce immédiatement ! Il lui suffisait pour cela de reprendre sa forme et de...

Essoufflée, elle s'arrêta en dérapant près de ses habits.

Elle était nue ! Elle était un cochon nu comme un ver !

— Bravo ! applaudit Hob.

La princesse déguerpit. Certes, elle était un porcelet, mais un porcelet impudique, et il n'était pas question que Hob la voie ainsi. L'absurdité de la situation provoqua un rire qui la secoua tout entière. Il devait exister une variante de la formule qui assure la métamorphose des vêtements également. Si ce n'était pas le cas, son examen de mystique promettait !

Se précipitant au fond de la bibliothèque, elle s'engouffra dans un meuble vide, tandis que Vieux-Tom sonnait l'heure. Du groin, elle fit coulisser la porte. Haletante, elle récupéra sa peau de Hazel Faeregine. Bien que menue, elle constata que sa cachette était trop étroite et l'obligeait à se recroqueviller. Couverte de sueur, elle attendit que les cloches se taisent.

— Sigga ? finit-elle par appeler.

Une botte vint cogner contre le meuble.

— Votre Altesse ?

— Auriez-vous la bonté de m'apporter mes habits ?

— Naturellement, répondit la Grizlandaise avec un calme olympien.

— Super. Monsieur Smythe ?

— Votre Altesse ? demanda-t-il depuis l'autre bout de la pièce.

— Il serait sans doute judicieux de remettre notre leçon à un autre jour. J'ai besoin d'un brin de temps pour... me ressaisir.

— Bien sûr.

— Merci !

Tout à coup, une idée lui vint. Puisqu'elle était coincée dans ce meuble, autant en profiter pour poser une question qu'elle n'aurait jamais osé lui poser en face.

— Euh... une dernière chose.

— Oui ?

Elle serra fort les paupières.

— Accepteriez-vous de m'accompagner au Bal de mai ? lâcha-t-elle avant d'ajouter d'une seule traite : Vous seriez obligé d'y venir en serviteur, ce qui n'est pas juste, je le sais, mais il se trouve que je déteste ces mondanités et que... eh bien, je me sentirais mieux si j'avais un ami à mon côté.

Il y eut un bref silence.

— J'en serais honoré, Votre Altesse.

Hazel émit un couinement porcin. Mortifiée, elle se pelotonna sur elle-même et attendit que le page s'en aille. Quelques secondes plus tard, une voix familière sembla chuchoter à son oreille.

Il ne nous manque plus que le dragon, maintenant.

CHAPITRE 5

LE BAL DE MAI

Les harpies m'ont convié à un festin sacré, j'y serai
l'unique invité d'honneur. Ma persévérance a payé.
Les brutes m'ont accepté comme l'un des leurs,
le monde universitaire en récoltera les fruits…

Journal du Dr Ezra Planck,
anthropologue disparu sans laisser de traces

L'après-midi du Bal de mai, les zéphyss ne cessèrent d'écumer les couloirs du quartier des domestiques, tintamarre tintinnabulant accompagné de claquements de porte et de piétinements de bottines lustrées. Le palais grouillait d'invités de marque qui exigeaient une petite armée de bonnes, pages et valets. Vêtements à repasser, chiens-chiens à promener, menues courses à faire, egos à lisser dans le sens du poil.

En tant que domestique personnel de Son Altesse, Hob échappa à ces corvées. Pas Viktor, qui avait déjà filé servir leur thé et leurs toasts à un Lord et une Lady Vensu, en provenance de la baie des Perles. Jetant sa veste sur son lit, Hob ouvrit son guide afin de vérifier que la Confrérie lui avait bien envoyé le message prévu. C'était le cas :

Merci de relayer toute information digne d'intérêt que vous noterez ce soir, notamment en lien avec HF ou les Lirlandais. Ne vous souciez pas de Sigga Fenn. Ses investigations concernant votre passé ont été interceptées.
Pour la vérité, l'égalité et la liberté d'Impyrium.

Le ton s'était radouci, depuis la visite de M. Burke, d'autant que Hob avait transmis de plus amples détails sur les études de magie de Hazel. Dans son dernier rapport, il avait mentionné que Son Altesse était tenue de décrocher le grade de mystique de troisième rang et il n'avait pas omis de raconter les deux exploits qu'elle avait accomplis sous ses yeux. Il s'était également donné la peine de retranscrire ses propos généraux sur la sorcellerie, avait signalé son don pour sentir qui avait jadis lancé quel sortilège. Bien qu'elle ait mentionné le style propre à La Faucheuse, elle n'en avait parlé que comme d'une figure historique parmi d'autres. Même si M. Burke lui avait déconseillé d'analyser ou d'interpréter ce qu'il apprendrait, le garçon ne pouvait s'empêcher de voir un signe encourageant dans cette apparente indifférence.

Il n'avait guère apprécié de tout dévoiler. Il avait trahi la parole qu'il avait donnée à Hazel, avait exploité sa confiance et son amitié pour en découvrir toujours plus. Bref, son comportement n'avait rien d'honorable. Il se rassurait en se répétant qu'il essayait de la protéger du pire. La benjamine des triplées n'était pas La Faucheuse réincarnée, et si un esprit malin ou une force malfaisante étaient à l'œuvre en elle, il l'aiderait à s'en débarrasser. Ce n'était pas plus sa faute si elle était née Faeregine que ça n'était la sienne à lui s'il était né bâtard.

Enfilant sa veste, il vérifia son allure dans le miroir. Oliveiro avait déposé pour lui un insigne en or qui lui donnerait accès à la salle de bal. Quand il voulut l'accrocher à son revers, l'épingle se brisa. Il étouffa un juron et la ramassa en suçotant son pouce qui saignait. On l'attendait d'une minute à l'autre.

Il se précipita aux cuisines, où trente-sept harpies s'activaient tout en enguirlandant les faunes chargés de servir leurs créations dans les étages. Elles disposaient de tous les ustensiles possibles et imaginables, certains destinés à préparer des plats, d'autre voués à des objectifs beaucoup moins nobles. Elles auraient sûrement de la colle. Hob plongea dans un nuage de vapeur et faillit heurter de plein fouet Gorgo, la turbulente adjointe de Bombasta.

Perchée sur un escabeau, elle remuait le contenu d'un chaudron avec grand soin. Elle n'eut pas besoin de lever les yeux de sa tambouille – son flair suffit à lui indiquer qui était à son côté.

— Salut, joli cœur.

— Salut, Gorgo. Tu as de la colle ?

— Tiroir de gauche. Gaffe, c'est de la forte. T'en mets pas sur toi.

Il dénicha le tube parmi tout une flopée de saletés – dont des rognures d'ongles et ce qui ressemblait à une répugnante oreille desséchée. Il s'empressa de réparer son insigne.

— Merci, dit-il ensuite avec un coup d'œil à la marmite. Beurk ! C'est quoi, ce truc ?

— Baisse d'un ton ! C'est une potion.

— Tu pratiques la mystique ? s'étonna-t-il.

— Oui ! se vanta-t-elle. C'huis une super magicienne. Et une vraie Shrope, pas comme cette garce de Bombasta. C'te 'coction va lui apprendre à faire sa maligne, tiens !

Hob examina le mélange glougloutant. Après avoir regardé furtivement par-dessus son épaule, Gorgo y ajouta une pincée de poudre.

— Histoire de lui filer la patate ! ricana-t-elle.

— Promets-moi que ce n'est pas du poison, Gorgo !

— Nan ! protesta-t-elle avec une pointe de regret dans la voix. Rien qu'un p'tit remue-tripes.

Le page grimaça.

— Ça t'expédie aux toilettes ?

— Avec la force d'un volcan ! se réjouit la mégère en remplissant une fiole. T'en veux un peu ? Des fois qu'Oliveiro se la pète, flanques-en une giclée dans son verre. Ça lui servira de leçon.

— Franchement, Gorgo, non, je n'ai pas besoin de…

Mais elle insista et lui fourra son invention entre les mains. Il préféra accepter, par politesse et mesure de sécurité personnelle. Glissant le flacon dans sa poche, il fila par les portes battantes, non sans saluer les harpies qui conspuaient son départ, et enfila les multiples escaliers jusqu'au vestibule principal du palais.

Il y retrouva le gratin de toutes les contrées d'Impyrium qui se dirigeait vers l'escalier à double révolution menant à la salle de bal : enchanteresses tatouées des confins orientaux, princes et princesses d'Afrique à la peau sombre et aux tenues multicolores, nobles skänder aux redingotes vertes et courts sabres de cour argentés, une délégation de la Zénuvie portant l'étendard frappé de la lune et de la ciguë de la reine Lilith, mehrùns et démons, lupercas âgées et faunes, même un troupeau de centaures enguirlandés de fleurs. Le 1er mai n'était pas un jour sacré que pour les humains.

Si les gens de Brune étaient là !

Hob faillit éclater de rire. Devant ce spectacle, ses concitoyens se seraient réfugiés dans leur cave. Lui, en revanche, était aux anges. Les êtres surnaturels donnaient à cette lente procession une magnificence onirique comme il n'en avait jamais vu. Il suivit des yeux une bande de fées qui voltigeaient comme des libellules chatoyantes.

— Dégage ! aboya une voix grave.

Un bras le poussa avec tant de vigueur qu'il manqua de tomber par terre. Il parvint cependant à garder l'équilibre et découvrit l'œil jaune vif d'un oni qui le toisait. S'il n'était pas plus grand qu'un homme, le démon était large comme deux. Sa tunique aux broderies délicates était incongrue, au regard de sa tête large comme celle d'un bœuf. De longues défenses jaillissaient d'une barbe noire toute craquante d'électricité. Sans accorder plus d'attention à Hob, l'oni fonça en beuglant à tous de s'écarter devant Lord Kraavh.

Suivit une marmaille de diablotins brandissant des drapeaux et éparpillant des fleurs de lune devant l'ambassadeur. L'atmosphère semblait se distordre et luire autour de ce dernier, et Hob se rendit compte qu'il avait du mal à respirer et encore plus à bouger tant que le démon ne l'avait pas dépassé. Figé sur place, il observa les Lirlandais qui grimpaient les marches. Le page savait que Lord Kraavh n'était pas le seul rakshasa au monde, qu'il n'était même pas la créature la plus redoutée de son peuple. Il était difficile d'imaginer que l'humanité ait réussi à soumettre de tels monstres.

Hob admira ensuite l'immense vestibule, ses colonnes et ses fresques anciennes. Où en serait-on aujourd'hui si les Faeregine n'avaient pas vaincu la démonie et ne l'avaient pas confinée aux territoires sous-marins ? À quoi ressemblerait la planète ? Les hommes existeraient-ils encore ?

C'est en méditant ces graves questions qu'il quitta le flot des invités et coupa par une cour. Au-dessus des flèches du palais, le crépuscule serein et tiède virait lentement à la nuit.

Un garde l'autorisa à entrer par une porte latérale. La salle de bal avait des allures d'immense écrin à bijoux, avec ses couleurs rouge et or pâle, son plafond voûté dont la fresque représentait une carte de l'empire. L'orchestre jouait déjà. Un parquet de danse étincelant était entouré de centaines de tables. La famille régnante occupait celles situées au fond, près du dais où s'assiérait l'Araignée, qui n'était pas encore là.

Les triplées, si. Violet et Isabel conversaient avec l'archimage, Hazel était installée à côté de Dame Rascha qui s'était enfin rétablie. Hob se fraya un chemin parmi les convives en prenant soin de faire un grand détour pour éviter M. Dunn, le majordome en chef.

— Monsieur Smythe ? Quelle surprise !

La voix avait émané d'une table voisine. L'interpellé ravala un grognement et se tourna vers Dante Hyde, qui était en compagnie de sa famille et de divers membres du clan. Hob s'inclina avec raideur.

— Oui, Votre Grandeur ?

— Voici le page dont je vous ai parlé, annonça le jeune comte à ses parents. Celui que je veux.

Lord Willem Hyde était un homme imposant aux cheveux blonds grisonnants et aux yeux clairs comme du verre. À l'instar de son rejeton, il arborait un sabre de cavalerie.

— Tu es donc le muir bâtard qui a agressé mon fils ?

Hob afficha une expression glaciale.

— Oui, Votre Grâce.

Le regard méprisant de Lady Hyde s'attarda sur lui.

— Pourquoi ce sauvage a-t-il encore sa tête ? lâcha-t-elle.

Son époux sirota une gorgée de vin avant de répondre :

— Il est sous la protection des Faeregine, très chère. Ne vous inquiétez pas, il nous appartiendra bien assez tôt.

— Il m'appartiendra *à moi*, précisa Dante en se penchant en avant. Il se bat comme un barbare. J'ai l'intention de lui apprendre comment un gentleman manie l'épée.

Hob fit une courbette et riposta :

— J'avoue que les duels se déroulent différemment, ici. Dans mon pays natal, les sœurs n'ont pas le droit d'intervenir. Est-ce là une tactique courante, Votre Grandeur, ou juste un trait de votre génie ?

Son ennemi juré rougit comme une pivoine et jeta un coup d'œil anxieux à son père. Il était sur le point de lancer une repartie furibonde quand une main effleura l'épaule de Hob.

— Son Altesse vous requiert.

L'adolescent fut heureux comme jamais de voir Sigga qui, sans se donner la peine de saluer les Hyde, l'entraîna loin de leur table.

— Vous êtes en retard, gronda-t-elle entre ses dents.

— Désolé. J'ai été retenu par des menaces.

La Grizlandaise arqua un sourcil.

— Les aristocrates gaspillent rarement leur venin pour des domestiques de dernier ordre. Êtes-vous sûr de n'être qu'un page, monsieur Smythe ?

— Si ce n'est pas le cas, je suis honteusement sous-payé.

La tueuse à gages réprima un sourire avant de s'éloigner pour parler avec Omani Kruger, le garde du corps de Violet. Le garçon gagna la tablée de Hazel et se posta à côté d'Olo et des autres serviteurs de la maison.

— Ravie que vous ayez pu vous joindre à nous, monsieur Smythe, lui lança l'albinos.

Il s'inclina.

— Bonsoir, Votre Altesse. Très heureux de constater que vous allez mieux, Dame Rascha.

La luperca le remercia d'un signe de tête.

— Rascha est en voie de guérison, et c'est Isabel qui est amochée, maintenant, précisa l'albinos. Une chute de cheval ce matin.

Hob constata en effet que la cadette des triplées, en pleine discussion avec l'archimage, s'appuyait sur des béquilles rouges, ce dont il ne s'était pas aperçu de loin, car ses cannes étaient de la même couleur que sa robe.

Hazel, elle, portait une tenue d'or rose qui chatoyait comme des écailles de poisson. Ses cheveux blancs avaient été remontés en chignon, sous une tiare en perles ornée de la harpe des Faeregine. Son collier d'émeraudes aurait pu acheter une baronnie.

Isabel boitilla vers eux et souffla quelques mots à l'oreille de sa jeune sœur qui, soudain consternée, se pencha pour mieux regarder leur aînée.

Cette dernière bavardait toujours avec l'archimage. Si sa beauté était indéniable, elle avait quelque chose de distant, un peu comme une statue de marbre froid. Pour l'instant, elle paraissait cependant en proie à une agitation surprenante. Son interlocuteur venait d'attirer son attention sur une énorme sphère en cristal qui planait près du plafond. Sa Majesté Impyriale la contempla puis secoua imperceptiblement la tête. L'archimage objecta par un hochement du menton insistant et la conduisit d'autorité jusqu'au dais.

Hob fut perplexe. Cela signifiait-il que l'Araignée n'assisterait pas aux festivités ?

Il n'était pas le seul à avoir remarqué la chose. Des murmures se répandirent dans l'assistance, noyant les notes de l'orchestre. Des centaines de visages curieux se tournèrent vers le fond de la salle. Hazel s'entretenait d'une voix feutrée mais fébrile avec Isabel. Elle eut un geste de dénégation, jusqu'à ce que sa sœur lui montre ses béquilles et lui souffle quelques mots biens sentis. Elle était visiblement parvenue à ses fins, car l'albinos s'affaissa sur son siège, opina avec résignation et jeta un coup d'œil malheureux à Hob.

— Je vais être obligée de danser, articula-t-elle en silence.

Il réagit par un haussement des épaules. On était à un bal. L'idée n'était pas saugrenue.

— Devant tout le monde… insista-t-elle, toujours sans bruit.

Il la rassura d'un signe de la main.

— … avec Dante !

Cette fois, il manifesta sa révulsion par un éternuement. Hazel tenta de sourire mais ne réussit qu'à sembler sur le point de vomir.

— Vous savez danser ? lui demanda-t-il en silence.

Le regard qu'elle lui adressa laissa entendre que, oui, évidemment, merci de poser une question aussi idiote. Hob dut admettre que, la vie de palais impliquant tant de réceptions et de bals, elle devait avoir appris à se trémousser sitôt qu'elle avait pu se tenir debout.

Il fut mis un terme à cet échange par l'arrivée massive aux tables voisines de Faeregine proches et lointains. Le garçon en identifia la plupart grâce à son guide impyrial. Ces cousins se rengorgeaient des multiples titres ronflants dont ils étaient affublés, mais rares étaient ceux qui exerçaient de réelles responsabilités. À l'exception de quelques mystiques et fonctionnaires de haut rang, la majorité d'entre eux menaient des existences oisives dans leurs luxueuses propriétés. Privé de la présence de l'Araignée, le clan ne transpirait guère l'autorité.

Hob eut l'impression de voir exactement ce qu'en avait dit M. Burke. La force des Faeregine avait reposé sur la magie. À présent, la dynastie dépendait des institutions qu'elle contrôlait. Pour peu qu'on lui retire la banque de Rowan et les sceaux, elle se déliterait complètement. Il étudia Basil Faeregine, assis à la gauche de Violet. Sa Seigneurie était en train de lire un message qu'un serviteur venait de lui remettre. Son expression tourna à la contrariété.

Encore de mauvaises nouvelles.

Une cloche tinta. Le silence tomba sur l'assemblée quand Violet se leva pour s'adresser aux convives. Hob dut convenir qu'elle forçait le respect. Après l'affolement qu'elle avait manifesté quelques minutes auparavant, elle affrontait la situation avec une majesté évidente. Quand elle parla, ce fut d'une voix sonore.

Elle s'exprimait en vieil impyrien. Le page n'y comprit pas grand-chose mais devina qu'il s'agissait d'un discours de bienvenue convenu. De temps en temps, l'héritière du trône désignait le globe de cristal volant. Personne ne bougeait ; même les lutins et les domanocti se tenaient tranquilles. Hob contempla les familles ancestrales réunies ici. Combien de complots ourdissait ce nid de vipères ? Combien de ces serpents collaboraient-ils avec la Confrérie ?

Il repéra Lady Sylva debout près de son mari. Sans elle, ce dernier n'aurait pas été ici. Les efforts que déployait son épouse pour s'allier les bonnes grâces de Violet avaient-ils pour seul but de nourrir l'ambition de la maison Sylva ou répondaient-ils à des consignes du mouvement clandestin ? Lady Sylva étant née Yamato, ces derniers étaient peut-être impliqués eux aussi.

Réfléchir à toutes ces hypothèses donnait mal à la tête à l'adolescent. Le mode de vie de ces nobles avait quelque chose d'à la fois épuisant et sordide. Ils étaient les plus riches et les plus puissants des sujets de l'empire ; pourtant, ils se consumaient en rivalités. À quoi bon habiter un palais si on devait souffrir d'insomnie toutes les nuits ?

Violet arrivait à la fin de son laïus. Elle brandit une main vers la sphère et claironna :

— *Sol invictus !*

Invincible Soleil. La devise de Rowan qui remontait à la nuit des temps. À l'instant où la future impératrice martelait ces mots, le globe s'illumina d'une lumière aveuglante qui inonda brièvement la salle avant de se condenser en une boule tourbillonnante de feu sorcier.

— *Sol invictus*, répétèrent les invités en levant leurs verres.

L'orchestre entonna une lente mélodie qui évoquait une valse. On baissa l'éclairage, et un projecteur se fixa sur Hazel. Résignée, elle marcha, menton dressé et épaules droites, jusqu'au centre de la piste de danse, où elle adopta la posture de règle de toute jeune fille attendant son cavalier.

On regarda les Hyde. Troublé, le grand chambellan invita du geste Dante à se lever, mais le garçon se borna à sourire avec une fausse humilité et à décliner du menton. Sa sœur Imogene était secouée par un rire silencieux, tandis que leurs parents fixaient l'horizon avec une neutralité placide.

Hazel resta en pleine lumière, petite silhouette solitaire, accablée par le ridicule d'une dame guettant son soupirant. La musique continuait, Dante Hyde ne bronchait pas. Mal à l'aise, l'assistance commença à se trémousser.

Tout à coup, Basil Faeregine bondit sur ses pieds et fonça. En dépit de l'adversité, Sa Grâce incarnait l'élégance, entre ses cheveux argentés et son costume taillé sur mesure. Gratifiant sa nièce d'une révérence appuyée, il la pria de lui faire l'honneur de cette danse.

Nombre de convives tapèrent dans leurs mains quand le couple s'élança, et les Hyde eurent droit à des coups d'œil réprobateurs et à des dos tournés. Si la concurrence entre clans était acceptable, humilier une jeune fille ne l'était pas. Dante avait dépassé les bornes. La mine boudeuse, il assista à la démonstration tout en raffinement de Hazel. Au lieu d'avoir l'air sot, elle incarnait la grandeur des Faeregine.

La mélodie s'acheva. S'inclinant de nouveau, Lord Faeregine raccompagna une princesse rayonnante à sa place. Les applaudissements s'estompèrent, et l'orchestre enchaîna les morceaux, tandis que les couples se formaient et glissaient sur le parquet.

Haletante, Hazel était rose de plaisir. Isabel salua sa performance d'un coup de canne sur le sol.

— Bien joué !

— C'est vrai, renchérit Lord Faeregine. J'ignorais que tu te débrouillais aussi bien, jeune demoiselle. Tu as le pied léger.

— Je ne le dois qu'à mon excellent partenaire, répondit-elle galamment.

— Buvons à ton succès avant que ton carnet de bal soit plein.

Sur ce, il partit en quête de rafraîchissements. L'albinos se rassit près de sa sœur afin de recevoir les hommages des uns et des autres.

— Les Hyde ont toujours manqué de tact, renifla une cousine corpulente. Vous vous en êtes formidablement sortie, ma chère. Je regrette que votre grand-mère ait manqué ça. Où est-elle, à propos ?

— Elle s'octroie un repos bien mérité, intervint Isabel. Ses obligations du 1er mai ont débuté avant l'aurore. Notre sœur la remplace de façon admirable.

Elle désigna Violet qui, sous le dais impérial, ressemblait plus à une décoration qu'à l'hôtesse de cette soirée, ce qui éveilla la compassion de Hob.

— En effet, en effet, concéda la cousine. C'est un spectacle adorable et… Oh !

L'ombre de Lord Kraavh venait de tomber sur la table. Marmonnant une excuse, la lointaine parente s'enfuit prestement, tandis que, comme surgie de nulle part, Sigga se matérialisait derrière l'épaule de sa protégée. Le rakshasa s'inclina. Sa voix de basse avait un timbre surnaturel.

— Votre Altesse a été d'une grande élégance, félicita-t-il l'albinos. Nous ne nous sommes pas revus depuis la mésaventure du *Typhon*. Vous semblez vous épanouir un peu plus chaque jour.

La jeune fille se dévissa le cou et affronta le visage terrifiant.

— Merci. J'espère que, de votre côté, vous allez bien.

Le monstre regarda autour de lui.

— Disons que je suis soulagé de pouvoir m'échapper de l'ambassade. Je ne suis pas habitué à rester confiné chez moi.

À cet instant, Basil Faeregine revint avec une limonade pour sa nièce.

— Estimez-vous heureux de ne pas croupir en prison, lâcha-t-il avec aigreur. Un nouveau bateau a disparu au large d'Ankura. Cette fois, quelques membres de l'équipage ont survécu. Tous jurent leurs grands dieux que c'était un coup des Lirlandais.

Le représentant de la démonie croisa les doigts.

— Nous ne saurions assurer la sécurité d'intrus dans nos eaux.

— Ces navires sont sous protection impyriale, rétorqua Lord Faeregine d'un ton sec. Ils sont équipés de sceaux.

— C'est vous qui le dites. À l'envi.

— Parce que c'est la vérité. Pour quelle raison un bâtiment se risquerait-il au-dessus de vos territoires sans en avoir un ?

— Question judicieuse. Que vous devriez cependant poser à tous ces capitaines.

L'oncle de Hazel s'assombrit encore plus.

— Les malheureux sont morts. Votre peuple a-t-il donc l'intention de nous déclarer la guerre ?

Les trois prunelles vertes s'étrécirent jusqu'à ne plus former que des fentes.

— Si les Faeregine la veulent, nous l'aurons. Mais nous ne prendrons pas l'initiative de rompre le traité.

Le démon se tourna vers le dais.

— Où est la Divine Impératrice ?

— Cela ne vous regarde pas.

— Transmettez à Sa Radieuse Majesté que je demande audience.

— Je ne suis pas votre garçon de course, se raidit Basil Faeregine. Envoyez donc un de vos lutins.

Son Excellence reporta son attention sur Hazel.

— Ça a été un plaisir, Votre Altesse. Vous êtes non seulement le membre le plus fascinant de votre famille, mais aussi le plus courtois. Bonne soirée.

La jeune fille le gratifia d'un signe de tête, et Lord Kraavh poursuivit sa tournée de salutations auprès des Hyde. Ces derniers se levèrent aussitôt pour lui présenter leurs respects.

— Comme par hasard ! marmonna Basil Faeregine.

Il vida sa coupe de champagne et regarda Isabel.

— Comment se porte cette jambe, ô vaillante cavalière ?

— Elle est cassée. Quand j'en aurai assez de rester assise à prendre des airs chics, je serai bonne pour un bain sélénite avec ces répugnants luninsectes.

Elle s'adressa à Hob :

— À quoi ça ressemble ?

— Rien d'affreux, Votre Altesse. Ça démange plus que c'est douloureux.

Elle grogna. Son oncle sembla ne prendre conscience de la présence du page qu'à cet instant.

— C'est vous le jeune homme qui s'est battu en duel avec Dante Hyde ?

L'adolescent confessa que oui, et Sa Grâce rigola.

— J'ignorais que nous comptions pareils malabars dans les rangs de nos domestiques.

Il assena une claque sur l'épaule de Hob.

— La prochaine fois, ratatinez-le, entendu ?

— J'espère éviter de retourner à l'infirmerie, monsieur. À propos, le soldat Finch est rentré chez lui sans encombre.

— Qui ça ?

— Marcus Finch, Votre Seigneurie. De la garde impyriale.

Lord Faeregine eut un de ces sourires que les gens bien élevés affichent quand ils n'ont pas la moindre idée de ce dont on leur parle. Il s'empressa ensuite de saluer un conseiller aux Affaires étrangères, et tous deux s'éloignèrent afin de discuter en privé. Pendant ce temps, un beau garçon s'était approché pour inviter Hazel à danser. Dame Rascha le chassa, ce que sa pupille lui reprocha, une fois le malheureux évincé.

— C'était très impoli.

La louve n'était pas d'humeur à se laisser contredire.

— Ce n'est qu'un Tallow, grommela-t-elle. Son clan a déjà de la chance d'avoir été invité, ça n'est pas une raison pour espérer pouvoir valser avec la petite-fille de l'impératrice.

Isabel scrutait la salle de bal.

— Pourquoi pas ? riposta-t-elle. Ces héritiers des Maisons Mineures ne sont pas si mal. Je suis lasse des petits marquis de cour. Ils sont nuls et laids.

Elle se tourna vers l'un des intéressés, qui venait d'arriver près d'elle.

— Bonsoir, Andros ! Je ne pensais pas à vous. Vous êtes superbe.

— Si vous le dites, répondit-il en levant les yeux au ciel. Et puisque vous vous êtes débrouillée pour clopiner, je songeais proposer une danse à Hazel.

— Pour ça, adressez-vous à Rascha. Elle vient d'éconduire un Tallow beaucoup plus beau que vous.

Ignorant la pique, Andros Eluvan s'inclina devant l'albinos et lui offrit sa main. Sa préceptrice ne protestant pas, la jeune fille accompagna son cavalier sur la piste. Intérieurement, Hob souhaita que le jeune homme trébuche et se casse le nez.

Serais-tu jaloux ?

Pff ! Bien sûr que non ! Il était même content pour Hazel. Elle s'améliorait en cours, elle se transformait en porcelet, et voici qu'elle prenait du plaisir à la soirée. Autant de points positifs, qui présentaient aussi l'avantage de rendre de plus en plus improbable une quelconque possession par l'esprit de La Faucheuse. Jaloux, lui ? C'était d'un ridicule consommé.

Soudain, il s'aperçut qu'Isabel l'observait. Elle lui adressa un sourire complice.

— J'en étais sûre !

— De quoi, petite ? lui demanda la luperca en se penchant vers elle.

— Rien, rien, éluda-t-elle en jouant les innocentes.

Elle tendit le bras, et Pamplemousse se posa sur sa paume dans un battement d'ailes. Il tira sur son gilet avec agacement.

— Je vous avais pourtant dit qu'il était trop petit !

— Pauvre chéri, se moqua-t-elle. Et si M. Smythe allait nous chercher des sorbets pendant que nous disons du mal des danseurs ? Il a besoin de se dégourdir les jambes.

Hob gagna l'un des multiples comptoirs répartis autour de la salle. Des nuées de serviteurs s'y agglutinaient afin de rapporter divers mets et rafraîchissements à leurs maîtres.

Tout à coup, on souffla à l'oreille du garçon.

— Dans deux mois, tu seras à moi. Tu n'imagines même pas la surprise que je te réserve.

Se retournant, il découvrit Dante qui le toisait avec une méchanceté non dissimulée.

— Re-bonsoir, Lord Hyde. Inutile de patienter ici comme un vulgaire larbin. Permettez-moi de me charger de votre commande.

Le comte ne se dérida pas.

— Tu m'as entendu, muir ?

— Oui, vous me « réservez une surprise ». Je suis flatté, bien qu'étonné que Votre Grâce fasse des cadeaux à ses serviteurs.

— C'est ta langue que tu perdras en premier, souffla l'autre en se rapprochant. Puis, ce sera tes pieds…

Hob feignit d'être déçu.

— Quel manque d'inventivité ! Chez moi, certains vous cousent les paupières pour les empêcher de cligner. C'est atroce.

— Excellente idée ! jubila Dante. Peut-être que je…

— Puis-je vous aider en quoi que ce soit, Lord Hyde ?

Oliveiro venait de se matérialiser à leur côté, image du professionnel aguerri. À en juger par son expression, il avait deviné l'animosité qui régnait entre les deux jeunes gens.

— Non merci, répondit Dante d'un ton léger. J'expliquais justement à votre sous-fifre quel cocktail je souhaite.

Le majordome jeta un coup d'œil au verre à moitié plein du comte.

— M. Smythe vous l'apportera.

— J'ai hâte.

Quand l'affreux fut parti, Oliveiro couva Hob d'un regard sévère.

— Que se passe-t-il encore ?

— Rien. Il est seulement venu dire bonjour.

— Vous servez Sa Grâce, puis vous fichez le camp d'ici.

— Mais Son Altesse…

— Je parlerai à Dame Rascha. Inutile de verser de l'huile sur le feu avec les Hyde.

— Ce n'est pas moi qui ai commencé !

— Je vous crois, monsieur Smythe. Ça ne change rien. Portez-lui son verre et partez.

— À vos ordres.

Quelques minutes plus tard, Hob s'éloignait avec un plateau de trois sorbets, d'un jus pour Pamplemousse et de la commande de Dante. Il livra celle-ci en premier, laissant une servante perplexe la déposer devant Sa Grâce, puis il regagna sans un mot la table des Faeregine. Hazel revenait tout juste de la piste. Elle s'empara aussitôt d'une des glaces.

— C'est pour moi ?

— Oui, il y en a une pour vous, une pour Dame Rascha et une pour Lady Isabel.

D'une tape sur la main, Pamplemousse écarta Merlin qui convoitait son jus.

— Tu en as mis, du temps, mon garçon, maugréa-t-il. Dans ma jeunesse…

— Je te rappelle que tu n'as que deux mois, l'interrompit sa maîtresse avec un soupir.

L'homoncule se renfrogna et entreprit de laper sa boisson de sa longue langue fourchue. Hazel planta une cuiller dans son sorbet.

— Je suis drôlement soulagée que la première valse soit passée, déclara-t-elle.

— Vous avez assuré.

— Pas grâce à Dante Hyde. Me planter là comme une imbécile. Je me vengerai, croyez-moi. Il faut seulement que je trouve des mesures de rétorsion suffisamment horribles.

Hob fit semblant de réfléchir.

— Et si nous pimentions un peu sa boisson ? murmurat-il. Rien de dangereux. Juste de quoi provoquer un *incident* public.

— Extra ! se pâma Hazel. Allons-y tout de suite.

— Considérez la chose comme faite.

— Ah bon ? Quand ?

— Il y a cinq minutes environ.

— Mais je...

Le page adressa un regard lourd de sens à l'albinos, dont le visage s'épanouit. Elle observa à la dérobée la table des Hyde, où le jeune comte flirtait avec Tatiana Castile. Son verre était déjà presque vide.

— Vous avez vraiment osé ? souffla-t-elle.

Hob acquiesça avant de reprendre un ton plus formel.

— M. Oliveiro m'a donné mon congé pour la soirée, Votre Altesse. Aussi, je me retire, avec votre permission.

— Bien sûr, oui, allez-y. Bonne nuit, monsieur Smythe. Et merci !

Il la gratifia d'une courbette et se dirigea vers la sortie en prenant grand soin d'éviter tout contact visuel avec les Hyde. Franchissant le cordon de sécurité des gardes, il se glissa hors de la salle et descendit l'escalier majestueux.

Il avait conscience de la témérité de son geste, mais ça en valait la peine. Jamais il n'avait détesté quelqu'un comme Dante, même pas la famille de sa mère. Et puis, il ne vengeait pas seulement son honneur, mais celui de Hazel également.

Son seul regret était qu'il n'assisterait pas en personne à l'éruption volcanique promise par Gorgo.

Dans les quartiers des domestiques, l'aile des pages était d'un calme inhabituel. La plupart étaient réquisitionnés pour la soirée, et les autres avaient l'obligation de patienter en uniforme, des fois qu'on ait besoin d'eux au pied levé. Plusieurs trompaient l'ennui en jouant aux cartes dans la pièce commune. Hob les salua mais ne s'attarda pas. Il souhaitait se reposer un peu avant la partie de rentre-dedans prévue pour après le bal. Lui et Viktor étaient en veine, ces derniers temps.

Son camarade de chambre était absent. Ouvrant le fenestron, Hob s'assit sur son lit et retira ses bottines. Des bribes de musique voletaient jusqu'à lui, en provenance de la réception. La Confrérie avait exigé un rapport le plus tôt possible. Même s'il n'avait pas été sur place très longtemps, il avait beaucoup à raconter. Puisque Viktor n'était pas là, autant en profiter, d'autant que ses souvenirs étaient frais. Il s'allongea avec son guide et un cure-dent émoussé en guise de stylet.

Impératrice absente, VF l'a remplacée. Nerveuse quand elle a appris qu'elle devrait allumer le « soleil » en cristal à la fin de son discours de bienvenue. Je crois que l'archimage s'en est chargé pour elle. Hostilité manifeste entre BF et Kraavh. Bateau coulé du côté d'Ankura. Des survivants. Accusent les Lirlandais. Kraavh se défend – navires intrus. BF sûr que les démons ont rompu le traité. Guerre imminente, semble-t-il. Par ailleurs, Dante Hyde m'a menacé. Affirme que je serai à lui dans deux...

À cet instant, un vacarme résonna dans le couloir. Des bruits de pas précipités suivis par un chœur de cris. Hob crut entendre son nom. Il glissa son ouvrage sous son oreiller, alors qu'on tambourinait à la porte.

— Qu'est-ce que c'est ?

Le battant vola en éclats, et des échardes de bois s'abattirent sur ses mains et ses bras, certaines lui entamant la peau. Aucun coup de poing ou de pied humain n'aurait pu faire ça. C'était de la magie. Hob releva la tête. Dans le nuage de poussière ambiant, il discerna Dante Hyde, pantelant, sur le seuil.

— Tu as mis un truc dans mon verre !

Lentement, le page se leva. Inutile de protester. Quand bien même il aurait été innocent, ça n'aurait servi à rien. Le comte avait le visage cireux. Des gouttes de sueur dégoulinaient en ruisselets continus sur son front. Dégainant son sabre, il avança en titubant.

— Je vais te tuer…

Hob arracha sa couverture, la lança à la tête de l'autre et fila vers la sortie. Comme il l'avait espéré, Dante fut obligé d'écarter le pan de tissu, lui offrant ainsi le laps de temps nécessaire pour déguerpir. Malheureusement, Hyde réagit à une vitesse stupéfiante et, d'un coup d'épaule, propulsa son adversaire en plein contre le chambranle, dans un tel élan qu'ils roulèrent au sol. Hob réussit à se relever et à gagner le couloir en tanguant, non sans d'abord avoir été éraflé au ventre par la pointe du sabre.

Une dizaine de ses collègues assistaient à la bagarre dans un silence abasourdi. Parmi eux, Viktor. Hob les chassa d'un geste de la main.

— Décampez ! brailla-t-il. Allez chercher la garde !

Dante le rejoignit d'un pas mal assuré. Il agrippait son arme avec force, et son regard était meurtrier.

— C'est ça ! feula-t-il. Rameutez les soldats et leurs pistolets. Ce ne sont que des vermisseaux de muirs comme vous autres !

Les garçons détalèrent. Tous, sauf Viktor qui, malgré sa peur évidente, tint bon.

— Tu veux jouer les héros, toi ? railla Dante.

Le blondinet restant muet, le comte tendit un doigt en direction de ses pieds.

— *Ignis !*

Aussitôt, les souliers du page s'enflammèrent. Poussant un cri, il se laissa tomber par terre et tenta de les retirer. Hob se précipita pour l'aider, se brûlant les mains au passage. Déjà, les chaussettes avaient commencé à se consumer et, dessous, la peau fumait. Viktor agrippa l'épaule de son ami.

— Sauve-toi !

— Oui ! s'esclaffa Hyde. Sauve-toi !

Hob essaya bien, sauf que son corps ne lui obéissait plus. Dante lui avait lancé un sortilège qui engourdissait ses muscles. Il lui était impossible de courir, à présent, et le moindre déplacement lui donnait l'impression de se mouvoir dans de la boue. Le mieux qu'il put faire fut de reculer, et même cela exigea des efforts titanesques.

Dante enjamba Viktor, une paume plaquée sur ses intestins douloureux, l'autre serrant le pommeau de sa lame. Il était clair qu'il se sentait mal. Pas autant que ce à quoi Hob s'était attendu, hélas. La potion de Gorgo ne fonctionnait peut-être que sur les harpies. Une grimace cruelle déforma les traits du comte.

— Tu te prends toujours pour mon égal ?

Le page continuait de battre en retraite. Il avait atteint le palier où l'aile des garçons et celle des filles se rejoignaient. Si seulement il réussissait à atteindre l'escalier…

— Tu n'es qu'un sauvage mal dégrossi ! s'époumona le noble d'une voix rauque. Alors que mon clan dirige Impyrium depuis des millénaires !

— Allez dire ça aux Faeregine.

— Ils sont finis. Je vais massacrer leur larbin dans leur propre maison, et ils ne protesteront pas. Ils nous appartiennent, ce qui signifie que tu es à moi…

Par chance, l'arrogant était du genre à toujours vouloir le dernier mot, ce qui était sacrément pratique quand on essayait de gagner du temps. Hob n'avait qu'à relancer la machine.

— Je ne suis pas à vous.

— Si ! Je ferai de toi ma marionnette. C'est moi qui tirerai tes ficelles !

Il agita une main, et une force invisible souleva Hob du sol. Il resta ainsi suspendu en l'air comme un pantin. Quand Dante le libéra, il s'écroula comme une masse et, hors d'haleine, tenta de gagner les marches en rampant.

— Une vraie vermine ! lâcha son ennemi. En comparaison, je suis un dieu.

Cette déclaration bien sentie fut cependant gâchée par un rot sonore qui obligea la divinité autoproclamée à ravaler sa nausée.

— Un vrai Apollon, grogna Hob en agrippant la rambarde de l'escalier.

Essuyant l'écume à sa bouche, Hyde tendit un doigt et réitéra sa malédiction :

— *Ignis !*

Une vague de chaleur enveloppa le visage du page, mais ce ne fut pas pire que s'il avait ouvert un four. La décoction commençait-elle à produire ses effets ? Dante était-il à court de magie ? Le garçon s'en fichait, du moment qu'il gardait figure humaine.

Il parvint à dégringoler quelques marches. Malgré le péril de sa situation, il avait une conscience claire de son absurdité. Cette course poursuite était sûrement la plus lente de toute l'histoire de l'humanité. Il fit un nouveau pas laborieux.

— Pourquoi ne pas être amis ? haleta-t-il. Nous avons des tas de points communs.

— Nous n'avons *rien* en commun ! s'égosilla l'autre.

— Vous me vexez.

Saisi d'une rage encore plus folle, Dante redoubla d'efforts et réussit à avancer avant d'être arrêté net par le gargouillis retentissant qu'émirent ses entrailles.

— Vous auriez intérêt à trouver des toilettes, le provoqua Hob. Pas de souci, je vous attends.

Le jeune Hyde fut agité par des frissons convulsifs.

— Je vais t'étriper, je le jure…

Le page déboucha enfin dans la cantine des serviteurs.

— Et si vous utilisiez Bragha Rùn, pour ça ? Tout le monde sait que c'est vous qui l'avez volée. À moins que vous l'ayez déjà vendue ?

— Personne ne vendra cette épée ! Pas tant que l'exécuteur n'aura pas accompli sa mission.

Le sourire de Hob s'effaça.

— Qu'est-ce que vous racontez ? Quel exécuteur ?

Le comte se rapprocha dangereusement.

— Celui chargé d'assassiner ta petite amie, d'après mon père. Il semble qu'il soit déjà en place.

— Vous mentez.

Amène-le à parler.

— Sur la tête de ma sœur. L'ordre de passer à l'acte a été donné. Ça peut se produire du jour au lendemain. Dommage, tu n'auras pas eu le temps de la prévenir...

Le sabre trancha l'air juste sous le nez de Hob. Ce dernier esquiva en vacillant et heurta de plein fouet les portes battantes des cuisines sur le carrelage desquelles il tomba en arrière. Dante se rua sur lui, un sourire dément aux lèvres, sa lame à quelques centimètres de la tête du page.

— Une dernière parole, muir ?

L'adolescent se souleva sur les coudes.

— Une question.

— Je t'écoute.

— Vous a-t-on déjà flairé ?

Le comte cilla, puis son regard hésitant balaya la pièce. Il découvrit alors les silhouettes trapues qui avaient interrompu leur tâche afin de contempler l'intrus. Bombasta rompit le silence inquiétant.

— Qui t'es donc, toi ?

Dante se redressa. Qu'on l'interroge sur ce ton le révoltait tant qu'il ne vit pas la mégère qui se glissait agilement dans son dos.

— Lord Hyde, espèce de brute répugnante ! assenat-il avec superbe. Comte d'Eastmarch, héritier de la maison Hyde, et...

— Un rôti ! couina, enchantée, la harpie derrière lui.

Elle le saisit au collet – il poussa un cri de terreur –, l'immobilisa et flanqua son sabre dans un évier d'un simple revers de la main. Le jeune homme se débattit, tandis que les autres cuisinières se précipitaient vers lui avec de la ficelle.

Après une rapide échauffourée, il réapparut bridé comme une volaille. Ses protestations virèrent à des piaillements aigus bien éloignés de sa voix de ténor usuelle.

Il fondit en larmes, il supplia, il promit monceaux d'or et demeures fabuleuses aux cuisinières qui avaient entrepris de l'oindre de beurre. Ses supplications restèrent lettre morte – les mégères n'avaient pas pour habitude d'écouter les jérémiades de leur nourriture. Elles se contentèrent de se le repasser de mains en mains, le saupoudrant qui de romarin, qui d'estragon. Au bout de la chaîne ainsi formée, Gorgo allumait le four pendant que Bombasta aiguisait un fendoir.

Malgré la tentation, Hob décida qu'il ne pouvait autoriser les harpies à dévorer le comte. Se relevant, il s'aperçut que le sortilège dont il était prisonnier avait disparu. Il courut vers Bombasta.

— Joyeux 1er mai, chéri, lui lança-t-elle. Sympa de ta part d'avoir apporté la bouffe. On avait un p'tit creux, justement.

— Je vous déconseille de le manger.

— Âneries ! Il est bien charpenté. Regarde-moi toute c'te bonne 'iande !

— Il risque de vous rendre malades.

— Hein ? sursauta la cuisinière en chef, sourcils froncés.

— J'ai un peu corsé ce qu'il a bu ce soir.

Gorgo referma brutalement la porte du four.

— De quoi ? brailla-t-elle. Tu lui as refilé la potion à Bombasta ?

Cette dernière se retourna vivement vers son second.

— Keske tu veux dire, toi, par *ma* potion ?

Gorgo s'enfuit aussi sec vers le garde-manger le plus proche. Poussant un soupir, Bombasta lâcha son couperet et regarda le garçon bien assaisonné que ses copines étaient en train de transférer dans un plat.

— Ho ! beugla-t-elle. Une minute, les filles !

Toute activité cessa net, et trente-cinq harpies se tournèrent vers leur patronne.

— Libérez-le, grommela-t-elle. La 'iande est gâtée.

Les horreurs se tournèrent vers Hob, moins furieuses que déçues. Deux d'entre elles renversèrent le plat, et leur festin couinant s'avachit par terre.

— Toi, tu nous dois un comte, grogna Bombasta en enfonçant un doigt boudiné dans le torse de Hob.

Il n'eut pas le loisir de répondre car, à cet instant, Oliveiro déboula dans les cuisines, flanqué de quatre soldats. Il aperçut Hob avant de remarquer le jeune noble entravé sur le carrelage.

— Écartez-vous ! tonna-t-il.

Les monstres s'éloignèrent en traînant des pieds, non sans gratifier leur repas de fête de coups d'œil impénitents et mauvais. Les militaires aidèrent Lord Hyde à se relever, et Oliveiro trancha la ficelle. Dante écumait de rage.

— J'aurai vos têtes ! s'époumona-t-il. Toutes jusqu'à la der…

Il se tut, écarquilla les yeux.

Le breuvage de Gorgo faisait effet. Enfin !

Hob assista au spectacle dans un silence ahuri. Il ne se serait jamais douté qu'un corps humain puisse se vider par autant d'orifices et avec une force aussi incroyable. Même les harpies semblèrent horrifiées. Bombasta leur beugla d'attraper des serpillières, et elles s'égaillèrent. Imperturbable, Oliveiro s'empara d'un torchon et s'essuya calmement le visage. Il n'en offrit pas un à Dante qui, à présent accroupi, était prostré et comme frappé de stupeur.

— Ma foi, commenta le septième majordome, je crois que nous n'oublierons pas de sitôt ce 1er mai. Regagnez votre chambre, monsieur Smythe.

Ces paroles tirèrent Hyde de sa transe.

— Votre page m'a empoisonné !

— En avez-vous la preuve ?

— Vous en avez plein sur vous, des preuves ! s'exclama Hyde, suffoqué.

— Ta-ta-ta. Votre Grâce s'est sans doute laissée aller à des excès. Les boissons un peu trop fortes ne sont pas recommandées aux jeunes gens. Même aux comtes.

— Comment osez-vous ? J'exige qu'on l'arrête !

— Vraiment ? répondit le placide Oliveiro. Au regard de la position de Votre Grâce, au sens propre comme au figuré, je pensais que vous préféreriez régler cela en privé. D'après ce que j'en vois, vous, un prestigieux invité de sa Radieuse Majesté, êtes entré sans autorisation dans le quartier des domestiques, où vous vous êtes rendu coupable de dégradations, avez agressé un page à coup de magie, avez tenté d'en éliminer un second, et avez purgé vos boyaux dans les cuisines. J'oublie quelque chose ?

— M'a offert une baraque ! s'indigna une des harpies.

— Tentative de subornation, ajouta le majordome en plissant le front. Insistez-vous, Votre Seigneurie, ou vaut-il mieux que vous vous changiez et quittiez les lieux le plus discrètement possible ?

Sa Seigneurie se résigna à opter pour la seconde solution. Oliveiro réitéra son ordre. Pendant que Hob retournerait dans sa chambre, lui-même et les gardes escorteraient Lord Hyde hors des cuisines.

Le page retrouva Viktor, qui soignait ses pieds, pendant que deux domovoï ôtaient les gonds tordus de la porte.

— Ça va ? lui demanda-t-il.

— J'ai les arpions un peu gratinés, mais je survivrai, répondit son ami en appliquant une pommade entre ses orteils. Et toi ?

— Très bien, dit Hob en fourrant son guide dans une serviette. Désolé que tu aies été mêlé à tout ça. Je file me laver, je suis couvert de Lord Hyde. J'en ai pour une minute.

Sur ce, il fonça aux douches et s'enferma dans une des cabines. Après avoir tiré le verrou, il rédigea un mot hâtif à la Confrérie.

DH vient de m'agresser. Vais bien. A plastronné sur un tueur à gages – aurait surpris son père en parler. Ordre d'éliminer HF donné. Est-ce vrai ? Il faut que je sache. Tout de suite.

Il se rendit à la page 213.

— Allez ! s'impatienta-t-il en la tapotant du bout des doigts. Oui ou non, c'est pourtant simple.

Et si c'était oui ? Comment préviendrait-il Sigga ? Devait-il le lui révéler en personne ou laisser une note anonyme ?

Son interlocuteur se manifesta enfin, les éléments des phrases se superposant avec une lenteur agaçante par-dessus la liste des diplomates.

Ce gamin est un crétin, ses propos sont obsolètes. L'ordre a été annulé. Les érudits ne croient pas que HF soit ce que nous redoutions. Garde le cap. Je me charge des Hyde.

Le garçon faillit pousser un hourra. Il n'aurait pu espérer meilleure réponse. L'assassinat n'avait pas été commandité et ne le serait pas. Hazel n'était que Hazel, en fin de compte. Si elle était contaminée par quelque maladie ou esprit maléfique, on se débrouillerait pour l'en débarrasser. Ça prendrait du temps, peut-être, mais il était certain qu'elle pouvait s'avérer un allié de choix dans une transition en douceur pour un Impyrium plus équitable.

Délaissant la douche, il s'aspergea le visage d'eau froide à l'un des lavabos. Il n'aurait pas aimé être à la place de Dante Hyde en cet instant. Pas pour toutes les pierres précieuses d'Eastmarch.

Viktor et ses pieds luisants étaient allongés sur leur lit quand Hob regagna la chambre. Le blondinet ne s'était pas donné la peine de ramasser ni d'écarter les éclats de bois et gisait au milieu d'eux, l'air hébété.

— Tu es sûr que ça va ? s'inquiéta Hob.

— Ouais, acquiesça Viktor d'un ton morne. Mais tu devrais sûrement y réfléchir à deux fois avant d'agacer un type comme Hyde. Il aurait pu te tuer. Ou moi. Ou tout autre page se dressant sur son chemin.

— Je suis désolé.

Force était d'admettre qu'il avait tellement eu envie de jouer un sale tour à Dante qu'il n'avait même pas songé que sa blague risquait de mettre ses amis en danger.

— J'espère au moins que ça valait le coup, marmonna son voisin en éjectant d'une pichenette une écharde de son oreiller.

— Je n'en sais trop rien. Même si ça a été plutôt marrant.

Les domovoï réapparurent pour remplacer la porte, et il balaya la pièce tout en racontant à son colocataire les événements qui s'étaient déroulés dans les cuisines. Entre l'empressement des harpies à se gaver et l'explosion du système digestif du comte, Viktor eut du mal à ne pas hurler de rire.

— Je ne peux même pas t'en vouloir ! hoqueta-t-il. Tu vas être mis dehors, mais personne ne pourra dire que ça aura été sans éclat. Les pages du monde entier t'élèveront une statue.

Hob tenta de partager cette bonne humeur, mais il avait la boule au ventre. À force de penser à Dante et à Hazel, il n'avait pas envisagé son propre avenir. Son renvoi ne faisait aucun doute. Il contempla la chambre exiguë. Elle allait lui manquer, de même que les petits déjeuners dominicaux à la cantine et les parties brutales de rentre-dedans. Même les harpies allaient lui manquer, c'est dire !

Sans parler, naturellement, de Son Altesse. Le poste de répétiteur lui avait offert l'occasion d'utiliser une partie de son cerveau qu'il avait cru devoir laisser en sommeil. Il avait appris à aimer les leçons et à les guetter avec hâte ; pour être franc, il avait appris à souhaiter revoir la princesse.

L'amitié qu'ils avaient nouée était très loin de celles qu'il avait connues à Brune. Pas seulement parce que Hazel était une fille, de sang royal qui plus est. Elle le comprenait et le mettait au défi comme aucun de ses anciens copains n'avait su ou pu le faire. Hob avait deviné ce que serait La Taupe d'ici une vingtaine d'années. Il en avait croisé des dizaines comme lui tous les soirs chez la mère Howell. En revanche, il ignorait ce qu'il adviendrait de Hazel Faeregine. Elle aussi, d'ailleurs. C'était passionnant.

On frappa. Oliveiro apparut en ignorant avec ostentation les ravages qu'avait subis la chambre.

— Je me demandais si vous auriez la bonté de venir prendre le thé avec moi, monsieur Smythe ?

Hob répondit qu'il en serait très heureux et se prépara au pire. Derrière le majordome adjoint, il enfila le couloir et grimpa une volée de marches jusqu'aux suites où résidaient les domestiques plus gradés. Déverrouillant une porte, son supérieur s'écarta devant lui.

L'appartement était modeste mais impeccable, avec une fenêtre donnant sur les feux d'artifice du 1er mai, au-dessus du phare du cap Kirin. Un chat sommeillait sur une chaise. Son maître l'en retira pour l'installer sur un coussin, au-dessus du radiateur. Puis il invita Hob à s'asseoir. Pendant que l'homme s'affairait avec la bouilloire, le garçon étudia les portraits et les photographies alignés aux murs et sur les étagères de livres. Le tableau le plus proche montrait un gentleman moustachu à la peau sombre et aux épais cheveux blancs. Avec son expression sévère, presque féroce, on aurait dit un shaman Hauja.

— Mon arrière-arrière-grand-père, expliqua Oliveiro. Majordome en chef à l'époque. Il a voué sa vie aux Faeregine. N'a jamais quitté cette île. Il était ce qu'on pourrait appeler un serviteur né.

Il tendit sa tasse à son convive et s'installa dans un fauteuil avant de continuer :

— Je comprends que vous occupiez un poste particulier auprès de Son Altesse mais, théoriquement, vous êtes placé sous mon autorité. Or je suis en mesure d'avancer, sans une once d'exagération, qu'aucun page avant vous, de mémoire d'homme, n'a provoqué autant de dégâts en aussi peu de temps. Vous n'êtes *pas* un serviteur né, monsieur Smythe. Vous êtes une catastrophe ambulante.

— J'en suis navré, monsieur.

Son supérieur le regarda droit dans les yeux.

— Avez-vous vraiment mis quelque chose dans le verre de Lord Hyde ?

Hob ne se défila pas.

— Oui, monsieur.

Sa franchise lui valut un hochement de tête imperturbable.

— Je vois. Ma foi, monsieur Smythe, à mon plus grand regret, je suis dans l'obligation de vous relever de vos fonctions. Vous êtes renvoyé.

Le garçon voulut se lever, mais Oliveiro l'en empêcha d'une main levée.

— Rasseyez-vous, s'il vous plaît, je n'en ai pas terminé avec vous.

— Qu'y a-t-il à ajouter ?

— Et si nous parlions de votre avenir ?

— Pardonnez-moi, mais pourquoi vous en souciez-vous, monsieur ?

— Parce que vous êtes un gamin capable qui n'a cessé de défendre l'honneur de Son Altesse.

Posant son thé, le majordome se tourna vers la croisée ouverte.

— Je maintiens que vous n'êtes pas un serviteur né, monsieur Smythe. Votre caractère un tantinet entier ne convient pas du tout à la fonction, croyez-moi. Cela ne signifie pas pour autant que j'ai une mauvaise opinion de vous. Au contraire. J'aimerais vous aider à trouver une profession plus adéquate.

— C'est très aimable de votre part, monsieur. Vous songez à quelque chose ?

— Avez-vous envisagé de devenir soldat ? J'ai des contacts. Avec un peu de chance et quelques centimètres de plus, vous pourriez entrer dans la garde impyriale. La solde n'est pas terrible, mais vous avez démontré certaines aptitudes naturelles, si je puis m'exprimer ainsi.

Hob pensa à la tunique usée et reprisée d'Anders. *Tel père, tel fils.*

— Cela vous tenterait-il, monsieur Smythe ?

— Je ne sais pas. Ils recrutent ?

Oliveiro lui indiqua de venir près de la fenêtre et tendit le doigt vers l'armada de destroyers qui encombraient le port de Rowan.

— Ça paraît fort possible, vous n'êtes pas de mon avis ?

CHAPITRE 6

L'ENTRETIEN D'EMBAUCHE

Sache bien que les choses ne sont que l'idée que tu t'en fais.
Or cette idée dépend toujours de toi.

Marc Aurèle, empereur pré-cataclysmique
(1892-1823 av. C.)

L e crépitement caractéristique des coups de fusil ébranlait les fenêtres de Hazel. Les salves avaient débuté à l'aube et s'étaient poursuivies à intervalles réguliers depuis. De temps à autre, la princesse entendait le sergent instructeur brailler des recommandations à ses hommes. Si ce vacarme était irritant, il n'était rien comparé au rugissement des tirs au canon. Eux commençaient à midi, chaque jour, et ce depuis le Bal de mai, deux semaines auparavant. Six autres navires avaient disparu entre-temps, ce qui était sidérant. Un décret impyrial interdisait désormais à toute embarcation de s'aventurer sur les eaux lirlandaises. Les bateaux déjà en mer avaient reçu l'ordre de s'abriter dans le port le plus proche.

Hazel ne doutait pas un instant que les démons soient à l'origine de ces naufrages. Durant sa vision des ultimes moments de *L'Étoile Polaire*, ce n'était ni un iceberg ni un écueil qu'elle avait aperçus, mais un tentacule aussi grand que Vieux-Tom. Cette image la hantait encore, de même que la terreur du moussaillon dans lequel elle s'était incarnée. Souvent, elle s'était demandé s'il fallait qu'elle en parle à Rascha, à son oncle, voire à l'impératrice en personne. Elle ne s'y résolvait pas, cependant. Et puis, il y avait maintenant des témoins, et la responsabilité des Lirlandais n'était plus un mystère. Évoquer ce qu'elle avait vu ne générerait que des questions embarrassantes auxquelles elle n'était pas prête à répondre.

Pas tout de suite du moins.

Elle jeta un coup d'œil à la cheminée, et Merlin s'agita. Il sentait toujours quand la volonté de sa maîtresse chancelait.

— Ne t'inquiète pas, le rassura-t-elle en lui grattant les ailes. Je n'ai pas oublié mon serment.

Il n'empêche, elle sortit de son lit et alla s'accroupir devant l'âtre, revêtue de sa seule chemise de nuit. Elle contempla la pierre noircie. L'envie de récupérer le portrait d'Arianna la démangeait avec une force jusqu'ici inégalée en pleine journée. Merlin se mit à voleter autour d'elle comme un étourneau affolé.

— D'accord, concéda-t-elle en le chassant d'un revers de la main.

Elle méditait sur la tenue à porter quand ses yeux tombèrent sur un bout de papier appuyé contre l'étagère où elle rangeait ses écrins à bijoux. C'était le mot qui avait glissé de *La Petite Sirène*, au nouvel an. Rascha avait forcé sa pupille à le conserver afin qu'elle se souvienne que le monde regorgeait de dangers. Elle s'en empara et le déplia en le tenant du bout des doigts.

Araignées tissent, araignées filent,
Araignées guettent des proies faciles.
Nous aussi pouvons tisser, filer
Et à tout instant te capturer.
Meilleures pensées,
Du bouissier, du barbier, du bladier

Quel message étrange ! Quels noms étranges ! Les vieilles comptines avaient vraiment quelque chose d'effrayant. Chaque fois qu'elle relisait cette menace, Hazel se retenait de la jeter aux ordures. Jusqu'à présent, elle avait réussi à s'en abstenir, car ça n'aurait fait que déclencher la colère de sa préceptrice.

Quand elle se fut habillée, elle entra dans le salon commun. Violet grignotait une tartine près d'une fenêtre par laquelle elle observait les manœuvres. Bien qu'on soit samedi, elle portait une tenue d'apparat. Comme toujours, ces derniers temps. Ces vêtements seyaient à sa récente solennité. Hazel posa Merlin sur la table du petit déjeuner.

— Bonjour !

— Tu es vraiment obligée de le mettre ici ? répliqua son aînée avec une grimace.

La benjamine se borna à hausser les épaules. Elle ne supportait plus de marcher sur des œufs, en présence de Sa Majesté Impyriale. Isabel surgit comme une furie de sa chambre en brossant ses boucles noires emmêlées. Violet remarqua qu'elle était chaussée de bottes.

— Tu comptes monter ce matin ?

— Pourquoi pas ? Ma jambe est totalement guérie.

— Il va pleuvoir.

Isabel étudia le ciel.

— Tant pis, je prends le risque. Et si tu m'accompagnais ? On fera la course jusqu'au cap Kirin.

— Impossible. J'ai une réunion. Et je t'interdis d'aller là-bas.

— En quel honneur ?

— L'ambassade des Lirlandes est juste à côté.

— Tu crois qu'ils vont se lancer à ma poursuite sur leurs hippocampes ? s'esclaffa la cadette des triplées. Je te les sème quand je veux.

Exaspérée, Violet ferma les yeux.

— Obéis-moi. Pour une fois.

— Au nom de quoi je me mettrais à faire une telle ânerie ? répliqua Isabel en attrapant un toast.

— Nous déclarons la guerre cet après-midi.

— *Quoi ?*

Les deux plus jeunes s'étaient récriées à l'unisson, la première en lâcha son morceau de pain grillé.

— Il n'y a rien d'officiel encore, enchaîna la future impératrice, mais ça sera annoncé tout à l'heure. Deux nouveaux bateaux ont été attaqués cette nuit. Grand-mère a beau avoir tenté de gagner du temps, elle est acculée. Les preuves contre la démonie sont accablantes. On manifeste dans tout

Impyrium. La loi martiale a été décrétée à Ana-Fehdra. Si nous n'agissons pas, nous aurons une vraie révolution sur les bras d'ici peu. Nous n'avons pas le choix.

— Et que se passera-t-il ensuite ? s'enquit Hazel. Les Lirlandais vivent sous les mers. Nous ne pouvons pas envoyer d'armée contre eux.

— Exact. Nous allons donc rompre le traité de l'Hiver-Rouge et les invoquer grâce à leurs vrais noms. Enfin, c'est l'idée. Les dirigeants comme Prusias sont trop puissants pour qu'on les appelle malgré eux. Mais les Prométhéens estiment que nous devrions arriver à capturer les démons de second rang et à les enfermer dans des cercles de conjuration. Ils sont déjà en train de les dessiner.

— Et après ? insista l'albinos.

— Nous les garderons en otages. Alors, les leurs seront soit contraints de signer la paix et de payer des réparations, soit de remonter à la surface pour se battre.

— Quelle sera leur réaction, à ton avis ? demanda Isabel.

— La seconde. Logique, ils sont plus nombreux que nous, les mehrùns.

— Mais nous avons des tas de soldats ! protesta Isabel. Et notre marine…

— Est nulle, l'interrompit Violet. Équipée d'un armement primitif. Il paraît que les canons de nos navires datent de plusieurs siècles avant le Cataclysme.

— Les gens de l'Atelier n'ont rien de mieux à nous fournir ?

— Nous ne leur permettons pas de s'atteler à cette tâche ! Tu as toi-même souligné que grand-mère avait été sage de leur tenir la bride haute, tu t'en souviens ? Que les technologies modernes menaçaient l'existence de l'humanité. Eh bien, voilà le résultat ! Bravo ! Nous avons tellement muselé nos ingénieurs que nous ne sommes pas près de nous détruire. D'autres s'en chargeront à notre place.

Frustrée, Violet secoua la tête avec véhémence.

— Personne ne nous anéantira, intervint Hazel d'une voix douce.

— Voilà qui me rassure, rétorqua son aînée en la toisant. Tu comptes monter au front ?

— Si c'est nécessaire.

— C'est vrai, j'oubliais ton arme secrète. Un pied de cochon griffu ne manquera pas de semer la panique au sein des troupes adverses. Prions pour ne pas avoir besoin de toi !

L'albinos foudroya sa sœur du regard.

— Je crois que ce serait plus sage en effet, riposta-t-elle.

— Revenons à la réalité, s'interposa Isabel. Si les Lirlandais sont plus forts que nous, pourquoi ne se sont-ils pas révoltés plus tôt ?

— Le traité de l'Hiver-Rouge a été signé en présence de Mina Ire, expliqua Violet. Elle avait démantelé les territoires de Prusias et participé à la défaite d'Astaroth. Elle se montrait clémente envers ceux qui se rendaient. Les plus anciens des Lirlandais la considèrent comme une entité sacrée. Ils sont persuadés qu'une malédiction épouvantable les frapperait s'ils trahissaient leur parole.

— Sauf que c'est ce qu'ils ont fait, non ?

— Lord Kraavh ne cesse de le nier. Il s'ingénie à répéter qu'ils n'ont attaqué aucun navire porteur d'un sceau. Ce sont des bêtises, bien sûr, puisque tous ces malheureux en avaient un.

On frappa, et Sigga apparut. Elle s'inclina devant Violet et Isabel avant de s'adresser à sa protégée.

— Êtes-vous prête ?

— Où vas-tu ? voulut aussitôt savoir Violet.

— Chez maître Montague. Pour voir s'il serait envisageable d'embaucher M. Smythe à Rowan.

L'héritière du trône passa la chevalière des Faeregine à son doigt.

— Formidable ! Pendant que je m'appuie un conseil de guerre, Isabel part se balader à cheval et toi, tu cherches un emploi à un page au chômage.

— Si tu veux abdiquer, je suis prête à prendre la relève ! lança sa cadette.

— Ne me tente pas ! répliqua Violet en fonçant dans le vestibule, où l'attendait Omani Kruger.

Hob patientait sur un banc, sous un orme du Vieux-Collège. Hazel ne s'habituait pas à le voir en civil. Il portait un costume sombre de qualité potable, mais d'hiver. Il ne l'aperçut pas tout de suite, car il observait un régiment qui s'entraînait au tir, le long de la falaise. Dès qu'il remarqua sa présence, en revanche, il bondit sur ses pieds et ôta sa casquette.

— Bonjour, monsieur Smythe.

— Bonjour, Votre Altesse. Dame Rascha n'est pas avec vous ?

— Elle se repose. Elle n'approuve pas franchement notre démarche.

— Je comprends.

— Comment s'en sortent-ils ? demanda Sigga qui avait elle aussi regardé les soldats.

— Pas mal. Mais leurs carabines ne me plaisent pas. Leur portée est trop courte. Je m'étonne même qu'ils en soient équipés.

— Elles sont plus maniables. Et la portée, pour un garde, est moins importante que la cadence de tir.

— Un fusil est tout aussi rapide.

La Grizlandaise se tourna vers Hazel.

— À quelle heure avons-nous rendez-vous avec maître Montague ?

— 9 heures.

L'horloge de Vieux-Tom indiquait 8 h 45.

— Votre Altesse m'accorderait-elle un petit plaisir ? Ça sera vite réglé.

— Euh, bien sûr, accepta la princesse, intriguée.

Avec Hob, elle suivit Sigga vers le sergent instructeur coiffé d'un casque à aigrette et vêtu d'une redingote rouge carmin. En voyant ses visiteuses, il ordonna à ses hommes de poser les armes et salua Hazel.

— Quel plaisir, Votre Altesse. Que puis-je pour vous ?

— Lequel d'entre eux est votre meilleur élément ? s'enquit Sigga.

— Le deuxième classe Carver, répondit l'officier sans hésiter.

— Dans ce cas, nous aimerions qu'il tire trois fois de suite et le plus vite possible.

L'homme en question avait la vingtaine et, comme presque tous ses camarades, un physique quasi parfait. Obéissant à l'ordre donné, il se mit en place, visa et fit feu.

Pan-pan-pan !

Trois balles, trois petits nuages de fumée sur la cible. Le soldat baissa sa carabine, visiblement content de lui.

— Disposez-vous d'un fusil, sergent ? demanda alors Sigga.

— D'un seul, dit-il en en sortant un de son étui. Je m'en sers pour la chasse. Pas vraiment destiné au combat.

La princesse, qui ne faisait aucune différence entre les deux, constata que le second avait un canon plus long. La Grizlandaise lança un coup d'œil à Hob.

— En avez-vous déjà utilisé un de ce genre ?

Le garçon l'examina.

— Ce n'est pas un Boekka, mais ça y ressemble. Que voulez-vous de moi ?

Le membre de la Division Écarlate se contenta de sourire et, de nouveau, s'adressa à l'instructeur.

— Je vous parie cinq lunes que ce gamin tire plus vite et plus juste avec ce fusil que Carver avec sa carabine.

Le sergent sourit comme à une mauvaise blague. Mais son ironie le déserta quand il constata que son interlocutrice était sérieuse. Il estimait le défi insultant ; c'était évident.

— Carver est un professionnel, agent Fenn. Je vous volerais en acceptant.

— Ne vous souciez pas de ça.

L'homme consulta Hazel du regard, des fois qu'elle s'oppose à la compétition. Elle s'en abstint. Elle avait même l'air de trouver les armes passionnantes. Moins à cause de leur fonction ultime – cribler des choses et des êtres de trous avait peu d'attraits – que parce qu'elles représentaient, à son humble avis, les objets les plus muirs qui soient. Si les mehrùns n'avaient absolument pas le droit de s'en servir, les humains dépourvus de mystique, eux, paraissaient les chérir par-dessus tout.

Le sergent posa ses conditions, que Sigga accepta, à l'exception d'une – elle voulait que son champion se poste à cinquante pas plus loin de la cible. Cette précision provoqua les sourires incrédules de tout le régiment.

Quant à Hob, si le pari l'angoissait, il n'en montra rien. Il resta stoïque pendant cet échange entre les deux parties, sans quitter la Grizlandaise des yeux. Il paraissait plus intéressé par ses motivations que par l'enjeu.

L'accord scellé, il attrapa le fusil déchargé et l'inspecta de nouveau. Il en fit jouer les diverses pièces, testa la gâchette d'un doigt léger, histoire d'en évaluer la sensibilité.

— M'autorisez-vous un essai ? demanda-t-il au sergent. Je n'ai pas tiré depuis longtemps.

L'officier interrogea Carver, qui suggéra que le garçon s'entraîne dix fois si ça lui chantait. Néanmoins, Hob ne mit que quatre balles dans le chargeur avant de reculer à la distance convenue.

L'assistance s'écarta, on installa une cible neuve. L'adolescent se mit en position et porta lentement le fusil à son épaule.

Pan !

Hazel se tourna trop tard du côté de l'objectif pour apercevoir quoi que ce soit. L'un des gardes donna un coup de coude à son voisin.

— Raté !

Tous observèrent Hob étudier derechef son arme.

— Le mauvais ouvrier accuse ses outils, ricana le sergent.

Quand le garçon reprit sa place et visa, la princesse garda les yeux collés sur le cercle rouge.

Pan-pan-pan !

La salve fut si rapide qu'on aurait dit les fusées d'un feu d'artifice lancées toutes en même temps. Un unique nuage de fumée s'éleva du centre de la cible et fut emporté par la brise. Le sergent applaudit.

— Hé bé, commenta-t-il avec bonhomie, il est effectivement d'une vivacité troublante, agent Fenn. Mais la justesse compte aussi. Carver a touché trois fois, votre gamin une seule.

— Vérifions cela, si vous voulez bien.

Un des gardes se chargea de récupérer la feuille. Son supérieur la brandit, et trois trous apparurent, se chevauchant pour former une sorte de trèfle. Hébété, le sergent se tourna vers Hob qui revenait vers eux.

— Qui c'est, ce gosse ? demanda-t-il.

— Exactement celui que je le soupçonne d'être, répondit Sigga avec un sourire mystérieux.

— Je ne vous suis pas.

— Inutile, sergent. Par ici la monnaie.

Vexé, l'homme rassembla les pièces. Hob serra la main de Carver qui se montra beau perdant. Puis l'adolescent rendit le fusil tout en échangeant un regard bizarre, comme de défi, avec Sigga. Hazel eut l'impression qu'ils s'affrontaient dans une joute dont personne n'était au courant, sauf eux deux.

La pluie qui menaçait finit par se mettre à tomber en petites gouttes légères pas désagréables. Le trio quitta les lieux pour gagner Vieux-Tom. La princesse n'en revenait toujours pas de l'adresse extraordinaire dont son ancien page venait de faire preuve.

— Comment saviez-vous que M. Smythe se débrouillait aussi bien avec une arme à feu, Sigga ? s'enquit-elle.

— L'intuition, Votre Majesté. On a récemment découvert un golem sur un site archéologique des Sentinelles. Cinq
balles d'un Boekka, en plein torse, avant qu'une dernière,
de revolver cette fois, ne lui explose le crâne. Mais ce n'est
pas ça qui est intéressant. Ce qui l'est, c'est que les premiers
impacts étaient resserrés d'une manière extraordinaire, et leur
profondeur absolument identique.

— Qu'est-ce que ça signifie ?

— Qu'une fraction de seconde a suffi. Il n'y a qu'un
tireur d'élite pour réussir ça.

— Auriez-vous abattu des golems dans les Sentinelles,
monsieur Smythe ? s'esclaffa Hazel.

— Non, Votre Altesse, répondit la Grizlandaise. Il
n'aurait pas pu, puisqu'il était à Impyria au moment des
faits. Il n'empêche, je suspectais son habileté. La région
est dangereuse, ses habitants apprennent très tôt à se servir d'un fusil. N'oubliez pas non plus que M. Smythe a
tué un loup du Cheshire. Face à ce genre de créature, on
n'a qu'une chance. Faute de viser juste et vite, on meurt.
Les gardes impyriaux sont, pour l'essentiel, des citadins
qui ont appris le maniement des armes pour leur simple
plaisir. J'étais certaine que M. Smythe l'emporterait.
À ce propos…

S'arrêtant devant le perron de Vieux-Tom, Sigga lâcha
quatre lunes dans la paume de Hob.

— Pourquoi me donnez-vous ça ? demanda-t-il sans
les empocher.

— Pour les jours de vaches maigres. Les soldats gagnent
une misère.

— M. Smythe n'est pas obligé d'en devenir un, protesta
Hazel. Il pourrait enseigner.

Le garde du corps rajouta la cinquième pièce aux quatre premières.

Vieux-Tom était silencieux. Ils ne croisèrent que quelques thésards et professeurs qui profitaient du calme du week-end pour peaufiner leurs recherches. Le bureau de maître Montague était situé au deuxième étage, au bout d'un long couloir décoré des portraits de défunts érudits.

Il ouvrit au second coup toqué, pipe à la main. Au grand étonnement de la princesse, il était en pull bleu et pantalon gris décontractés, et ses chaussures ressemblaient drôlement à des pantoufles. Elle était toujours partie du principe que les maîtres étaient en toge du matin au soir, qu'ils ne la retiraient même pas pour se doucher.

— Bonjour Votre Altesse, agent Fenn, les salua-t-il avec une courbette.

Il lança un coup d'œil interrogateur à Hob, qui se présenta. Montague exprima sa joie de le rencontrer, puis s'écarta pour les laisser entrer dans une vaste pièce aux murs ornés de cartes anciennes quand ils n'étaient pas cachés par des rayonnages encombrés de livres. Les parfums des plantes exotiques qui débordaient de suspensions ou se dressaient dans les coins tels des reptiles hérissés de piquants alourdissaient l'air. Sur la paroi du fond s'alignaient des cages, des terrariums et tout un équipement d'alchimiste.

De la poche de Hazel émana un ululement, et Merlin s'extirpa de sa cachette. D'un coup d'aile, il fit le tour du bureau et se posa sur une bibliothèque, où un autre homoncule était allongé, comme un chat endormi. Le professeur s'esclaffa.

— Votre protégé se porte bien, à ce que je vois.

— Je l'espère. Même si j'ai des doutes. Il ne parle pas, alors que celui d'Isabel jacasse comme une pie. Je m'inquiète un peu qu'il soit détraqué.

— Non, la rassura Montague en refermant derrière lui. Votre Merlin se développe à merveille. Je ne lui ai pas donné le même traitement qu'à celui de Lady Isabel, c'est tout. Mais vous n'êtes pas ici pour discuter de l'élevage d'homoncules, Votre Altesse. Qu'attendez-vous de moi ?

Répondant à son invitation, la princesse s'assit dans l'un des fauteuils qui faisaient face à l'immense table de travail. Elle avait préparé un discours. Malheureusement, son professeur avait tendance à la déstabiliser. Il s'installa de l'autre côté de son bureau et croisa les doigts tout en mordillant le tuyau de sa pipe. À l'instar de l'Araignée, le silence ne le dérangeait pas.

— Eh bien, se lança l'albinos, vous n'êtes pas sans savoir que j'ai eu quelques difficultés dans la matière que vous enseignez…

Elle rapporta que Hob, un simple page, l'avait aidée à rattraper son retard sur le Muirland.

— Un arrangement guère orthodoxe, mais qui a porté ses fruits. Vous avez beaucoup progressé, Votre Altesse, et j'en suis très satisfait.

La jeune fille rougit. Était-il possible que Montague ne soit pas un aussi vieux barbon que ce qu'elle avait cru jusqu'alors ?

— Merci. Si j'ai sollicité cet entretien, c'est que M. Smythe n'est plus au service du palais. Il cherche un nouveau poste, et j'ai pensé qu'il pourrait être utile ici.

Les sourcils de l'enseignant s'arquèrent sous l'effet de la surprise.

— À Rowan, Votre Altesse ?

— Oui, monsieur.

— À quel titre ?

— Je l'ignore. Il pourrait peut-être vous assister ? Je crois que, un jour, il fera un excellent enseignant.

Les sourcils se dressèrent encore plus haut. Maître Montague regarda tour à tour Hazel et Hob, cherchant visiblement les mots pour expliquer au mieux ce qu'il estimait ne mériter pourtant aucune explication. La princesse se tortilla sur son siège en songeant qu'elle avait commis une erreur.

— J'ai déjà quatre assistants de recherches, répondit-il enfin. Je les ai sélectionnés parmi des centaines de candidats qualifiés. Bien que j'apprécie votre désir de donner un coup de pouce à M. Smythe, il est exclu que Rowan lui propose une place exigeant de grandes connaissances. S'il accepte de travailler aux cuisines ou…

— Mais il est intelligent, le coupa-t-elle. Très intelligent. Il lui manque juste une occasion de prouver sa valeur.

— N'est-ce pas notre cas à tous ? objecta gentiment le professeur. Pourquoi Votre Altesse ne l'embauche-t-elle pas elle-même ?

— Je consacre trop de temps à mes études de mystique, un domaine où M. Smythe n'est pas en mesure de m'aider, alors qu'avec vous…

Montague soupira et se tourna vers Hob.

— D'où venez-vous, monsieur Smythe ?

— Du Nord-Ouest, monsieur. D'un village des Sentinelles appelé Brune. Rares sont ceux qui en ont entendu parler.

Le maître hocha la tête.

— Êtes-vous Hauja ?

— Ma mère l'est, monsieur.

— Intéressant. J'imagine alors que vous n'avez pas eu droit aux marques tribales.

— Si.

— Vous avez donc réussi le séyu.

Hazel fut impressionnée par l'ampleur du savoir de Montague sur une petite tribu qui vivait dans une région aussi reculée.

— Oui, monsieur.

L'érudit bourra sa pipe.

— Il faudra me raconter ça. Les Sentinelles me sont assez familières, monsieur Smythe. Si j'avais trente ans de moins, je serais là-bas en ce moment même. On vient d'y faire une découverte majeure.

— Ah bon ? marmonna Hob après s'être raclé la gorge.

Un éclat d'enthousiasme enfantin alluma l'œil du savant.

— Le site de Vancouver ! Pas très loin de là où mes calculs le localisaient. Voilà qui prouve que mes théories sur la dérive des continents après le Cataclysme ne sont pas infondées.

— Pardonnez-moi, intervint la princesse, mais qu'est-ce que Vancouver ?

Montague alla décrocher l'une des cartes et l'étala sur son bureau. Elle présentait de lointaines ressemblances avec le monde tel que Hazel le connaissait. Il montra un point sur une des côtes d'un territoire gigantesque.

— Il s'agit d'une des villes perdues durant le Cataclysme, Votre Altesse. Il y a peu encore, les scientifiques croyaient que les cultures de jadis avaient purement et simplement disparu. Mais les séismes ont révélé des cités antiques, des mers et des montagnes ensevelies. Certaines situées à des centaines, voire à des milliers de kilomètres de leur emplacement originel.

— Vous êtes conscient que ces informations sont classées top secret ? intervint Sigga.

Montague parut légèrement amusé, comme s'il était trop vieux pour se soucier de règles qu'il jugeait arbitraires ou stupides. Il haussa les épaules.

— Je suis archéologue, agent Fenn. Je m'intéresse aux faits historiques, pas aux fables. Dites-moi, monsieur Smythe, les habitants de Brune sont-ils persuadés que la civilisation humaine a débuté avec Impyrium ? Qu'avant notre ère, tout n'était qu'obscurantisme ?

— Bien sûr que non. J'ai vu des films datant d'avant le Cataclysme. J'ai écouté de la musique qui sortait d'une machine comme celle-ci.

Hob désigna le vieux phonographe de l'enseignant avant de poursuivre :

— Mais personne n'en parle, c'est trop risqué.

Il hésita un instant, ajouta :

— Un jour, quelqu'un a prétendu devant moi que les hommes avaient marché sur la Lune. Est-ce vrai ?

Si Hazel faillit éclater de rire, son professeur acquiesça d'un air sérieux. Elle en resta comme deux ronds de flan. Pour elle, l'époque pré-cataclysmique s'apparentait au principe de la gravité : elle existait indéniablement, mais remontait à trop loin pour qu'on perde son temps à y réfléchir.

— Pourquoi nous dissimule-t-on la vérité ? demanda Hob.

Montague poussa un gros soupir.

— Contrairement à ce que d'aucuns veulent bien dire, le secret ne relevait pas de la conjuration, au départ. Les muirs étaient alors plus sensibles aux sortilèges qui ont provoqué le Cataclysme. Quand Astaroth a rayé de la carte des civilisations entières, il a également effacé la mémoire des gens. Résultat, à leurs yeux, la planète avait toujours été telle que le démon l'avait ordonnée. Ils ne se rappelaient rien du passé.

— À l'inverse des mehrùns, murmura Hob.

— Exact. Eux ont été moins affectés. Sauf erreur de ma part, ils ont raconté la vérité aux muirs. Rares sont ceux qui les ont crus, cependant. À tel point qu'ils ont fini par décider que ça ne servait à rien, que c'était cruel, même, de s'entêter à essayer. Un peu comme de corriger constamment les discours absurdes d'un parent sénile. Avec le temps, ces petits mensonges par omission ont pris le dessus et ont été acceptés comme des faits réels. De nos jours, même les mehrùns remettent en cause l'idée de cultures pré-cataclysmiques sophistiquées. Ces dernières sont devenues des mythes. Mais pas à cause de quelque complot destiné à tromper les masses.

— Le Cataclysme a eu lieu il y a des milliers d'années, objecta l'adolescent. Les gens n'auraient-ils pas dû redécouvrir ce qu'ils avaient perdu ou oublié ? Pourquoi ne sommes-nous pas retournés sur la Lune ?

— Ah ! C'est là que la volonté entre en jeu, surtout en ce qui concerne le progrès technique. Si Astaroth est un adversaire unanimement reconnu, certains estiment que ses actes terribles nous ont sauvés d'une dynamique désastreuse. Lorsqu'il a été vaincu, des voix se sont élevées pour réclamer qu'on la reprenne, pour qu'on restaure le monde tel qu'il était. Les dirigeants de Rowan s'y sont opposés. Savez-vous qui était David Menlo ?

— Le premier archimage d'Impyrium.

— Et le conseiller en chef de Mina Ire. Il pensait que les humains n'ont pas assez de raison pour suivre le rythme des progrès qu'ils accomplissent. Dès la Renaissance pré-cataclysmique, des groupes identiques à l'Atelier avaient repoussé les frontières de la science et accouché d'innovations toujours plus dangereuses. Quand il a rédigé les bases du traité de l'Hiver-Rouge, Menlo a proscrit l'usage des technologies dont il était convaincu qu'elles finiraient par détruire l'humanité. Les Divines Impératrices successives ont appliqué et renforcé ces interdits. À la grande frustration de l'Atelier.

— Pourquoi ce dernier continue-t-il d'exister, alors ?

— Parce qu'il est l'un des signataires originels du traité, ce qui le protège. Sans cela, Mina II l'aurait certainement démantelé. Elle était bien moins tolérante que sa mère.

— On n'ira donc plus jamais sur la Lune.

— Non. Mais nous continuerons à arpenter la Terre. Un marché pas si désavantageux que ça.

— Si vous le dites.

— Vous n'êtes pas d'accord ?

Hob haussa les épaules. Montague émit des claquements de langue et lui fit signe de s'asseoir.

— Vous ne vous en sortirez pas comme ça, monsieur Smythe. Dans mes cours, toute objection se doit d'être étayée. Ainsi, vous questionnez la sagesse de cette censure ?

C'en était fini des échanges badins. Montague transpirait à présent cette intensité combattive dont Hazel n'avait été que trop souvent témoin en cours. Hob s'installa en plissant le front.

— Comment voulez-vous que je réponde à ça ? contra-
t-il. J'ignore tout de ces technologies et de leurs risques jus-
tifiant les restrictions mises en place.

— Exposez-moi vos réserves. Et soyez assuré que vous
pouvez vous exprimer librement, entre ces murs.

Hob jeta un coup d'œil à Hazel et à Sigga avant de se
lancer.

— Les mehrùns ont la mystique à leur disposition,
pas les muirs. On pourrait dire que la technique est notre
magie, et que sa prohibition nous affecte plus. Puisque nous
avons oublié à quoi ressemblait la vie d'avant le Cataclysme,
nous en sommes réduits à nous contenter de ce que les
mehrùns veulent bien nous révéler. De là à penser que c'est
une explication drôlement pratique pour excuser une politique qui nous a réprimés...

— Réprimés ou rabaissés ?

— Y a-t-il une différence ?

Le maître émit un petit grognement de plaisir. Il adorait cette conversation.

— Quelle instruction avez-vous reçue, monsieur
Smythe ?

— Uniquement celle de base. Mais j'ai terminé premier
de mes Provinciaux.

Montague cracha un nuage de fumée.

— Vraiment ? Ma foi, cela nous fait deux points
communs.

— Lequel est le second, monsieur ?

— Je suis muir.

Hazel faillit en tomber de son fauteuil. Rowan était
l'école de magie la plus réputée au monde. Comment l'un
de ses plus éminents enseignants pouvait-il n'être que muir ?

— Je conclus à votre réaction que Votre Altesse n'était pas au courant, sourit le maître. Vous paraissez aussi hébétée que M. Smythe.

— Mais vous êtes un Montague ! murmura la jeune fille.

— Certes. Pour autant, nous ne sommes pas tous mehrùns, dans la famille. Je doute d'ailleurs qu'une maison le soit entièrement. La nature déteste le prévisible. En ce qui me concerne, mon appartenance au clan Montague n'aurait de toute façon que peu d'effets sur mes dons d'enchanteur, puisque j'ai été adopté.

L'albinos montra les béchers et les cornues, les cages, les étagères pleines d'herbes rares.

— Vous élevez des homoncules ! se récria-t-elle. D'après Dame Rascha, vous êtes l'un des meilleurs dans ce domaine. Vous pratiquez forcément la magie !

— J'aime à penser que oui, à ma façon fort modeste. La mienne doit plus aux ingrédients que j'utilise qu'à des dons surnaturels innés. L'élevage d'homoncules est une affaire d'alchimie, rien d'autre.

Hazel vit là une occasion à saisir. Montague avait beau être courtois, il ne tarderait pas à les remercier de leur visite et à les renvoyer sans avoir proposé de poste à Hob. Il fallait qu'elle se débrouille pour que l'entretien se prolonge, et quel meilleur moyen que les petits êtres surnaturels pour captiver son professeur ?

— Pourriez-vous nous montrer ça ? suggéra-t-elle. Je n'y connais rien, et tout le monde s'entend à vous décréter expert en la matière. J'aimerais comprendre pourquoi Merlin et Pamplemousse sont aussi différents.

Elle avait tapé juste, l'homme sembla ravi. Il se leva et les invita tous les trois à examiner une rangée de bocaux hérissés de tubes. Ils contenaient un liquide opaque, où Hazel crut discerner des racines fibreuses et tordues. Rascha considérant l'art des potions et l'alchimie comme des talents mineurs, la princesse ne les étudiait que très peu.

— Vous voyez là une nouvelle nichée, expliqua l'enseignant. On commence toujours par des radicules de mandragore, dont la substance sert de corps à la créature. De nombreux facteurs sont susceptibles d'influencer le développement d'un homoncule, de la façon dont on a récolté la mandragore aux ingrédients qu'on y ajoute au fur et à mesure de la croissance. Celle de Merlin a été déterrée avec une pelle d'argent la nuit de Samain, alors que la lune se levait ; celle de Pamplemousse a été cueillie à minuit, à la main, et taillée à l'aide d'une lame en cuivre. Voilà pourquoi ils sont si peu semblables.

— Autant que le jour et la nuit, murmura Hazel. Qu'est-ce que ceci ?

Elle désignait des cornues où des mixtures mijotaient, exhalant des gouttes de condensation qui tombaient ensuite dans les bocaux. Montague remit doucement en place un tube qui avait bougé.

— Les caractéristiques que je choisis de leur donner. Tout dépend du spécimen. Pour certains, je vise l'intelligence, pour d'autres la longévité, pour d'autres encore la rapidité. Mais même des recettes éprouvées conduisent parfois à des résultats inattendus. On a beau élever des homoncules depuis des siècles, c'est plus un art qu'une science exacte. Comme avec la *lingua mystica*, les variantes sont innombrables. On ne s'ennuie jamais.

— Quand avez-vous commencé à vous y intéresser ?

— J'avais votre âge. Un poil plus jeune, peut-être. Ma motivation première était de compenser ma nature de muir. Par ailleurs, c'est un passe-temps idéal pour quelqu'un d'aussi obsessionnel que moi. Enfin, les muirs courent moins de risques que les mehrùns à s'occuper d'homoncules.

— Pourquoi ? demanda Hob.

Il examinait avec beaucoup d'attention les boîtes d'herbes et de produits chimiques, de papillons et d'ailes de colibri, de pierres de lune et de squelettes de caméléon.

— Ces créatures sont des parasites. Comme elles ont besoin de magie pour survivre, elles se nourrissent de celle des mehrùns auxquels elles sont attachées. Le maître finit par sentir ce que sent son homoncule, par voir à travers ses yeux, parfois même par s'exprimer à travers lui. Certains mystiques réussissent aussi à canaliser des sortilèges par le biais du leur, mais c'est très rare. Quoi qu'il en soit, leur relation relève de la symbiose.

— Merlin me vampirise ! marmonna Hazel en adressant à Hob ce qu'elle espérait être un sourire sinistre.

Il sourcilla.

— N'effrayez pas ce garçon, plaisanta Montague. Vous savez pertinemment que Merlin absorbe trop peu de vos dons pour que vous vous en rendiez compte. Il est aussi inoffensif qu'un lézard qui viendrait s'allonger sur vos genoux afin de se tenir au chaud. Il profite de la tiédeur de votre corps sans que vous en souffriez. Néanmoins, il y a des exceptions, et il vaut mieux que les muirs s'en chargent. De temps en temps, on obtient ce genre de choses…

Le bonhomme s'approcha d'un grand terrarium posé sur une table isolée et dissimulé sous un épais tissu noir.

Lorsqu'il s'empara de gants en cuir, il bouscula légèrement la couverture, qui laissa filtrer un éclat de lumière éblouissante. Sigga se posta aussitôt devant la princesse.

— Qu'avez-vous là-dedans ?

— Un homoncule. Très inhabituel. Ne vous inquiétez pas, agent Fenn. Il lui est impossible de s'échapper. Il n'a sans doute même pas conscience d'être prisonnier. Si vous le souhaitez, enfilez un tablier protecteur. Je vous garantis cependant que le verre est imperméable. La créature n'est pas en mesure de se nourrir de vous.

— Je ne crois pas que ce soit très raisonnable, insista le garde du corps.

— Si, protesta Hazel. Donnez-moi ce tablier.

Ce dernier s'avéra extrêmement lourd, car il était de cuir doublé de plaques de plomb et tombait presque jusqu'à ses pieds. Malgré cette mesure de précaution, Sigga resta devant elle, et la jeune fille fut obligée de se pencher quand Hob et le professeur dégagèrent le terrarium.

Une clarté intense envahit le bureau. Hazel plissa les yeux puis pêcha dans son sac ses lunettes teintées. Maître Montague appuya un pan de verre fumé contre la caisse, de façon à ce que les visiteurs puissent voir ce qu'elle contenait. Hob bondit en arrière.

— Ce truc est un *homoncule* ? s'exclama-t-il.

— Oui. Extrêmement rare. Moins le fruit d'une manipulation que d'une mutation. Comme vous le constatez, sa taille et sa forme s'écartent de la norme.

La créature ressemblait à une étoile de mer bouffie et musculeuse qui mesurait environ un mètre cinquante d'envergure. Elle possédait cinq, et non sept, bras charnus avachis ou étirés sur les parois transparentes de sa prison. Chacun était parsemé de ce qui ressemblait à des verrues tumescentes et de ventouses rondes qui pulsaient et aspiraient. L'une de ces branches ondulait, cherchant à tâtons une sortie. Hazel remarqua qu'elle changeait de couleur au gré de ses déplacements, se fondant avec son environnement. Dans une dizaine d'endroits différents, le monstre avait des yeux de crapaud dont les paupières se soulevaient en même temps, dévoilant des pupilles laiteuses, aveugles sans doute.

— Ne vous laissez pas abuser par son apparente langueur, les avertit Montague. Ces mutants, ou magivores, sont gloutons. Ce n'est qu'hier qu'un mehrùn a allumé ces pierres de lune.

Il tendit le doigt sur la couche de galets d'où émanait la violente lumière.

— Normalement, enchaîna-t-il, elles brillent pendant des décennies. Or ce terrarium sera aussi sombre qu'un cercueil d'ici lundi. Pourtant, cette créature est à moitié morte de faim. On pourrait presque la qualifier d'anti-dragon.

— Quel rapport avec eux ? sursauta Hob.

— Leur aura est si puissante qu'elle est en mesure d'altérer ou d'amplifier la mystique environnante. Elle peut même ensorceler des objets qui en sont a priori dénués. Ce magivore fait le contraire. Il absorbe l'énergie enchantée à une vitesse prodigieuse. Si on l'y autorisait, celui-ci réussirait à vider un Prométhéen supérieurement doué en seulement quelques jours. Bref, il est fascinant mais doit être manipulé avec précaution.

Mal à l'aise, Hazel rappela Merlin à son côté. Elle avait déduit des prunelles blanches que l'abomination n'y voyait rien, mais elle avait à présent la forte impression qu'elles étaient fixées sur elle, et rien qu'elle. Les tentacules bougeaient plus vite le long des vitres du terrarium. Un murmure presque inaudible lui parvint.

Éloigne-toi de cette créature.

— Je suppose que vous êtes en règle, ici ? lança Sigga à Montague.

— Ça va de soi. Tout éleveur produisant un mutant, ce qui est toujours un accident, doit le déclarer. En vendre est illégal.

— Il serait plus sûr de les détruire.

— Ils sont trop précieux. Encore une fois, si les dragons incarnent la magie, ces homoncules incarnent l'anti-magie. Dans les deux cas, c'est une occasion inestimable d'étudier les énergies mystiques. Celui-ci est plus facile d'accès que Hati le Noir. Malheureusement, les magivores sont excessivement rares. Le clan des Raszna en a un à Arcanum, et l'aile biologique du musée de l'Atelier en possédait un spécimen tout jeune encore, mais il a été...

— Volé.

Tous se tournèrent vers Hob, qui contemplait le monstre.

— Je l'ai lu dans le journal. Cinq créatures ont été dérobées lors d'une exposition organisée par l'Atelier : un mnémoncule vampyrique, un écorcheur de Zénuvie, un hi-han commun, un embryon de vouivre et un magivore. On n'a aucune piste. On n'a procédé à aucune arrestation.

— Auriez-vous une mémoire photographique ? demanda l'enseignant.

— Plus ou moins.

— Des tas d'érudits seraient prêts à tuer pour avoir votre talent, monsieur Smythe.

Un grand sourire fendit le visage du garçon.

— Inutile d'aller jusque-là, monsieur. Il suffirait que vous me donniez du travail et...

Bang !

Hazel poussa un cri de terreur. Le mutant venait de projeter son corps contre les parois de sa prison. Ses bras frappaient le verre avec violence. Il avait tout d'une pieuvre prise de folie tentant de fuir son aquarium. Bien qu'il résiste, le récipient se balançait dangereusement. Les yeux de la créature étaient rivés sur la princesse.

Sigga l'entraîna dans le couloir en moins de deux secondes. Dans le bureau, Montague criait à Hob de caler le terrarium contre une bibliothèque, tandis qu'il récupérait la couverture. Suivirent des bruits de lutte, puis un ululement aigu si perçant que Hazel se boucha les oreilles.

Le son, douloureux, s'éteignit rapidement. Sigga bloquait l'entrée de la pièce. À l'intérieur, la clarté dégagée par les pierres de lune s'était affaiblie. Le son des tentacules s'abattant s'assourdit puis cessa, et la princesse entendit le bruit de la masse qui s'affalait, vaincue.

Peu après, maître Montague et Hob sortirent à leur tour. Hazel n'avait jamais vu son professeur aussi hébété. Il épongea la sueur qui trempait son front.

— Je vous en prie, Votre Altesse, acceptez mes excuses. En soixante ans d'élevage, c'est la première fois qu'un incident de ce genre se produit. Ce magivore ne s'était jusqu'à maintenant pas déplacé plus vite qu'une tortue. Je ne comprends pas ce qui lui a pris. Je suis navré qu'il vous ait effrayée.

— Vous n'y êtes pour rien, maître Montague, le rassura-t-elle.

Il coula un regard anxieux à Sigga.

— Je ne pense pas que l'agent Fenn partage votre avis.

— Débarrassez-vous de cette horreur dans l'heure, ordonna la Grizlandaise. Si vous souhaitez l'étudier, faites-le aux archives, à l'abri de parois en verre runique et sous la protection de gardes.

— Vous avez raison, oui. Vous me prenez sûrement pour un inconscient.

— En effet, et c'est tout le problème.

Se détournant, elle expédia un zéphyss bleu de glace. Hazel retira son tablier.

— Merci du temps que vous nous avez consacré, maître Montague. À part pour le magivore, ça a été une visite très agréable. Je me rends compte que M. Smythe diffère des candidats habituels, mais je crois que vous auriez intérêt à lui trouver un poste.

L'homme dévisagea Hob d'un air approbateur.

— J'avoue qu'il a su garder la tête sur les épaules, et qu'elle est visiblement bien faite. Laissez-moi y réfléchir. Il n'y aura sans doute rien avant le prochain trimestre, mais je vais essayer d'intervenir en sa faveur. Où vivez-vous, monsieur Smythe ?

— Au palais. On m'a accordé un répit de quelques semaines pour me dénicher une nouvelle place.

— Vu le dernier incident vous ayant opposé à Lord Hyde, c'est plutôt généreux de leur part.

— Parce que vous êtes au courant ? se récria le garçon, horrifié.

— J'ai beau être un lettré, j'aime les ragots comme tout un chacun. On voit rarement un majordome adjoint s'allier à des harpies de cuisine et à une princesse Faeregine. Si un groupe aussi éclectique vole à votre secours, ça ne peut que parler en votre faveur. Et puis, je connais Dante Hyde depuis qu'il a six ans. Nous avons échoué à avoir une influence positive sur lui, hélas.

Vieux-Tom sonna 10 heures.

— Eh bien, conclut Montague, merci de votre visite, Votre Altesse. Et merci d'avoir attiré mon attention sur ce jeune homme. Je vous recontacterai.

— Moi également, intervint Sigga. Des gardes impyriaux seront ici dans une minute pour vous débarrasser de cette créature. Vous êtes prié de collaborer.

L'érudit s'inclina. Des bruits de bottes résonnèrent dans l'escalier, et six soldats s'approchèrent d'un pas martial. Tandis que le membre de la Division Écarlate leur donnait ses ordres, l'albinos jeta un coup d'œil soupçonneux à Merlin.

— Toi, je te déconseille de prendre exemple sur ce mutant. Tu es assez nourri comme ça. Il vaudrait mieux pour toi que tu partages un peu de tes pouvoirs avec moi, sinon je revois le contrat à la baisse. Je ne tolérerai aucun profiteur dans mes parages.

L'homoncule ulula de rire et se frotta contre la joue de sa maîtresse. Tout en lui caressant les ailes, Hazel songeait au magivore. Ce dernier avait voulu la boulotter avec une avidité comme elle en avait rarement vu. Elle tenta de l'oublier et emboîta le pas à ses deux compagnons qui s'éloignaient. Sigga paraissait contrariée.

— Qu'avez-vous ? lui demanda-t-elle.

— Ces singes savants n'ont aucun bon sens, grommela sa protectrice. Ce monstre n'aurait jamais dû être conservé dans un bureau. Il aurait été dangereux qu'il s'échappe, encore plus dangereux qu'il tombe entre de mauvaises mains. Après le vol à l'exposition, on aurait pu s'attendre à ce que Montague prenne un minimum de précautions.

Elle soupira avant d'ajouter :

— Si ça se trouve, d'autres illuminés de son acabit élèvent des krakens dans la piscine de l'université.

Ils descendirent les marches de Vieux-Tom. Hob ne disait rien. Dehors, il ne pleuvait plus, mais le ciel s'était assombri. La cour était vide, à l'exception des régiments qui poursuivaient leur entraînement.

Enfonçant ses mains dans ses poches, le garçon regarda l'albinos droit dans les yeux.

— Merci, Votre Altesse. Vous n'étiez pas obligée de me recommander.

Tout en rougissant, elle fit de son mieux pour répondre par une plaisanterie.

— Ne vous poussez pas du col. J'essaie seulement de me débarrasser de vous.

Il se coiffa de sa casquette en souriant. Durant un instant, elle eut le sentiment de distinguer un Hob plus jeune, qui n'avait pas travaillé aux mines ni subi le séyu. Qu'il existe encore la remplit de plaisir.

— Je sais bien, riposta-t-il. Il n'empêche, personne ne m'avait défendu avant vous...

Il s'interrompit, à court de mots.

— Je ne l'oublierai pas, conclut-il.

— Je vous en prie, monsieur Smythe.

Tous trois partirent en direction de Tùr an Ghrian. Au pied de la tour, ils s'arrêtèrent afin de contempler la mer. Le ciel couleur d'ardoise était secoué par des roulements de tonnerre. Le port grouillait de destroyers noirs, prédateurs, aux mâts desquels les étendards d'Impyrium et des Faeregine claquaient au vent.

Au nord, du côté du cap Kirin, l'ambassade des Lirlandes semblait sombre et vide. La route y menant était barricadée. Des navires de guerre étaient ancrés non loin, leurs canons pointés sur l'édifice.

Un éclat de lumière attira l'attention de Hazel. Un galion marchand équipé d'un sceau avançait lentement vers un ponton, guidé par un skiff. Des cloches retentirent, et les dockers s'apprêtèrent à l'accueillir. La princesse fixa le sceau aveuglant. C'était avec eux que les ennuis avaient commencé, à cause d'eux que Violet assistait en ce moment même à un conseil d'une gravité exceptionnelle. ·

Qu'est-ce qu'ils ont ? Pourquoi ne fonctionnent-ils plus ?

Les soldats tirèrent une nouvelle salve.

— Avez-vous appris quelque chose aujourd'hui, monsieur Smythe ? s'enquit Sigga.

Hob, qui observait les gardes, se retourna vivement.

— Pardon ?

— À propos du Cataclysme, des cités ensevelies, de la technologie interdite. Des raisons pour lesquelles la situation est ce qu'elle est.

— J'imagine que oui. Et vous, agent Fenn, avez-vous tiré quelque enseignement de cette matinée ?

— Sur les magivores, oui. Pour le reste, j'étais au courant.

Hazel plissa le front. Que se passait-il entre ces deux-là ? Une plaisanterie ou un jeu dont eux seuls étaient avertis, à coup sûr. Elle interrogerait Sigga dès qu'elles seraient seules.

— Vous savez, enchaîna la Grizlandaise, la garde a des unités réservées aux tireurs d'élite. Vous devriez réussir à en intégrer une. Je pourrais vous recommander.

Hob la dévisagea avec sérieux.

— J'ai abattu deux personnes, dans ma vie, répondit-il. Deux pilleurs qui attaquaient Brune. C'était il y a plusieurs années de cela. Ils méritaient amplement de mourir. Pourtant, je fais encore des cauchemars à ce sujet. Je ne crois pas que je pourrais tuer sur ordre.

— J'aurai donc appris autre chose, monsieur Smythe, ricana Sigga. Vous êtes un romantique.

Il lança une pierre du haut de la falaise.

— Il se peut aussi que je n'aie pas envie de finir comme le seconde classe Finch.

Hazel se souvint de la visite qu'elle avait rendue au pauvre gars qui avait perdu la moitié de son visage. Elle se remémora les photographies sur sa table de nuit, celle du défunt sergent Beecher, celle du beau jeune homme qu'avait été le malheureux. Dire qu'elle avait osé lui demander de qui il s'agissait ! Elle avait si honte qu'elle tressaillit intérieurement. Rascha avait eu raison, ce n'était pas à elle de jouer les détectives. Pourtant, un élément du récit de Finch la perturbait.

Pourquoi les voleurs n'ont-ils pas emporté le moindre sceau ?

Non seulement ils n'en avaient pas dérobé un seul, mais ils n'avaient rien apporté avec eux pour les sortir du caveau en douce. Quelle raison avaient-ils eue de se donner autant de mal tout en négligeant un détail aussi vital ?

Son cœur eut un raté.

CHAPITRE 7

PARASITE

Il n'y a rien de plus trompeur qu'un fait très simple
à première vue.

Sherlock Holmes,
détective pré-cataclysmique (fictif)

Hazel poussa une exclamation si inattendue qu'on aurait cru qu'elle venait d'être piquée par une abeille. Sensible à son excitation, Merlin tremblait comme une souris.

— Tout va bien, Votre Altesse ? s'inquiéta Sigga.

La princesse n'en était pas certaine. Elle réfléchissait à toute vitesse, rassemblait des informations éparses, les réorganisait et vérifiait qu'elles collaient ensemble.

— Quand avez-vous lu cet article ? demanda-t-elle à Hob. Celui sur le vol à l'exposition ?

— En janvier.

— Précisait-il la date de l'incident ?

— Décembre.

Les yeux de la jeune fille s'écarquillèrent. Elle se retourna afin de regarder le navire marchand.

— Qu'avez-vous, Votre Altesse ? insista son garde du corps.

— Nous sommes partis du principe que les intrus du nouvel an avaient tenté de dérober des sceaux lirlandais, s'empressa de murmurer Hazel, le souffle court. Et si ce n'était pas le cas ? S'ils avaient vraiment mené à bien leur mission ?

— Qui aurait consisté... ?

— À introduire en catimini une chose *à l'intérieur* de la chambre forte ! Petite et susceptible d'absorber la magie stockée dedans. Vous vous rappelez ce qu'a dit Rascha ? Les sceaux en réserve sont reliés à ceux placés sur les bateaux pour qu'on puisse les contrôler depuis l'île Sacrée. Si l'un de ceux présents ici cesse de fonctionner...

— Son double en mer également, opina Sigga en marmonnant.

Elle aussi contempla le galion. Jamais encore Hazel ne l'avait vue aussi stupéfaite.

— Vous pensez que le magivore dérobé se trouve là-bas ? déduisit Hob de son côté.

— Oui ! s'écria Hazel, qui sautilla d'énervement. C'est pourtant clair ! D'après Finch, les imposteurs n'avaient rien sur eux qui leur permette d'emporter quoi que ce soit. En revanche, ils auraient pu dissimuler sous leurs vêtements un mutant volé quelques semaines auparavant. Maître Montague a précisé que celui-ci était tout jeune, pas très grand ni très difficile à cacher, donc. Une fois dans la place, ils n'ont eu qu'à l'y laisser, et il se sera nourri en toute quiétude. S'il a dépouillé les lieux de leur mystique, les navires se sont aventurés sur les eaux démoniaques avec des sceaux désactivés. Lord Kraavh n'a pas menti. Même si les Lirlandais ont attaqué nos navires, ils n'ont en rien rompu le traité !

— La chambre forte n'a-t-elle pas été fouillée après l'incident ? objecta Hob.

— Si, confirma Sigga. Mais seulement pour s'assurer qu'il n'y manquait rien. Si ce magivore était modeste et bien planqué…

— D'autant que ces créatures se camouflent comme des caméléons, nous venons de le voir, renchérit Hazel.

La Grizlandaise acquiesça, préoccupée. La princesse observa les destroyers ancrés dans les parages de l'ambassade des Lirlandes.

— Un conseil est en cours, reprit-elle d'une voix impatiente. Nous devons l'interrompre. Si l'impératrice lance les hostilités, ces bateaux risquent de se mettre à canonner à tout-va ! Et une fois le conflit ouvert, peu importera qu'il repose sur un malentendu. Il faut leur expliquer ! Tout de suite !

— Un instant, Votre Majesté, temporisa son garde du corps, une main levée. Réfléchissons d'abord.

— C'est tout réfléchi ! J'ai raison, et vous le savez !

— D'accord, mais débouler en pleine réunion n'est pas la meilleure façon de gérer le problème.

— Pourquoi ?

— Parce que ceux qui sont derrière cette ruse souhaitent discréditer votre famille et déclencher une guerre entre Impyrium et la démonie. Et qu'ils sont susceptibles de se trouver dans cette pièce.

— Lord Hyde y assiste-t-il ? s'enquit Hob.

Sigga hocha la tête.

— Alors, c'est lui ! décréta le garçon. Au Bal de mai, tous les Hyde ont salué Lord Kraavh avec un respect suspect, quand il s'est arrêté à leur table. Et s'ils avaient conclu un pacte secret avec les Lirlandais ? S'ils poussaient l'impératrice au conflit pour que nous soyons à l'origine de la rupture du traité ? En cas de victoire des démons, ces derniers auraient la main sur les océans, et les Hyde régneraient sur Impyrium.

— Possible, mais vous sous-entendez que les Lirlandais s'accommodent de cet arrangement. Une fois le traité caduc, qu'est-ce qui empêchera Prusias, Tök ou Ahriman de s'emparer du trône ?

— Qu'est-ce que vous suggérez ? lança Hazel.

— Un troisième larron pourrait bien être impliqué. Un groupe à qui profiterait une bagarre entre mehrùns et démons.

La princesse adressa un regard d'excuse à Hob.

— Désolée… Des muirs ? Après tout, il y a eu beaucoup d'agitation, ces derniers temps.

— Je ne crois pas, objecta le membre de la Division Écarlate. Ils ont beau avoir des revendications, ils ne seraient pas assez fous pour lâcher les Lirlandais contre nous en espérant en tirer quelque chose. En moins d'une année, ils seraient morts ou réduits en esclavage.

— Alors qui ?

— Je m'avance sans doute mais, pour moi, c'est sûrement un mehrùn dont les motivations n'ont rien de politique.

Quoi qu'il en soit, notre priorité est de nous assurer que la paix perdure. Votre Altesse, envoyez un zéphyss à Lady Isabel pour qu'elle nous retrouve sans discuter, immédiatement, dans vos appartements.

— Pourquoi elle ?

— Il faut que Violet nous ouvre la chambre forte, expliqua la Grizlandaise en entraînant ses compagnons vers le palais. Isabel est la mieux à même de l'arracher au conseil sans trop attirer l'attention. Si l'un des coupables présents se met à avoir des soupçons, il risque d'alerter ses complices qui à leur tour pourraient décider de mesures drastiques. Inciter par exemple un de ces destroyers à ouvrir le feu sur l'ambassade. Nous devons désamorcer cette bombe avec beaucoup de prudence. Monsieur Smythe, passez devant.

Une demi-heure plus tard, une Isabel hors d'haleine, décoiffée et toute rouge accourut dans le salon des triplées. Son escorte entra derrière elle et referma la porte.

— Que l'agent Rey reste dehors, ordonna Sigga.

— Hein ? Mais pourquoi ?

— S'il te plaît, la supplia Hazel, il faut que je te parle.

Sa sœur remarqua Hob debout près de la table du petit déjeuner.

— Qu'est-ce qu'il fiche ici, celui-là ?

— Exécution ! s'emporta l'albinos.

— D'accord. Veuillez patienter dans le vestibule, Matthias.

L'homme parti, Isabel retira son châle, tandis que Hazel lui exposait son hypothèse. À la décharge de la cadette des triplées, elle ne l'interrompit pas ni ne posa de questions. À la fin, elle émit un petit sifflement.

— Tu es un génie, ma chérie.

— On s'en moque. Va chercher Violet. Si nous impliquons grand-mère ou oncle Basil, ils risquent de tout laisser en plan, ce qui mettra la puce à l'oreille à qui serait éventuellement impliqué. Débrouille-toi pour la convaincre. Si c'est moi qui le lui demande, elle n'acceptera jamais. Rendezvous au salon situé en face de la salle des Mères Fondatrices.

— Compte sur moi.

Isabel fila, son garde du corps à ses basques. Si quelqu'un était à même d'arracher leur aînée à sa réunion, c'était Isabel, et Hazel poussa un soupir soulagé.

Son optimisme retomba toutefois dès qu'elles, Sigga et Hob furent à l'endroit convenu. Elle arpentait la pièce comme une lionne, ne cessait de sortir pour vérifier si ses sœurs arrivaient. Malheureusement, il n'y avait que des sentinelles, postées deux par deux devant les différentes portes du long couloir.

— Qu'est-ce qu'elles fabriquent ? grommela-t-elle.

— Patience, l'exhorta Sigga.

— Mais la guerre risque d'éclater à tout instant !

La Grizlandaise secoua la tête.

— Ces assemblées sont retranscrites, Votre Altesse, et qui ne prend pas la parole ne figure pas dans les minutes. Le conseil compte quinze membres qui auront tous préparé une intervention éloquente et très longue, afin de figurer dans les livres d'Histoire.

Elle consulta sa montre.

— Ils en ont encore pour des heures.

Au loin, des piétinements retentirent. Hazel jaillit du salon. Ses aînées approchaient d'une démarche vive, flanquées de leurs protecteurs respectifs. Elles avançaient en regardant droit devant elles, les balancements de leurs bras parfaitement synchronisés. Elles n'échangeaient ni coup d'œil ni parole.

Dès qu'elle fut entrée, l'héritière du trône faillit arracher les yeux de Hazel.

— Comment oses-tu te servir d'Isabel pour m'attirer en douce ici, alors que j'étais en plein conseil ? As-tu perdu l'esp…

— Baisse la voix, je t'en supplie, et écoute-moi une seconde.

Violet fonça sur elle, tyran dominateur.

— Ne t'avise plus de m'interrompre, lâcha-t-elle d'une voix glaciale. Ni de me dire quoi faire ou de me détourner de mes obligations. Ni maintenant, ni jamais. Est-ce cl…

— La ferme !

Hazel tremblait sous l'effet d'une sainte colère. Une fois n'est pas coutume, son aînée – pour le coup abasourdie – allait devoir prêter attention à ce qu'elle avait à raconter.

— J'essaie de rendre service, là. Si tu es trop orgueilleuse ou trop bête pour l'accepter, nous aurons la guerre. Alors boucle-la et obéis-moi au doigt et à l'œil !

Cinq minutes plus tard, une Violet pâle mais maîtresse d'elle-même entraînait la petite troupe dans la salle des Mères Fondatrices, vers le sanctuaire où étaient rangés les sceaux lirlandais et que gardait une dizaine de soldats. Elle alla trouver celui dont l'uniforme s'ornait d'un brassard noir et or.

— Bonjour, capitaine. Je souhaite entrer dans la chambre forte.

Elle montra le nautile qui servait de clé. L'officier fut pris de court.

— J'entends bien, Votre Altesse, mais le protocole a changé. Je n'ai pas été informé qu'une visite était prévue.

— Parce que celle-ci est improvisée.

— Je vais devoir contacter...

La jeune fille lui fourra sa chevalière sous le nez.

— À moins que vous ayez l'intention d'importuner l'impératrice en personne, aucune autorité n'excède la mienne. Ni dans ce palais, ni dans tout Impyrium. Soit vous vous exécutez sur-le-champ, soit je demande à la Division Écarlate d'intervenir.

Le regard du capitaine passa de Violet aux trois silhouettes à la sinistre réputation qui se tenaient derrière elle. Il se gratta la gorge.

— Naturellement, Votre Altesse. Gardes, écartez-vous !

Approchant des battants, la future souveraine introduisit le coquillage en cuivre dans la serrure et le tourna dans le sens des aiguilles d'une montre tout en murmurant l'incantation requise. Les énormes pans commencèrent à coulisser.

Sigga pria tout le monde, y compris Violet, de reculer de cinquante pas. Malgré la distance, Hazel fut obligée de chausser ses lunettes à cause de la lumière aveuglante qui jaillissait de la pièce. Son cœur battait comme celui d'un oiseau, et elle agrippait Merlin. Elle était au comble de l'excitation et de l'angoisse. Et si elle s'était fourvoyée ?

Violet l'étranglerait, c'était aussi simple que ça !

Elle jeta un coup d'œil à Hob qui, sur le côté, s'abritait de la luminosité derrière sa casquette. Il fixait les portes avec intensité, un rictus à la bouche. Les grincements de la mécanique cessèrent. Sigga s'encadra en ombre chinoise sur le seuil, une dague à la main.

— Omani et Matthias, placez-vous devant les Faeregine. Capitaine, si quoi que ce soit d'autre que moi tente de sortir d'ici, que vos soldats fassent feu.

Elle fit apparaître un orbe de volutes noires et le lança dans le caveau. La clarté s'estompa jusqu'à ne plus éblouir. Tirant son second poignard, la Grizlandaise s'avança et disparut.

Dix secondes s'écoulèrent. Vingt. Les sentinelles observaient une immobilité parfaite, leurs carabines pointées sur l'ouverture béante. Un silence tendu régnait. Hazel craqua.

— Il est dedans ? cria-t-elle.

— Oui, Votre Altesse. Capitaine ?

— Agent Fenn ?

— Remettez une arme au garçon.

— Souhaitez-vous que j'envoie mes hommes ?

— Non, juste le gamin.

L'officier fut aussi surpris que mécontent. Il flanqua sa propre carabine entre les mains de Hob.

— Je suis au fond, poursuivit Sigga. Rejoignez-moi, monsieur Smythe. Attention où vous mettez les pieds et pas de geste brusque.

L'adolescent obéit. Comme la Grizlandaise avant lui, il marqua une pause au niveau du seuil avant de s'enfoncer à l'intérieur.

— Qu'y a-t-il là-dedans ? chuchota Isabel à Hazel.

Cette dernière était tellement sur les nerfs qu'elle ne put lui répondre. Pourquoi Sigga avait-elle recommandé à Hob d'avancer avec prudence ? Qu'y avait-il par terre ? Quelle taille les magivores pouvaient-ils atteindre ?

Pan-pan-pan-pan-pan !

La salve la fit sursauter ; les hurlements qui suivirent faillirent la faire décamper. C'étaient des ululements inhumains qui semblaient s'échapper de dizaines de gorges déployées. Isabel agrippa son bras.

Les cris s'étranglèrent peu à peu jusqu'à devenir des gémissements auxquels un dernier coup de feu mit fin. Puis un liquide laiteux dégoutta dehors, comme l'eau de pluie dégringole d'un toit, formant une flaque toujours plus large. La Grizlandaise resurgit et essuya ses couteaux.

— Le danger est écarté, annonça-t-elle à la cantonade, avant de s'adresser à Violet : Votre Altesse, merci d'agir comme nous en sommes convenues. Suivez chaque étape à la lettre.

L'interpellée releva le menton, visiblement lasse d'être commandée comme un sous-fifre.

— Je ne bougerai pas tant que je n'aurai pas vu ce qu'il y a là-dedans.

Elle approcha d'un pas plein d'audace jusqu'à l'entrée, à la limite de la flaque de liquide translucide. Plaquant une paume sur son nez, elle se dressa sur la pointe des pieds afin de regarder par-dessus l'épaule de Sigga. Aussitôt après, elle virevolta sur ses talons.

— Il en ira comme vous le souhaitez, agent Fenn, dit-elle. Capitaine ? Que personne n'entre ou ne sorte sans ordre exprès de l'impératrice ou de moi-même. Est-ce clair ?

— Oui, Votre Majesté Impyriale.

Violet s'éloigna vivement avec Omani. Le bruit de leurs pas diminua, et Hazel s'aventura du côté de la chambre forte. Comme son aînée, elle fut contrainte de se boucher le nez en percevant une odeur de pourriture pareille à celle d'un animal en décomposition. Sigga rengaina ses poignards.

— On ne s'attarde pas, la prévint-elle.

— Où est M. Smythe ? demanda la princesse en retenant ses haut-le-cœur.

— Il est en train de se remettre.

Hazel entendit des hoquets en rafale et aperçut Hob qui crachait le peu qu'il restait dans son estomac. Le sanctuaire était beaucoup plus vaste que ce qu'elle s'était imaginé, dans les vingt-cinq mètres de long sur neuf de large. Les sceaux en tapissaient les parois de bas en haut, et même le plafond voûté.

Leur éclat surnaturel ayant été atténué par Sigga, elle put constater sans difficulté qu'ils n'étaient pas entièrement ronds et blancs. Rascha avait beau lui avoir raconté qu'ils avaient été façonnés dans des écailles de dragon, ils paraissaient d'or pur rehaussé de spires roses et platine. Tous uniques, ils portaient un nom gravé en runes au-dessus de dessins compliqués qui encerclaient le blason des Faeregine.

Quand elle capta la magie qui en émanait, Hazel manqua de fondre en larmes. Mina Ire avait créé chacun d'eux en personne. La beauté de ses incantations restait inégalée. Les sceaux étaient de la poésie, tant par leur forme que par leur fonction. Ils étaient des trésors inestimables.

Or un monstre avait entrepris de les dévorer.

Elle reporta son attention sur le magivore. Il ne ressemblait en rien à celui de maître Montague. La chambre forte donnait l'impression d'étouffer sous des racines d'arbres. Des dizaines de membres blanchâtres veinés de bleu et torsadés s'étalaient sur les murs et le plafond, enguirlandaient les sceaux ou pendaient jusqu'au sol, tels des pythons morts.

La plupart émanaient d'une énorme masse flasque fixée au fond, dans un angle en hauteur. Pas tous, cependant, car des protubérances moins grosses s'étaient formées çà et là, chacune avec ses propres ramifications et antennes. Elles étaient reliées entre elles par des vaisseaux mauves, mais toutes possédaient d'innombrables prunelles et, peut-être, un cerveau indépendant. À en juger par leurs blessures, Hob avait dû viser la créature la plus imposante, pendant que Sigga se chargeait des autres avec ses lames.

— Il était presque indétectable, expliqua la Grizlandaise. Un camouflage excellent. Je ne l'ai vu qu'à dix pas, et parce que j'avais effleuré un de ses bras. Il a drôlement grandi depuis qu'ils l'ont introduit ici, ajouta-t-elle après avoir balayé les alentours du regard.

Hazel était plus préoccupée par le sort des sceaux, cependant. Elle avait toujours éprouvé une affinité particulière envers Mina Ire, et ils étaient son chef-d'œuvre. Ce spectacle était une abomination.

— Croyez-vous qu'il y en ait qui fonctionnent encore ? souffla-t-elle.

— Oui, sinon nous aurions eu bien plus de naufrages. Nous ne saurons combien ont été vidés de leur mystique qu'après nous être débarrassés de cette créature et avoir trouvé une façon de les tester. Mais ça n'est pas urgent.

Elle s'accroupit pour fixer sa protégée droit dans les yeux.

— Vous venez d'éviter la guerre, Votre Majesté.

— Pas tout à fait, répondit l'adolescente avec un sourire las. Beaucoup de choses dépendent de Violet.

Une heure passa, puis une seconde. Le carillon de Vieux-Tom était faible, mais audible. Hazel s'assit sur un banc, à côté d'Isabel et de Pamplemousse. Intérieurement, elle n'en revenait pas qu'une visite dans le bureau de son professeur ait abouti à leur présence ici.

Sa sœur l'arracha à ses pensées.

— Alors ? Montague va lui donner du boulot ?

Du menton, elle désignait Hob, qui examinait un portrait de Mina V. Il avait consacré la longue attente à errer dans la salle des Mères Fondatrices. N'étant ni garde impyrial, ni membre de la Division Écarlate, ni Faeregine, il ne pouvait adresser la parole à Hazel en public, et personne n'aurait daigné aborder un page révoqué. Du coup, il avait décidé d'admirer les tableaux.

— Aucune idée, répondit l'albinos. Au début, Montague a eu l'air de trouver ma démarche insensée. Puis une fois qu'ils ont eu commencé à discuter, je crois qu'il s'est mis à apprécier M. Smythe.

— Comme tout le monde. Personne ne lui résiste.

À cet instant, des bruits de bottes martelèrent le sol, à l'entrée de la vaste salle. Les filles se levèrent pour s'incliner devant la garde d'honneur impyriale qui portait l'impératrice sur un palanquin doré. L'Araignée avait l'air minuscule et terriblement âgée, sa main serrée autour du sceptre avait tout d'une griffe décharnée. Pourtant, ses prunelles noires et dures ne rataient rien.

Elle ne s'attarda pas. Après avoir inspecté le sanctuaire et son contenu répugnant, elle distribua ses ordres à la file. Le premier fut que les destroyers regagnent leurs bases, le deuxième, qu'on aille chercher Lord Kraavh avec le carrosse royal. Hazel sourit. Elle avait vraiment réussi à tuer le conflit dans l'œuf. Elle avait sauvé des vies !

Son sourire s'effaça cependant quand la souveraine formula sa troisième exigence de son horrible voix de crécelle :

— Arrêtez ceux qui ont procédé à l'inspection et à l'inventaire de cette chambre forte après l'effraction du nouvel an. Ils seront condamnés à dériver sur les eaux lirlandaises afin d'y subir le destin fatal auquel leur incapacité à détecter ce parasite a envoyé des innocents. Leurs familles seront exilées au Grizland.

L'Araignée prononça ces sentences avec la même décontraction que si elle avait commandé un bol de potage. Elle doubla ensuite la récompense promise à qui attraperait les coupables et demanda à ce qu'on lui amène le représentant de l'Atelier. Après tout, c'était une de ses créatures qui avait commis l'irréparable. Quand elle en eut terminé, elle fit signe à Hazel d'approcher et lui tendit sa main. La princesse la prit avec un certain dégoût.

— C'est toi la responsable de cette découverte ?

— Oui, Votre Radieuse Majesté.

L'impératrice eut un hochement de tête approbateur.

— Que veux-tu en guise de récompense ?

— Je... Je souhaiterais que personne ne soit exécuté. Je vous supplie d'épargner ces gens.

L'Araignée lâcha un rire sans joie. Ses doigts se refermèrent sur ceux de sa petite-fille avec une force étonnante, et ses ongles s'enfoncèrent dans ses chairs.

— Voilà pourquoi tu ne régneras jamais.

CHAPITRE 8

À LA RENCONTRE DE TALYSIN

Fi de vos basilics et harpies, de vos gnomes et trolls.
Il n'existe qu'un seul monstre digne de ce nom,
et c'est le dragon.

Vivek le Jeune, dramaturge et orateur
(486-537 apr. C.)

Hob n'avait connu que les étés de Brune, certes réels, mais brefs et agités. Le dégel complet n'intervenait pas avant juillet et, dès septembre, le ciel bleu virait au gris, signe que l'hiver reprenait ses droits. Ce court intervalle laissait peu de temps aux travaux de bricolage, aux récoltes et à la constitution de réserves en vue des mois difficiles à venir. Bref, l'été impliquait du travail.

Ce n'était pas le cas sur l'île Sacrée, où le climat tempéré était synonyme d'une douceur comme le garçon n'en avait encore pas vécu. L'air était empreint de langueur, les habitants semblaient plus enclins à prodiguer et à recevoir des gestes de bienveillance. Les semaines qui suivirent la fin des menaces de guerre, les résidents de Rowan donnèrent l'impression d'être pris d'une sorte de vertige béat. Chacun avait la démarche plus légère, Hob compris.

Il avait en effet de quoi se réjouir. Maître Montague lui avait proposé une place, trois jours après la découverte du magivore dans la chambre forte des sceaux lirlandais. L'enseignant avait évoqué un poste d'assistant de recherche junior – autrement dit, le garçon pouvait s'attendre à de longues heures de labeur pour un maigre salaire. Ça lui était égal. Il était ravi d'avoir accès aux meilleures bibliothèques. Les livres étaient rares, à Brune.

Comme il ne débuterait qu'en septembre, il se retrouva bien désœuvré. L'année scolaire s'était achevée, et Son Altesse avait brillé à tous ses examens. Les leçons qu'il lui dispensait avaient été interrompues jusqu'à la rentrée prochaine. Hazel était désormais libre, pour peu qu'on puisse employer ce mot, de consacrer tout son temps à ses études de magie avec Dame Rascha.

Quant à Hob, Oliveiro ne lui demandait que de récurer des gamelles en échange du gîte et du couvert. Dès qu'il commencerait à collaborer avec maître Montague, il déménagerait du palais pour une chambre sur le campus. Malgré la ration quotidienne de jurons de la part des harpies que cela supposait, il s'estimait gagnant et disposait de tous ses après-midi. Depuis peu, il aimait les passer au pied d'un chêne colossal dans l'enceinte du Vieux-Collège.

C'est là qu'il se trouvait pour l'heure, adossé au tronc, tandis qu'une coccinelle vagabondait sur son avant-bras. Tout en l'observant, il mordit dans sa pêche. Ces fruits étaient une révélation, après les choux de Brune qui vous maintenaient en vie tout en vous incitant à souhaiter être mort. L'insecte s'envola, et Hob revint au dernier message de M. Burke.

N'emporte pas ton guide quand tu accompagneras HF en pèlerinage. Tu seras fouillé avant le départ, et le papier espion ne fonctionne pas à proximité des Portails de l'Au-delà.

Il est possible que HF ne soit pas La Faucheuse réincarnée, mais elle a des pouvoirs magiques qui sortent de l'ordinaire. Observe-la de près, car le dragon est susceptible de la transformer. C'est déjà arrivé à d'autres Faeregine, pas seulement à Arianna. Avec un peu de chance, Talysin l'exorcisera et la débarrassera de l'esprit qui l'affecte. Sinon, nous nous en chargerons.

Ton nouveau poste nous enchante. Influencer la famille régnante et les futurs diplômés de Rowan nous aidera à réaliser la transition que je vise. Mais n'oublie pas à qui tu dois ta loyauté. Ne te laisse pas embobiner par Isaac Montague : ce sont les mehrùns qui le nourrissent et le vêtent. Il est à la fois leur toutou et leur plus fervent défenseur.

Profite du voyage sur les océans apaisés. Une guerre contre les Lirlandais n'aurait pas servi les intérêts de la Confrérie. Loués soient les dieux, la crise a été évitée. Plus rien ne nous arrêtera désormais...

Pour la vérité, l'égalité et la liberté d'Impyrium.

Hob rédigea une brève réponse et termina sa pêche, dont il enveloppa le noyau dans son mouchoir. S'il comprenait les avertissements de M. Burke, il devait admettre que, de son côté, il avait pas mal réfléchi depuis son entretien avec maître Montague.

Lors de son orientation au sein de la Confrérie, frère Marcos lui avait montré un planisphère et expliqué comment le Cataclysme avait redessiné la Terre. Son récit et celui de l'érudit correspondaient en tous points, sauf pour ce qui était des intentions. Selon le premier, les mehrùns avait pris le prétexte de la catastrophe pour voler leur histoire et leur statut aux muirs ; d'après le second, ils n'avaient pas diaboliquement œuvré à leur seul profit – pas au début du moins – mais avaient tenté de protéger les survivants. Si cela était vrai, quand les choses avaient-elles commencé à mal tourner ? Pourquoi Impyrium était-il si différent de ce que ses Mères Fondatrices avaient projeté ?

— Monsieur Smythe ! J'ai failli ne pas vous reconnaître Vous êtes doré comme un pain d'épices.

Sigga Fenn se tenait à dix pas de lui. Il ignorait comment elle avait réussi à s'approcher à son insu. Dans l'ombre du chêne, ses prunelles paraissaient refléter le soleil qui transperçait la ramée. Cette femme n'était pas humaine. Pas entièrement.

— Le digne fils de ma mère, j'imagine, répondit-il.

— Après avoir quitté le Grizland, je passais ma moindre minute de libre au soleil. Malheureusement, je n'ai pas la chance d'avoir du sang Hauja, et je rougissais au lieu de bronzer. À propos, comment va-t-elle, votre mère ? A-t-elle reçu la potion ?

— Je ne sais pas.

— Vous n'avez pas enquêté ?

— Je lui écris toutes les semaines, mais je ne reçois aucune réponse. À mon avis, elle m'en veut encore.

— Ce doit être ça. Même si, bien sûr, il est envisageable que vos lettres ne lui parviennent pas.

— La poste égarerait autant de courrier ?

— C'est peu probable. Le vôtre est sûrement intercepté. C'est très courant.

Le membre de la Division Écarlate s'assit près de lui et étira ses longues jambes. Hob eut l'impression qu'une panthère l'avait tranquillement rejoint, ce qui était aussi exaltant qu'effrayant. De près, Sigga avait l'air plus jeune, et il émanait d'elle un parfum féminin. Quel âge avait-elle ? Vingt-cinq ans ? Le garçon étudia ses mains. Il n'en tira aucun indice, elles étaient trop balafrées. Il s'attarda sur le tatouage de son poignet. *Combien de personnes as-tu éliminées ?*

— Nous ne sommes plus des étrangers l'un pour l'autre, lâcha-t-elle. Appelez-moi Sigga. Vous permettez que je vous appelle Hob ?

Il hocha la tête.

— Que voulez-vous dire avec vos histoires de lettres interceptées ?

— La semaine dernière, nous avons enfin attrapé un homme que nous traquions. Il travaille pour une organisation secrète. La Confrérie. Vous en avez entendu parler ?

Le pouls de Hob s'emballa. Il fit mine de réfléchir.

— Je crois, oui. Des révolutionnaires. À bas les Faeregine, ce genre de slogans.

— Exact. Il existe de nombreux groupes d'excités comme celui-ci, mais la Confrérie se détache du lot.

— Comment ça ?

— Ils sont plus malins. Plus riches. Mieux organisés. Nous surveillions l'un des leurs depuis quelques semaines. Un prétendu frère Jakob.

Elle coula un regard en douce à l'adolescent, à qui ce nom disait très vaguement quelque chose. Il ne parvint pas à remettre le doigt dessus, cependant.

— Quel rapport avec le courrier volé ? demanda-t-il avec un haussement des épaules.

— Lorsque nous l'avons interpellé, il était avec un garçon de votre âge au sourire craquant. L'homme s'apprêtait à le vendre à un établissement de plaisirs destiné aux mehrùns fortunés et sans scrupules. D'après moi, ce gamin, Badu, était censé leur soutirer des informations à des fins de chantage.

Hob s'efforça de dissimuler sa révulsion.

— Je me suis entretenue avec Badu. Il a d'abord joué les durs, les petits malins. Derrière cette façade, ce n'est qu'un pauvre gosse apeuré de Castelia. Nous avons découvert dix-neuf lettres qu'il avait écrites à sa famille dans l'appartement de frère Jakob. Ses parents n'ont aucune idée de l'endroit où est leur fils.

— Que va-t-il lui arriver ?

Sigga soupira.

— Aucune idée. Il n'est malheureusement pas en mesure de nous en apprendre beaucoup, mais l'enquête se poursuit. J'aurais aimé m'occuper de son cas, sauf que j'ai d'autres responsabilités. Quoi qu'il en soit, ce Badu m'a fait penser à vous.

Dominant Hob d'une bonne tête, elle le scruta intensément. Il ne flancha pas.

— Pourquoi donc ? réussit-il à murmurer.

— Il est brillant et doué. Il sort du ruisseau. Il n'a juste pas eu la chance de décrocher un poste dans la maison Sylva, encore moins dans la famille royale. Du coup, il s'est retrouvé à fréquenter des milieux moins respectables.

— La vie est dure.

— Oui. En comparaison d'où je viens, Brune ressemble à ceci.

La Grizlandaise embrassa du geste les jardins verdoyants.

— C'est ça, ricana Hob. Brune n'est que fleurs et miel.

Elle se pencha vers lui comme une sœur aînée aurait pu le faire.

— Ne le prenez pas mal. Je vous apprécie. Et je ne suis pas juge. Je me fiche que vous ayez enfreint des lois pour vous hisser jusqu'ici. Je me fiche même que vous ayez pénétré en catimini sur un champ de fouilles. En revanche, je ne me fiche pas du danger. Or ce n'est pas parce que nous avons découvert ce magivore dans la chambre forte qu'il n'y en a plus. Vous souvenez-vous de ce que je vous ai raconté à propos de Whitebarrow ?

Il acquiesça.

— Nos soupçons étaient fondés. Figurez-vous que frère Jakob est un nécromancien.

Hob eut l'impression que la glace du lac aux Ours se brisait sous ses pieds. Par chance, l'ébahissement et le dégoût étaient des réactions de mise, face à une telle nouvelle.

— Comment l'avez-vous su ? Vous lui avez donné de votre potion ?

— Oui. Ce qui nous a fourni une information précieuse. Elle a cessé d'être efficace. Sa recette remonte à plusieurs siècles et, apparemment, les nécromants ont appris à en contrecarrer les effets. Elle n'a eu aucun résultat sur ce

Jakob. Si nous ne l'avions pas pris en flagrant délit d'infraction dans un mausolée, nous aurions pu négliger d'essayer d'autres méthodes de détection.

Elle brandit une fiole contenant un liquide argenté.

— Pas question que je boive ce truc ! se récria Hob.

Sigga sourit.

— Inutile. Une simple goutte sur votre peau suffira. Si vous n'y voyez pas d'inconvénient, bien sûr.

Il tendit le bras sans hésiter. Ça lui était égal, s'il prenait feu, tant il était préoccupé par ce que le garde du corps venait de lui révéler. Si frère Jakob était vraiment un nécromancien, y en avait-il d'autres au sein de la Confrérie ? Il repensa à sa première rencontre avec M. Burke, à Brune. L'homme avait traîné près du cimetière du temple lorsqu'il s'était interposé entre Hob et Angus Dane. Puis il lui avait fixé rendez-vous dans la cave de la maisonnette après l'excursion à Impyria. Or elle était située juste à côté du cimetière de la chapelle de la Rose…

Il sursauta quand un peu de liquide coula sur son poignet avant de rouler en perles sur l'herbe.

— Félicitations, dit Sigga. Vous êtes tout ce qu'il y a de plus ordinaire, c'est maintenant prouvé.

Il chercha une réponse spirituelle, n'en trouva aucune.

— Alors, Whitebarrow, ce n'était pas une mauvaise blague ?

— Non. L'offrande aux schibboleths était tout ce qu'il y a de plus réel. Frère Jakob n'est pas seulement un nécromancien, il est aussi l'un des membres fondateurs du Sabbat.

De sa poche, la Grizlandaise tira un lourd médaillon en bronze attaché à une chaîne d'argent. Si cette dernière semblait neuve, le pendentif était abîmé par les ans. Hob le contempla avec horreur. M. Burke en avait un identique. Il l'avait vu le glisser sous sa robe de chambre, à bord du Transcontinental.

— Qu'est-ce que c'est ? chevrota-t-il.

— Un reliquaire. Il renferme les cendres du cœur originel de frère Jakob. Les créatures comme lui ne se séparent jamais des leurs.

Elle montra un symbole de l'infini érodé à l'intérieur d'une étoile à neuf branches.

— Voici l'emblème du Sabbat. J'aimerais pouvoir affirmer que ce type est un spécimen unique.

— Vous pensez qu'il y en a d'autres ?

— Oh oui. Jakob se trouvait à Impyria lorsque l'offrande a été déposée à Whitebarrow. Il n'est donc pas seul. La Confrérie en abrite forcément plusieurs.

Hob crut qu'il allait vomir.

— Mais pourquoi des nécromanciens se commettraient-ils dans une organisation qui défend les droits des muirs ?

— Pour des tas de raisons. Ce sont des parasites, très doués pour dissimuler leur véritable nature en empruntant de multiples formes, cadavre, être vivant, et même groupes où on ne s'attendrait jamais à les trouver. La Confrérie offre une excellente couverture, des fonds illimités et des milliers de candidats parmi lesquels choisir un remplaçant potentiel.

Le garçon frissonna.

— Un remplaçant, au sens de… d'un poulain ?

Le membre de la Division rigola.

— C'est sûrement ce qu'ils disent à leurs victimes, mais ce n'est pas aussi innocent. Les corps ne sont pas éternels. Quand les nécromants commencent à se sentir trop vieux et frêles, ils se mettent en quête d'une identité de substitution. En général, la sélection est rude. Ils ne veulent que le meilleur.

Hob se rappela la description de son père par M. Burke : « C'était un être fondamentalement supérieur, plus dur et plus intelligent que la moyenne. Je plaisantais en le traitant d'invention tout droit sortie de l'Atelier. Ma meilleure recrue. De loin. Il ne sera pas facile d'être à la hauteur, mon ami. »

Ce que ces paroles impliquaient l'emplirent soudain d'une terreur incommensurable. Son mentor n'était pas un révolutionnaire muir, mais un monstre qui s'attaquait à des malheureux depuis la nuit des temps et leur dérobait leur enveloppe charnelle pour continuer de vivre. Accablé, le garçon se tourna vers Sigga, prêt à tout avouer.

Un drôle de phénomène le retint cependant. Son esprit se heurta à un mur, doux mais incontournable. Au fur et à mesure que les mots se formèrent, ils se dissipèrent comme de la fumée. La terreur et l'urgence de la confession s'évaporèrent. Si les révélations de la Grizlandaise étaient perturbantes, elles ne justifiaient pas qu'il fasse sa chochotte. Ni qu'il trahisse M. Burke ou quiconque de la Confrérie. Cette seule perspective était inimaginable.

Il se borna donc à se frotter les tempes.

— Pourquoi me racontez-vous tout ça, agent Fenn ? Ne me dites pas que c'est parce que vous vous inquiétez pour ma mère et ma sœur. Je suis conscient que votre boulot est de protéger Son Altesse, mais vos petits jeux m'épuisent. Si je suis ici, c'est uniquement parce que Dame Rascha m'a raflé aux Sylva. Que dois-je faire pour vous persuader que je ne représente aucune menace pour la princesse ?

Sigga le dévisagea d'un air étonné avant de s'emparer de son guide impyrial et de le feuilleter avec négligence. Hob prit peur en apercevant la pliure discrète de la page où il réceptionnait les messages de la Confrérie. À son immense soulagement, la Grizlandaise referma le manuel et le reposa par terre.

— Pardonnez-moi d'abuser de votre patience, monsieur Smythe. Je croyais que ces nouvelles vous intéresseraient. Je sais pertinemment que vous n'êtes pas un danger pour Son Altesse. Sinon, nous n'aurions pas cette conversation.

Hob l'observa quelques minutes. Tout à coup, il comprit.

— C'est pour ça que vous m'avez fait tirer, marmonna-t-il.

Comme elle ne répondait pas, il se redressa.

— C'est ça ! Vous saviez que je me débrouillais avec les armes à feu. Vous vouliez juste voir comment je réagirais si vous m'en confiiez une en présence de la princesse.

Impassible, Sigga ne confirma ni ne nia.

— Et si j'avais été un professionnel chargé de l'exécuter ? s'emporta-t-il, incrédule. Comment avez-vous osé prendre un tel risque ?

— Son Altesse a toujours été en sécurité.

L'assurance de son ton le convainquit. Bien qu'il n'ait jamais été témoin de quelconques pouvoirs surnaturels chez le membre de la Division Écarlate, il n'avait jamais oublié qu'il s'agissait d'une créature extrêmement redoutable.

— Je vais vous dire quelque chose, et je ne me répéterai pas, enchaîna-t-elle. Si vous vous êtes compromis avec la Confrérie, sachez que vous commettez une très grave erreur. Les gens comme ce Jakob se moquent complètement des droits des muirs. Ils ne sont fidèles qu'aux démons qui vivent en dehors de ce monde, à des êtres à côté desquels Lord Kraavh a tout d'un chaton. Permettez-moi, par conséquent, de vous prier de méditer une question.

— Laquelle ? souffla-t-il, incapable de la regarder.

— Quand les schibboleths ont tenté de nous envahir, c'est La Faucheuse qui les a combattus. Mina IV avait bien des défauts, mais elle ne manquait pas de bravoure. Avec le dragon Valryka, elle a franchi le Portail du Void et a mené la charge. Elle a repoussé nos assaillants. Ça a été une victoire, mais Valryka a péri au combat, et l'impératrice ne s'en est jamais remise. Deux ans plus tard, des tueurs à gages l'ont assassinée.

— Et à quoi suis-je censé réfléchir ?

— Si les schibboleths décidaient de revenir aujourd'hui, qui les arrêterait ?

Hob songea à Mina IV et à Hazel, à leurs troublants points communs. Si M. Burke était à la solde des démons, l'intérêt qu'il portait à l'albinos revêtait un sens très différent. Le Sabbat la considérait sûrement plus comme un obstacle potentiel aux maîtres qu'il servait qu'à un péril pour les muirs ou la Confrérie.

Il fut de nouveau déchiré par un conflit interne. Il avait envie de tout déballer, de s'alléger du fardeau de ses secrets, quelles qu'en soient les conséquences. Pourtant, il n'arrivait pas à concrétiser ce désir, qui se détricotait de lui-même. Il n'entendait plus que les avertissements de M. Burke quant à Sigga : « Si elle t'effraie, c'est pour que tu retournes ta veste et que tu te rapproches d'elle, que tu lui demandes sa protection. Une tactique courante. »

C'était vrai, conclut-il. Brusquement, il se sentit idiot et indigne. M. Burke avait été l'ami de son père, c'était son or qui permettait à sa mère et à Anja de vivre. Il avait une vision noble de l'avenir d'Impyrium, se démenait pour que la situation évolue vers le mieux. De son côté, Sigga s'efforçait seulement de lui donner l'impression d'être un menteur invétéré. Ce qui était faux. M. Burke lui avait montré des photographies, son récit du Cataclysme était presque identique à celui de maître Montague. Sur Sigga, en revanche, il n'avait qu'une certitude : c'était une tueuse professionnelle originaire du Grizland. Au nom de quoi aurait-il dû avoir confiance en elle ? Il la dévisagea avec suspicion.

— Puisque vous êtes tellement persuadée que je suis un traître, pourquoi n'exigez-vous pas mon arrestation ?

Les traits de son interlocutrice se durcirent, masque splendide mais sinistre.

— Nous obéissons tous à des ordres, monsieur Smythe, qu'ils nous plaisent ou non.

Le silence tomba. Des étudiants et des professeurs passèrent. Hob finit par jeter un coup d'œil à l'horloge de Vieux-Tom et constata qu'il était presque 15 heures.

— Je dois aller boucler ma valise, annonça-t-il.

— Êtes-vous impatient d'entreprendre ce voyage ?

— Oui et non. Je suis flatté d'avoir été invité, mais je n'aime guère traverser des étangs, alors des océans... Avez-vous déjà participé à un pèlerinage ?

— Non. Mais j'ai un tuyau pour vous. Quand nous serons sur les eaux lirlandaises, ne sortez pas de la cale. Ceux qui regardent par-dessus bord le regrettent souvent.

Sigga se leva et s'étira comme un chat se réveillant de sa sieste.

— Le trajet dure une semaine, reprit-elle, durant laquelle Son Altesse sera confinée dans un isolement total. Si vous souhaitez continuer notre petite conversation, vous n'aurez qu'à envoyer un marin me chercher.

Se baissant, elle ramassa le guide et le débarrassa des brins d'herbe collés dessus.

— Vous me le prêtez ?

Un étau parut enserrer le cœur de Hob. *Ça y est, je suis cuit.*

— Pourquoi le voulez-vous ?

— J'ai besoin de lecture, et cet ouvrage ne saurait être aussi ennuyeux qu'il en a l'air, puisque vous le posez rarement, alors que vous n'êtes plus page. Ce doit être passionnant.

Elle s'éloigna en tapotant la couverture du livre. Le garçon resta sur place, en proie à un sentiment d'impuissance. Il lui avait été impossible d'objecter à sa demande apparemment banale. Fermant les paupières, il effleura ses tatouages sous sa chemise et chuchota une prière à Fenmaruq, Vessuk et Kayüta. Il l'adressa même à Morrgu, bien qu'il sache qu'elle n'écoutait jamais les hommes.

Ensuite, il se mit debout et traversa le gazon à pas lents jusqu'à un sentier. Sigga ne découvrirait peut-être rien. À son arrivée sur l'île Sacrée, la mystique n'avait pas repéré le papier espion, n'est-ce pas ? Sauf que, hélas, Sigga Fenn n'était pas une mystique de second ordre. Il s'arrêta afin de contempler Rowan et ses majestueux édifices qui abritaient tant de savoir. La boule au ventre, il comprit qu'il n'y travaillerait jamais. Au regard de l'échange qu'il venait d'avoir, il ne les reverrait sans doute jamais non plus.

Inutile de nier que la Grizlandaise l'avait profondément ébranlé. Ce qu'elle lui avait confié de frère Jakob et du Sabbat était perturbant, de même que ce que cela supposait pour lui et Hazel. Toutefois, réchauffé par le soleil et alangui par les gazouillis des oiseaux, il n'arriva pas à céder à la peur et à l'anxiété. Comme le lui avait dit M. Burke, son seul souci devait être d'accomplir sa tâche. La Confrérie se chargerait du reste. Quand il regagna le palais, il avait tout oublié de frère Jakob.

Plus tard ce même après-midi, assise sur une chaise basse dans le salon des triplées, Hazel s'efforçait de ne pas bouger alors qu'une brosse en poil de zibeline chatouillait ses paupières. Échouant lamentablement, elle fut secouée par des rires. La prêtresse reposa le pinceau et tamponna la ligne inégale qu'elle venait de tracer.

— Je vous en prie, Votre Altesse, soupira-t-elle, j'ai quasiment fini.

— Désolée.

Les yeux clos, elle tâtonna à la recherche du plateau d'encas miniatures… et referma sa main sur celle, forte et plutôt poilue, de Dame Rascha. Elle la serra.

— Vous n'êtes pas un sandwich.

— Exact. Et vous, vous n'êtes pas sérieuse.

— Si ! Ce n'est pas ma faute si ça chatouille. En plus, je suis ici depuis des heures, je meurs de faim.

— Vous avez avalé trois sandwiches, deux pêches et une portion de semoule.

— Et alors ? Dans deux heures débute mon jeûne d'une semaine. *Une semaine entière !* J'ai bien le droit de manger autant que j'en ai envie.

À l'autre bout de la pièce, Isabel grogna. Elle aussi était soumise à la torture décorative.

— Ferme-la ! lança-t-elle à sa sœur. Tu me donnes faim à mon tour. Pamplemousse ?

— Quoi ? répondit l'homoncule d'une voix soucieuse, depuis la poutre où il était perché.

— Découpe un snack et donne-moi la becquée.

— Vous plaisantez ?

— Du tout.

— Je suis occupé.

— Non. Tu es en train de te vernir les ongles.

— Comment avez-vous deviné ? s'indigna l'insolent.

Isabel poussa un cri étonné.

— Je vois ! Pamplemousse, je vois à travers tes yeux !

Hazel perçut un courant d'air quand l'homoncule s'empressa de voler vers sa maîtresse.

— Oh ! s'exclama-t-il. Mais c'est formidable, ma petite chérie !

Tandis que ces deux-là roucoulaient de bonheur, la benjamine des triplées sentit Merlin s'agiter sur ses genoux, tel un chiot dérangé dans son sommeil. De ses mains minuscules, il agrippa convulsivement sa jupe puis se détendit. Pauvre Merlin ! Pamplemousse le traitait déjà de haut, qu'est-ce que ça allait être dorénavant ! Hazel éprouva une bouffée de jalousie. Elle n'arriverait jamais à voir à travers les yeux de son homoncule, même dans un flou artistique.

— À quoi ça ressemble ? demanda-t-elle.

— C'est dingue. Je n'ai pas perdu ma propre vision, mais si je me concentre, c'est la sienne qui…

— Ça suffit !

C'était les premières paroles de Violet depuis le début de la journée. Tout l'après-midi, elle avait tourné le dos à ses sœurs, boudeuse et tendue, tandis que les religieuses et leurs novices s'occupaient d'elle.

— Vous ne pouvez donc pas rester tranquilles deux minutes ? poursuivit-elle d'un ton froid. Vous allez accumuler les blagues pathétiques et ricaner comme ça jusqu'à l'île de Man ?

— Non, riposta Isabel. Il faudra que je dorme à un moment ou un autre.

Violet exhala avec lenteur.

— Ceci est notre premier pèlerinage. Ça vous est peut-être égal. À moi, non. Arrêtez de gigoter et laissez ces gens terminer leur travail. À moins que vous teniez absolument à faire attendre grand-mère ?

Houps ! Ça, c'était hors de question. Être cloîtrées en sa compagnie pendant huit jours allait être compliqué. Inutile d'en rajouter en la mettant de mauvaise humeur d'entrée. Elle était capable de les dévorer toutes crues.

Calmées, les deux plus jeunes des triplées s'enfermèrent dans le silence, pendant que les prêtresses du temple des Neuf-Flèches achevaient leur tâche. Le henné sec, les filles se levèrent pour s'admirer dans un miroir au cadre doré. Pieds nus, elles portaient une robe longue sans manches de coton blanc. Des tresses de sorbier trônaient sur leurs cheveux nattés. Des symboles et des runes imbriqués luisaient sur leur peau. Hazel trouva d'abord qu'elles ressemblaient à des enchanteresses, car nombre de leurs clans adoraient s'orner l'épiderme de dessins. Puis elle se ravisa. Elles n'avaient rien d'enchanteresses.

Elles avaient tout de victimes sacrificielles.

La grande prêtresse ajouta à la confusion en barbouillant leur front de cendres et de sang d'agneau avant d'entonner une prière en vieil impyrien alors qu'elles quittaient la tour. *Ayama sundiri un yvas don Embe thùl embrazza.* Puissent les fils et filles d'Ardent vous accepter.

Elles descendirent sans échanger un mot, suivies par les religieuses, leurs précepteurs et leurs gardes du corps. Derrière Isabel, Hazel comptait les marches. Elles empruntèrent un escalier dérobé qui menait de l'aile des Faeregine aux falaises et à la plage. Le palais renfermait de nombreux passages et pièces secrets. Certains servaient encore, d'autres avaient été murés depuis longtemps et ne resurgissaient que dans les histoires de fantômes. La légende voulait que pas moins de quatre-vingt-sept esprits malins hantent ces murs. Par bonheur, l'albinos n'en avait jamais croisé l'ombre d'un seul.

Sauf si on comptait l'Araignée parmi eux. Cette dernière patientait en bas des marches, assise dans son palanquin posé sur le sol crevassé d'une grotte. Elle aussi arborait des inscriptions au henné, mais sa peau brillait dans la pénombre, comme illuminée par un rayon sélénien. La magie n'y était pour rien. C'était dû à un onguent fait d'huile phosphorée et de pierres de lune pulvérisées. Sur les photos, l'effet était splendide, et des hordes de paparazzis ne manqueraient pas de mitrailler à tout-va le long du chemin jusqu'au vaisseau personnel de la famille royale.

La souveraine fit signe à ses petites-filles de prendre place dans le cortège. Elles obtempérèrent, Violet encadrée par ses sœurs. On alluma des torches, puis de sourds roulements de tambour ébranlèrent la roche, qui se mit à résonner. Huit prêtres costauds soulevèrent le palanquin et se mirent en marche, suivis par les princesses.

La procession traversa plusieurs cavernes obscures avant de franchir une arche pratiquée dans la falaise. Des hourras par milliers accueillirent son apparition. Beaucoup de résidents de l'île venaient assister au départ de l'impératrice pour son pèlerinage annuel, mais ils étaient plus nombreux que d'habitude ce soir-là. Hazel n'en fut guère étonnée. La popularité de l'Araignée avait gagné des points depuis que les relations avec les Lirlandais s'étaient normalisées. Cependant, la véritable attraction était Violet.

Pour la première fois depuis le décès de la mère des trois filles, une héritière du trône entreprenait le voyage vers l'un des dragons gardant les Portails de l'Au-delà. Pour bien des gens, les créatures fabuleuses ne protégeaient pas seulement Impyrium des forces parallèles à ce monde ; leur présence garantissait la paix et la prospérité du royaume. Les offenser aurait été un sacrilège. Il revenait donc à l'impératrice de leur rendre l'hommage qui s'imposait. À présent que les triplées avaient l'âge de participer au périple sacré elles aussi, on respirait mieux : une nouvelle fournée de Faeregine serait à même de perpétuer la sainte tradition. Si les autres maisons jalousaient la richesse et la puissance du clan, aucune ne lui enviait cette responsabilité-là. Ce que Hazel comprenait fort bien. En dépit de son impatience, elle mourait d'angoisse. Elle avait été directement témoin de l'état de sa grand-mère au retour de ses pèlerinages, dont le prix à payer, moralement et physiquement, était très élevé.

Il leur fallut quinze minutes pour atteindre le quai en eaux profondes où *Le Rowana*, le bateau impérial doré à l'or fin, était ancré. Un sceau étincelait à sa proue, comme pour rappeler que les mers étaient de nouveau sûres. Les percussions faisaient un vacarme de tous les diables, tandis que des danseurs splendidement costumés en dragons sinuaient au milieu de la foule. Il était impossible de ne pas être transporté par cet instant, par l'atmosphère aussi festive qu'électrique. Les badauds chantaient, jetaient des pétales de sorbier et souhaitaient aux Faeregine de naviguer sans encombre sur les océans démoniaques. Hazel eut l'impression d'avoir été élevée au statut d'héroïne.

Ce sentiment ne la quitta pas alors qu'elles grimpaient sur la large passerelle du navire. Sur le pont, les matelots étaient alignés en ordre impeccable derrière le capitaine, ses officiers et les trois spécialistes des éléments chargés d'invoquer les vents et d'apaiser les flots. Du coin de l'œil, Hazel aperçut Hob avec son voisin de chambre, Viktor. Il était très élégant, dans le costume de coton neuf qu'il s'était offert avec l'argent que lui avait remis Sigga. Leurs regards se croisèrent, et elle le gratifia d'un minuscule sourire qu'il lui retourna avant de reporter son attention sur l'impératrice.

Désormais, la princesse avait une foi presque superstitieuse en la compagnie de Hob. Il lui portait chance. Certes, elle le verrait très peu pendant la traversée. Mais le savoir à bord lui donnait confiance en sa capacité à supporter le jeûne d'une semaine qui lui serait imposé et la peur qu'elle avait à la perspective de rencontrer un dragon. Or, ainsi qu'elle l'avait appris, avoir confiance en soi, c'était emporter la moitié de la bataille.

Les tambours se turent, et les prêtres posèrent le palanquin. Violet aida l'Araignée à se hisser de ses coussins. Ceux qui avaient espéré que la souveraine dispenserait quelques paroles inspirées en furent pour leurs frais. Agrippant la main de sa petite-fille, elle boitilla jusqu'à une écoutille et s'engouffra sur une passerelle. Rascha se pencha pour prendre Merlin à Hazel.

— Vite, ma loupiote. Le soleil s'est presque couché.

Pivotant sur elle-même, l'albinos distingua un fin trait de rouge à l'ouest. La tradition exigeait que les rites purificateurs débutent au crépuscule. Il n'y avait pas un moment à perdre. La princesse descendit les échelons derrière Isabel. Alors, les religieux fermèrent les panneaux de bois et les verrouillèrent.

Lentement, les deux filles s'enfoncèrent dans les entrailles du *Rowana*. Les bruits extérieurs ne leur parvenaient plus, l'air était figé et sentait vaguement le goudron et l'encens. Hazel capta les vieux sortilèges qui les environnaient et qui avaient pénétré dans le bois comme de l'huile de lin. Ni elle ni sa sœur ne parlèrent. Les rires qu'elles avaient partagés un peu plus tôt dans l'après-midi semblaient des souvenirs lointains.

Combien d'échelons avaient-elles descendus ? Quatre-vingts ? Cent ? Plus que ce qui paraissait possible, même pour un bâtiment de cette taille. La Vieille Magie était à l'œuvre. La passerelle finit cependant par s'interrompre, à hauteur de lueurs orangées qui s'échappaient d'une porte, dessinant la silhouette d'une étrange créature qui attendait sur le seuil.

Au premier abord, elle avait tout d'un troll – grise, tordue, prunelles vertes vitreuses et barbe broussailleuse – alors qu'elle n'était pas plus haute qu'un enfant de quatre ou cinq ans. Bien que courte sur des pattes arquées et caprines, elle avait de longs bras aux muscles noueux. En s'approchant, Hazel discerna des cornes de bélier qui commençaient à pousser sur ses tempes et, malgré l'apparente jeunesse de ce drôle d'être, elle eut l'impression qu'elle n'avait rien vu d'aussi ancien de toute sa vie. Sans prononcer un mot, il s'inclina et s'écarta pour les laisser entrer.

Elles pénétrèrent dans ce qui ressemblait à un temple ou à un sanctuaire d'environ six mètres de long et dont le centre était occupé par un lit de charbons ardents. Les parois incurvées étaient de bois de santal odoriférant, assombri par le temps et sculpté de scènes mythologiques. De grands loups chassaient la lune et le soleil, de féroces oiseaux-tonnerre déclenchaient des tempêtes sur les océans, des dieux et des géants s'affrontaient, le Chien de Rowan embrochait Astaroth avec son javelot...

— Asseyez-vous !

La voix de l'Araignée claqua dans la pièce. Elle-même et Violet étaient déjà installées à faible distance l'une de l'autre sur deux des neuf matelas qui entouraient la couche de braises. Isabel alla se poser à la gauche de sa grand-mère. Hazel choisit la place la plus éloignée d'elle. Elle contempla la frêle silhouette aux bras croisés et comprit qu'elle la craindrait toujours.

La créature qui les avait accueillies ferma la porte avant d'apporter à l'impératrice plusieurs coupes remplies de fleurs, d'herbes et de baies séchées ainsi qu'un pilon et un mortier. L'Araignée y jeta quelques pétales et entreprit de les moudre.

— Vous portez le nom des Faeregine, mais vous n'êtes pas encore des Faeregine, murmura-t-elle. Aucun des sots bichonnés qui partagent votre patronyme n'en sont de véritables, eux non plus. Ils le considèrent comme un héritage, un droit inné à la richesse et au pouvoir. Ils se trompent.

Ce nom est une responsabilité, un fardeau trop terrifiant et trop lourd à porter pour d'autres que nous. Il en va ainsi depuis trois mille ans. On ne devient une Faeregine qu'après avoir fait face à un dragon et avoir enduré qu'il vous examine à la loupe...

Des gouttes de sueur perlèrent sur le front de Hazel et roulèrent le long de son dos. La pièce devenait aussi étouffante qu'un four.

— Voici presque treize années que je n'avais pas eu de compagnie lors de mon pèlerinage, médita l'Araignée. Votre mère se mettait toujours ici.

Du menton, elle désigna le matelas séparant Hazel et Violet.

— Elena a accompli vingt-trois voyages avec moi. Le dernier a signé sa perte. Elle est morte la nuit de Samain en vous donnant naissance devant le Portail du Nether.

L'impératrice ajouta des baies de sorbier aux pétales.

— Violet est arrivée d'abord, puis Isabel. Je vous ai éloignées, les filles, car votre mère était trop faible pour vous tenir, et Graazh s'agitait. De tous les dragons, cette femelle est la plus imprévisible, et je n'ai pas osé m'attarder.

Les prunelles perçantes et sombres se posèrent sur Hazel.

— J'ignorais qu'il devait y avoir un troisième bébé. Jusqu'à ce que tu pousses ton premier cri. Quand je me suis approchée, Elena avait cessé de respirer. Elle n'était plus, tu étais là. Inattendue. Indésirée.

La vieille souveraine retourna à son mélange, écrasant ses ingrédients avec une détermination lugubre.

— Rien n'augurait de ta survie, reprit-elle. J'ai cru qu'un maléfice s'était abattu sur notre clan, que quelque esprit malin intemporel du Nether s'était faufilé dans notre monde. Tu avais tué ma fille, je t'aurais tuée sur-le-champ si on ne m'en avait pas empêchée.

Elle compléta sa mixture de baies de sorbier.

— Par chance, un garde m'a retenue, et Graazh est intervenue. C'est elle qui t'a léchée et allaitée. Puis elle a dévoré mon Elena.

Hazel était sidérée. Enfants, on leur avait conseillé d'ignorer les nombreuses rumeurs entourant leur naissance. Leur mère était morte en couches à bord du *Rowana*, un point c'est tout. Personne n'avait jamais mentionné que le dragon l'avait mangée, encore moins précisé qu'il avait joué les nounous auprès de la benjamine. Quant aux intentions meurtrières de l'impératrice à l'encontre de sa propre petite-fille...

— La tombe de mère... murmura Isabel.

Elles s'y rendaient deux fois l'an. À l'anniversaire d'Elena Faeregine et au leur.

— Elle est vide, lâcha la souveraine. Mon Elena est avec Graazh.

Violet ne dit rien, ce qui ne l'empêcha pas de couver Hazel d'un regard révulsé et hostile. L'Araignée venait de confirmer ses soupçons – la dernière des triplées était différente de ses deux aînées. C'était une marginale, à cause de laquelle elles étaient orphelines...

— Pourquoi me racontez-vous ça ? demanda l'albinos.

L'impératrice saupoudra le mortier d'herbes.

— Je sens au fond de moi que ceci est mon ultime solstice d'été. L'heure n'est plus aux secrets. Tu as le droit de savoir ce qui s'est passé, quel a été le destin de ta mère, et pourquoi je te hais. Néanmoins, celle qui doit vraiment comprendre cette histoire, c'est Violet.

Cette dernière s'arracha à la contemplation de sa sœur.

— Pourquoi, grand-mère ?

— Parce que tu vas régner, or cette fameuse nuit m'a beaucoup enseigné sur la méthode à suivre. Prise d'un accès de rage, j'ai failli commettre une erreur irréparable. L'univers fonctionne selon une sagesse qui lui est propre et qui se dissimule souvent sous des voiles impénétrables. Les mortels sont de pauvres juges des effets positifs ou négatifs de nos actes à long terme. Dans ma folie, j'ai manqué de commettre un forfait d'un mal absolu. Pas à l'encontre d'un bébé. À l'encontre d'Impyrium. Nous avions reçu un don précieux que ma douleur m'a incitée à rejeter. Quand tu seras impératrice, rappelle-toi de ne jamais arrêter de décisions à la hâte, sous l'effet de la joie ou celui de la colère. Entendu ?

— Oui, grand-mère, acquiesça Violet avec un coup d'œil mauvais à sa jeune sœur.

— Bientôt, vous endosserez la responsabilité d'Impyrium et de notre clan. Si vous souhaitez remplir vos devoirs en tant que Filles de Mina, il est un folklore que vous devez retenir.

Elle héla le petit être mi-gnome mi-bouc (elle l'appela Og), qui s'empara du contenu du mortier et y versa de l'alcool pour en faire une infusion si mauvaise que Hazel se retint de vomir quand son tour vint d'en boire. Elle se força à avaler, sentit aussitôt de violentes douleurs dans son ventre, alors qu'elle passait la coupe à Isabel. Quand toutes eurent reçu leur part de la boisson amère, des ruisselets de sueur se mirent à couler sur leurs visages. Pendant ce temps, la souveraine leur parla des dragons.

Il y avait eu Ardent et N'aagha, père et mère de tous les dragons à venir. Ardent était né de la terre, créature dénuée d'ailes, toute d'or et de feu. Astaroth avait créé N'aagha des cendres de ses ennemis. Les deux s'étaient battus et poursuivis jusqu'aux confins de l'univers. Leur improbable union avait abouti à la naissance de six petits, aussi divers en termes d'apparence que de puissance et de caractère.

Hati le Voleur de lune, roi du solstice d'hiver,
Ammech le Piégeur de soleil, maître du printemps si vert,
Talysin le Jeteur de sorts qui tisse les brumes nues,
Graazh l'Annonciatrice du gel qui t'embrasse et te tue,
Ran-Tolka le doux Rêveur qui sur la Terre vagabonde,
Valryka la Vaillante qui attend de renaître au monde.

L'épopée entremêlait vers et chants qui s'amoncelaient dans l'inconscient de Hazel. À part pour quelques souvenirs effilochés enfouis dans sa mémoire, ils étaient nouveaux pour elle. Elle apprit les poèmes dévolus à chaque dragon et les antiques sortilèges qui attachaient les gardiens à leurs Portails. Elle récita les incantations de protection et de commandement, les charmes destinés à assurer sa sécurité en leur présence. Elle apprit où Valryka était tombée, lors de la bataille contre les démoniaques schibboleths ; elle découvrit que tous ses frères et sœurs redoutaient Hati ; elle sut pourquoi Ran-Tolka se déguisait en humain...

Aucune des quatre Faeregine ne mangea ni ne dormit. Quand elles avaient soif, Og préparait une nouvelle rasade de la potion amère ; quand les charbons refroidissaient, il en rajoutait et les ranimait avec un soufflet.

Lorsque Hazel n'en put plus de rester assise, elle se roula en boule près des braises ardentes. Le flot de paroles de l'Araignée finit par se tarir, remplacé par le feulement de sa respiration, les sifflements du brasier, les craquements de la coque du navire. À un moment donné, la conscience de la princesse sombra et flotta dans les courants où chantent les baleines. Alors, le timbre sec et cruel de La Faucheuse se manifesta dans son esprit.

On ne peut se cacher d'un dragon. Ni derrière ses pensées, ni sous ses chairs, ni dans ses rêves. Talysin ne se laissera pas leurrer. Il saura que tu es mon réceptacle, l'instrument que je prépare depuis longtemps, quand j'ai compris que j'étais condamnée. Son esprit déchirera ton cocon ridicule et t'exposera, nue, à ma volonté. Jamais tu n'éprouveras de souffrance aussi exquise. Et lorsque ce sera terminé, nous ne ferons plus qu'une, que tu le veuilles ou non. Dès lors, que tremblent mes ennemis !

Des mains rugueuses s'emparèrent d'elle. Og la redressa pour l'asseoir, et elle gémit. À quelques pas de là, Violet et Isabel, blotties l'une contre l'autre, la regardaient à travers un voile de chaleur qui ondulait. Leurs prunelles éteintes étaient enfoncées dans leurs visages émaciés. Leurs doigts s'agitaient, leur bouche béait, une croûte brun-rouge figeait leurs lèvres craquelées. La touffeur infernale avait calciné en elles toute trace d'humanité. Elles étaient deux inconnues, deux sauvages arrachées au temps.

— Respire-t-elle ?

La voix de sa grand-mère sembla venir de très loin. Og émit un grognement indifférent.

— Dix minutes, ajouta l'Araignée.

Vaguement, Hazel comprit qu'on l'emportait. Pas sur le pont, mais le long d'un interminable couloir sombre. Puis elle sentit des embruns moucheter sa figure, et un linge mouillé effleura son front. Sa peau absorba l'humidité comme une éponge. Elle souleva les paupières. Dame Rascha se penchait

261

sur elle, encadrée par un ciel piqueté d'étoiles. Des larmes perlaient aux yeux féroces de la luperca.

— Suis-je morte ? feula la jeune fille, qui ne reconnut pas sa propre voix.

Rascha la serra contre elle.

— Non, ma loupiote. Vous êtes en train de vous purifier avant de rencontrer Talysin. C'est une épreuve, je sais.

— Depuis combien de temps...

— Six jours, répondit la louve en caressant sa main qui pendait mollement. Violet et Isabel sont sorties déjà deux fois. Nous jetterons l'ancre après-demain.

Hazel acquiesça d'un geste las. Elle aurait aimé éprouver la fierté d'avoir mieux résisté que ses sœurs, mais elle était trop épuisée pour s'en soucier. Le vent apportait des bribes de musique – une flûte ou un fifre. Des pas retentirent, et une nouvelle silhouette se matérialisa dans le champ de vision de l'albinos. Sigga.

— C'est normal ? demanda-t-elle, visiblement soucieuse.

Rascha opina avant de tamponner le front de sa pupille.

— Les Faeregine supportent le rituel. J'ignore comment, mais elles y arrivent. Sans doute est-ce dans leurs gènes.

Soudain, il y eut des cris et des piétinements en provenance du pont supérieur.

— Qu'est-ce que... chuchota Hazel.

Sigga se pencha par-dessus le bastingage.

— Nous sommes dans les eaux lirlandaises. Au-dessus d'une ville.

La princesse voulut s'asseoir.

— Non, objecta le lycanthrope. Ne bougez pas.

Hazel s'entêta. Elle avait envie d'un peu d'air frais et de voir par elle-même l'un des légendaires royaumes démoniaques. Mais plus que tout, elle souhaitait se lever, se prouver qu'elle en était encore capable.

— Je suis restée trop longtemps immobile, haleta-t-elle. *S'il vous plaît.*

Même Rascha ne put ignorer ses accents désespérés. Avec Sigga, elle l'aida à se mettre debout. La princesse poussa un cri étouffé quand ses pieds fendillés et couverts d'ampoules entrèrent en contact avec le sol. Elle claquait des dents malgré elle, et la couverture dont Sigga la couvrit n'y changea rien. Mais c'était mieux que la cale étouffante et mortelle.

Le temps de reprendre ses esprits, Hazel s'aperçut qu'elle était sur une petite plateforme. Le pont principal était situé une dizaine de mètres plus haut. Elle distingua des silhouettes appuyées contre le garde-corps, leurs visages éclairés par une lumière chatoyante qui montait de la mer. Parmi les nombreux soldats et marins, elle repéra Hob qui, l'air sombre, scrutait les profondeurs, figé par une horreur muette. Comme s'il assistait à une autre fantaisie.

Ce qui se révéla être le cas.

Les images régulièrement rapportées des Lirlandes décevaient toujours. Il était impossible d'apercevoir les lieux en pleine journée, et les photographies nocturnes ne révélaient que des halos de lumière floue perdus dans la masse noire des océans. On avait l'impression de contempler une galaxie lointaine à travers la lunette d'un télescope de médiocre qualité.

Là, il en alla tout autrement.

Les eaux étaient d'une clarté surprenante, empreintes d'une phosphorescence particulière. Hazel réussit à discerner des villes et des bourgades lointaines, un peu comme si elle avait regardé des pièces de monnaie jetées dans le bassin d'une fontaine. Certaines étaient protégées sous des dômes transparents, mais la majorité s'élevait en pleine mer, y compris des palais aux dimensions colossales. La moindre saillie, la moindre flèche scintillait d'une lueur translucide de perle.

Une immense créature passa près du bateau dans un sillage de bulles étincelantes. On aurait dit une raie manta, mais dont l'envergure aurait atteint trente mètres et dont le dos aurait été strié de bandes luminescentes. Elle nagea paresseusement de conserve avec *Le Rowana* pendant un moment avant de mettre le cap vers un canyon d'où s'échappaient des fumerolles.

Hazel suivit des yeux sa progression majestueuse. Tout à coup, elle remarqua que des choses remontaient à la surface. Elle mit quelques minutes à comprendre qu'il s'agissait de cadavres, par centaines, dans divers états de décomposition. Pour la plupart, c'était ceux de matelots et de marchands, dont les traits exprimaient une révulsion terrifiée. Ils flottaient comme des bouchons, de la vapeur s'échappait de leurs chairs pourrissantes. Quand le navire en fendit le flot, ils émirent des bruits sourds contre la coque.

— Pourquoi ? chuchota la jeune fille.

Sigga observait elle aussi le spectacle sordide.

— Si les sceaux lirlandais nous protègent, les démons ne sont pas nos amis, Votre Altesse. Ils se réjouissent d'avoir coulé tous ces bateaux, ces derniers mois. Ceux qui ont placé le magivore dans la chambre forte ont sacrifié des milliers d'innocents.

Le regard de Hazel tomba sur les restes d'un jeune garçon. Elle le reconnut aussitôt, car elle avait été avec lui, *en* lui, durant ses ultimes instants à bord de *L'Étoile Polaire*. La peau de Danny était grise, mais il ne s'était pas décomposé. Il avait la bouche ouverte, ses yeux sans vie étaient rivés sur le ciel. Il paraissait moins effrayé que surpris, voire déçu que son existence s'achève si précocement.

La princesse ne cria pas. Elle était trop fatiguée et désorientée pour être certaine que ce qu'elle voyait correspondait à la réalité. Mais une larme roula sur sa joue, et elle s'obstina à contempler Danny jusqu'à ce qu'il disparaisse dans le sillage écumeux du bateau.

Elle avait cessé de claquer des dents. À présent, elle était en proie à une vague nausée. Levant la tête, elle vit que les curieux avaient quitté le bastingage. Pas Hob. Lui était resté figé sur place, toujours tourné vers la mer cauchemardesque.

— Je l'avais pourtant averti d'éviter ce spectacle, soupira Sigga en arrachant Hazel à la rambarde.

L'albinos se retourna. Og l'attendait sur le seuil du corridor obscur. Rascha posa les mains sur les épaules de sa pupille.

— Je ne veux pas y aller, murmura cette dernière. Gardez-moi près de vous.

La vieille luperca s'agenouilla et redressa la couronne sur les cheveux blancs.

— Rejoignez votre grand-mère et vos sœurs. Nous serons bientôt à l'île de Man. Le pire sera passé.

Hazel obéit sans protester. Elle suivit Og en se demandant comment elle allait réussir à supporter une journée supplémentaire dans la fournaise. À l'intérieur, l'impératrice continuait sa litanie. Ses lèvres étaient noires et craquelées. Violet et Isabel étaient affalées l'une contre l'autre, le regard vide. La princesse voulut s'asseoir près d'elles, mais Og la ramena d'une poigne ferme à son matelas avant de l'obliger à boire une rasade brûlante de tisane.

Repliant ses jambes sous elle, elle s'efforça d'oublier ce qu'elle venait de voir. Elle se concentra de nouveau sur le lit de charbons ardents et pria pour que Rascha ait raison, et que le pire soit vite derrière elle. Malheureusement, les murmures de La Faucheuse reprirent de plus belle, et elle comprit qu'il ne faisait que commencer...

— Votre Altesse ?

Hazel ouvrit les yeux. Une prêtresse au visage plein de bonté lui tamponnait la peau avec un linge parfumé, tandis qu'une novice ajoutait des fleurs blanches à sa couronne.

— Oui ?

— Il est temps. Êtes-vous prête ?

— Prête à quoi ? demanda la jeune fille, perdue.

Pour un peu, elle aurait cru qu'elle était en retard à un examen de maître Montague.

— À affronter Talysin, expliqua la femme avec un sourire. Tout a été préparé, la Divine Impératrice vous attend, c'est une journée splendide.

La princesse regarda autour d'elle. Elle se trouvait à l'intérieur d'une cabine en teck, debout dans une cuvette remplie d'eau fraîche. On l'avait lavée, on avait enduit sa peau d'une huile apaisante qui avait assombri les dessins au henné. De l'autre côté du hublot, un ciel d'or pâle surplombait une crique naturelle. Les deux destroyers qui avaient escorté *Le Rowana* étaient ancrés juste derrière. Une douleur sourde tordit l'estomac de Hazel.

— Ai-je le droit de manger quelque chose ?

— Bientôt. D'ici quelques heures.

Une éternité ! L'adolescente ravala un juron. Prenant la main de la novice, elle sortit de la bassine et sécha ses pieds sur un tapis moelleux. Sa peau était rosie et couverte de cloques.

Elles sortirent. Hazel se rendit compte alors que les coups assourdis qui martelaient son crâne provenaient de percussions. Elles n'avaient rien de celles, festives, qui avaient salué leur départ de l'île Sacrée. Leur timbre et leur rythme étaient différents. Bien qu'elle n'identifie pas le morceau qu'elles jouaient, elle fut presque certaine de l'avoir déjà entendu.

Sur le pont principal, elle découvrit des falaises et des collines couvertes de trèfle vert ou d'ajoncs jaunes. Man était l'un des rares endroits que le Cataclysme avait épargnés. Un gardien y avait vécu jadis, un géant dont la magie avait protégé l'île et ses habitants. Quand La Faucheuse avait créé les Portails de l'Au-delà, elle avait choisi ce site pour celui menant au Sidh, un royaume gouverné par des dieux antiques qui avaient quitté ce bas monde depuis très, très longtemps. Elle y avait ensuite posté Talysin, afin qu'il veille à ce que seules les personnes autorisées le franchissent.

Des domestiques étaient déjà en train d'échafauder des feux de camp et de dresser des pavillons pour abriter la petite armée de gens qui dormiraient sur place pendant que les Faeregine procéderaient à leurs offrandes. Il n'était pas prévu que Hazel couche sous l'une des tentes. Trois jours durant, elle resterait dans l'ombre du dragon.

Talysin...

Un frisson courut le long de sa colonne vertébrale. Aujourd'hui, elle allait voir un dragon. Pas une illustration tirée d'un des livres d'oncle Basil, mais un monstre réel datant de la nuit des temps. Les leçons dispensées par l'Araignée pendant le voyage remontèrent à son esprit comme des bulles de champagne. La légende et l'histoire de Talysin, les paroles d'accueil et de passage, les règles à suivre en présence de créatures aussi fières et âgées. Ces mots relevaient moins de recommandations que d'avertissements sévères quant aux conséquences éventuellement catastrophiques d'un comportement inadapté : *Ne regarde jamais un dragon droit dans les yeux ; ne laisse jamais un dragon découvrir ton véritable nom ; ne crois jamais qu'un dragon sommeille ; ne tourne jamais le dos à un dragon ; ne t'allonge jamais près d'un dragon ; n'oublie jamais d'être courtoise ; n'oublie jamais d'apporter des cadeaux ; n'oublie jamais de vanter la lignée d'un dragon ; ne montre jamais ta peur...*

Il y en avait des dizaines de la même farine. Hazel songeait que ce devait être pareil pour ceux qui devaient rencontrer l'impératrice ou les membres du clan Faeregine. Elle espérait qu'elle se les rappellerait toutes. Elle espérait aussi que le Portail n'était pas trop éloigné, car elle redoutait qu'un trajet trop long vienne à bout de ses forces.

Agrippant les doigts de la prêtresse, elle descendit sur un quai puis sur la plage où la Divine Impératrice patientait dans son palanquin, entourée de ses soldats et serviteurs. Violet et Isabel étaient juchées sur des chevaux blancs. Elles étaient si affaiblies qu'elles se cramponnaient à l'encolure de leurs montures, tandis que Matthias et Omani en avaient empoigné les rênes. Celle de Hazel était gris pâle avec une crinière blanche. Dame Rascha et Sigga étaient debout près de l'animal, mais c'était Hob qui le tenait par la bride.

La Grizlandaise mit la princesse en selle. Comme ses sœurs, l'adolescente s'allongea sur l'encolure tiède du cheval. Ses crins avaient une odeur d'eau de mer, et de petits coquillages y étaient entrelacés. Elle se demanda vaguement s'il s'agissait d'une sorte d'estalon. Il en existait peut-être de gentils. Elle profita de ce que sa tête n'était qu'à quelques centimètres au-dessus de celle de Hob pour lui adresser la parole :

— Vous aussi, vous venez le voir ?

Il acquiesça vaillamment, mais la main sur les rênes tremblotait. *Combien ces rites doivent lui paraître étranges !* Ils l'étaient également pour elle, alors que, toute son enfance, elle avait été bercée par des récits sur les dragons et les Portails de l'Au-delà ; qu'elle avait su que, un jour, elle entreprendrait ce pèlerinage. *Mais un gars de Brune ? Il a sûrement l'impression d'être en plein cauchemar.*

— N'ayez pas peur, lui souffla-t-elle. Tout ira b…

Le cor du dragon retentit. C'était un coquillage cerclé de spires dont la note rauque provoquait une terreur primale. Quelque part dans les collines, les tambours redoublèrent de violence. Quand le soleil atteignit une pierre levée, les prêtres hissèrent le palanquin impérial et se mirent en marche vers l'intérieur des terres.

Durant des heures, le cortège franchit à pas lents des ruisseaux et des tertres. Il traversa un ravin puis entama l'ascension d'une crête battue par le vent et couronnée par un cercle de monolithes.

Le Portail, sans doute. Où est le dragon ?

Talysin était réputé pour être le plus beau et le plus placide des gardiens : comme son père Ardent, il avait l'apparence d'une vouivre dorée et n'avait pas d'ailes. Sous les lambeaux de brume qui s'y s'accrochaient, le paysage était plein de couleurs, verts et bruns piquetés du blanc et du jaune de fleurettes, gris de formations rocheuses, vert tendre de jeunes arbres inclinés par les vents. Hazel ne distingua aucun éclat doré, nulle trace d'un monstre fabuleux. L'impératrice ne s'était pas rendue ici depuis quatre ans. *Et si Talysin avait réussi à briser le sortilège de La Faucheuse qui l'attache à ces lieux ? S'il était mort ? Après tout, il est vieux comme le monde.*

Un mouvement en haut de l'éminence attira son attention. Y était apparue une silhouette humaine dégingandée dotée de hautes cornes droites. Une chèvre ? Un parent d'Og ? La créature s'appuyait à un grand bâton tordu et les observait, comme s'ils étaient des intrus qu'elle était cependant obligée d'accueillir.

Des congénères la rejoignirent, par groupes de deux ou trois. Certains frappaient les tambours que Hazel entendait depuis l'aube. Ce n'étaient ni des faunes ni des satyres, ils avaient des allures différentes. D'aucuns ressemblaient à des béliers, d'autres avaient des becs de héron ou des yeux écarquillés et figés qui évoquaient des poissons. Il émanait d'eux une espèce d'invalidité disgracieuse qui contrastait fortement avec l'agilité élégante des fées qui virevoltaient alentour maintenant et dégageaient un éclat subtil ; la nuit, on devait avoir l'impression que l'île fourmillait de lucioles.

Neuf menhirs formaient le cercle du Portail du Sidh, chacun haut de douze mètres et plus large que le tronc d'un chêne. Ils se dressaient sur un plateau qui offrait une vue impressionnante sur les criques couleur cobalt et les vallons embrumés. De là, Hazel distingua de grandes

entailles profondes pareilles à des blessures déchique-
tées d'où s'échappaient des volutes de fumée. Des hordes
d'êtres bizarres s'étaient à présent assemblés sur les sommets environnants et perchés sur des tumulus écroulés
afin d'assister au spectacle. Les percussions émettaient un
vacarme incessant.

Les prêtresses conduisirent trois chèvres, moutons et taureaux blancs jusqu'aux pierres et les attachèrent à un arbre de
mai qui s'élevait au milieu du tertre. Les religieux qui avaient
porté le palanquin placèrent de petits coffres au pied de
chaque monolithe. Dame Rascha descendit sa pupille de son
cheval. Une fois encore, une prêtresse enduisit son front
d'huile.

Ayama sundiri un yvas don Embe thùl embrazza.

La liturgie se répéta avec Violet, Isabel et même l'Araignée. Quand Hob emmena la monture de Hazel, il effleura
sa main, la serra brièvement. Puis il disparut, de même que
Rascha, Sigga et tout le monde pour gagner une éminence
à quelque cinquante mètres de distance, sur laquelle poussaient des ifs. Seules les quatre Faeregine restèrent près du
sanctuaire.

— Venez ! croassa l'impératrice en agrippant son
sceptre.

Les trois sœurs se prirent par la main et la suivirent à
l'intérieur du cercle. Le soleil inondait leurs visages. Quand
elles franchirent la lisière des pierres, Hazel capta la présence d'une énergie ténue. Elle eut le sentiment de se tenir
entre neuf diapasons qui vibraient chacun sur une fréquence
différente. Elle avait vécu ça avec les mégalithes de Tùr an
Ghrian, mais la sensation ici était plus forte. L'Araignée

désigna tour à tour chaque menhir, et des runes oghamiques se dessinèrent sur le granit.

— Neuf pierres, dit-elle. L'espace qui les sépare donne accès à autant de royaumes différents au sein du Sidh. Uniquement les jours saints et avec l'aide de Talysin. Nomme les huit royaumes, ordonna-t-elle ensuite à Violet.

La malheureuse frissonnait dans le vent. Elle écrasait les doigts d'Isabel, ses yeux gonflés étaient rouges comme des cerises.

— Fionnachaidh, Bodb, Bri Leith, Airceltrai, Eas Aedha Ruiadh, Meadha, Brugh Na Boinne et Rodrubân, récita-t-elle lentement.

— Lequel recevra-t-il nos offrandes ? demanda l'impératrice à Isabel.

Cette dernière montra l'espace tourné à l'Est.

— Rodrubân, dit-elle.

— Pourquoi ?

— C'est là que vit l'Ard Rí, le Haut-Roi.

— Exact. Sachez cependant que les dieux ne se déplacent pas pour les babioles que nous déposons sur leur seuil. Si nous avons de la chance, le Haut-Roi enverra une guerrière nous donner Sa bénédiction.

La souveraine finit par s'adresser à la dernière de ses petites-filles.

— Prononce l'invocation qui convoque Talysin.

Hazel tenta de déglutir, mais elle avait la gorge trop sèche. Plus aucune des créatures surnaturelles ne tambourinait ni n'observait la scène depuis les clairières ou les collines. Elles s'étaient volatilisées, de même que les fées. Agrippant la main d'Isabel, Hazel parla doucement dans le vent :

— Talysin le Doré, Jeteur de sorts, jumeau de l'Annonciatrice du gel et du Voleur de lune, une Faeregine t'implore en ce jour de la Saint-Jean. Ouvre le Portail pour que nous puissions rendre hommage à ceux qui se trouvent au-delà.

L'île trembla.

CHAPITRE 9

LE BOUISSIER, LE BARBIER, LE BLADIER

Il n'est pire crime que la trahison,
car c'est le plus intime de tous.

Elias Bram, mage
(420 av. C. – 1 apr. C.)

La première secousse déstabilisa Hob ; la seconde faillit le faire tomber. Il se raccrocha en tanguant à une branche d'if. Tout le coteau ondulait, comme si une immense entité se déplaçait dessous. Le sol se fendit comme les coutures d'un vêtement, explosant même en plusieurs endroits simultanément. Des éclats dorés surgirent çà et là avant de disparaître aussitôt sous des nuages de vapeur. Entre les bêlements des animaux, les piaillements des oiseaux et les cris des gens rassemblés dans le bosquet, ce fut une véritable cacophonie, qui n'était rien cependant en comparaison du vacarme de la terre qui se déchirait. Hypnotisé, Hob remarqua une rangée d'arbres malingres et nus qui se déplaçaient. Non seulement ils glissaient sans effort sur la roche, mais ils escaladaient la colline. C'était ahurissant.

Ce ne sont pas des arbres !

Ce qu'il avait pris pour de jeunes bouleaux étaient les épines dorsales qui saillaient sur le dos d'un monstre d'une taille qui dépassait l'entendement. Le petit bois où lui-même se trouvait était épargné par les glissements de terrain ; pareil pour le cercle de menhirs. En revanche, partout ailleurs, terre, rochers et végétation se soulevaient comme une couverture dont Talysin se serait dépouillé en émergeant de son sommeil. Le vent chassa le halo de poussière et de vapeur, dévoilant ce qui ressemblait à une rivière d'or en fusion aux multiples méandres. Elle sinua sur une pente avant d'être engloutie au fond d'une vallée, puis resurgit de l'autre côté, soutenue par des pattes de lézard qui saillaient sur ses flancs tous les cent mètres environ. Le dragon était tellement colossal que le garçon n'avait pas encore aperçu sa tête.

Une ombre dissimula le soleil.

Se tordant le cou, Hob distingua à travers le feuillage une gueule triangulaire et un ventre cuivré qui passaient en douceur au-dessus des cimes. Il se tapit sur lui-même, incapable de détourner les yeux de la vouivre qui s'approchait des pierres levées.

Quand il atteignit le sanctuaire, l'animal légendaire se redressa et regarda en se balançant les quatre silhouettes qui s'y tenaient. Sur fond de ciel, sa tête énorme avait des allures de monument en or martelé. Allongée, étroite, elle était dotée de barbillons étincelants qui inspectaient les environs en se tortillant. La mâchoire inférieure évoquait celle d'un crocodile, la supérieure se terminait sur un bec crochu semblable à celui d'un rapace. Six prunelles rondes et blanches comme des perles fixaient les Faeregine.

Ces dernières ne s'enfuirent pas. Elles restèrent figées au milieu des monolithes, dans les bourrasques qui faisaient claquer leurs robes. Hob voyait distinctement Hazel, nuque courbée et mains croisées dans le dos. Respectueuse mais digne et calme. Un rire nerveux faillit s'emparer de lui.

Et il y en a encore pour s'étonner que les Faeregine règnent sur le monde !

Une langue noire sinua jusqu'à l'un des taureaux autour duquel elle s'entoura. Elle l'arracha au mât de mai comme on cueille une violette. La bête mugissante fut engloutie. Gobée, sans être mâchée. Les autres animaux suivirent le même chemin en une minute, le monstre ne faisant qu'une bouchée des trois moutons affolés.

L'une après l'autre, les princesses s'approchèrent de l'arbre où les laisses des sacrifiés pendaient désormais, telles les cordes d'un gibet. Talysin se baissa et inspecta chaque jeune fille de ses gigantesques yeux vides. Comment réussissaient-elles à tolérer cette proximité ? Hob, qui se trouvait à cinquante mètres, à l'abri de gros troncs, était pratiquement paralysé d'effroi.

Le dragon s'attarda sur Hazel plus que sur Violet et Isabel. Il oscillait d'avant en arrière, tel un cobra d'Ana-Fehdra. Une crête hérissée courait sur l'arrière et les côtés de son crâne, comme s'il s'apprêtait à frapper. L'albinos évitait soigneusement de croiser son regard, gardant le sien rivé sur le sol.

Elle et ses sœurs finirent par reculer, et la voix de l'impératrice domina les hurlements du vent dans les arbres. L'Araignée s'époumonait en montrant de son sceptre un espace entre les pierres. Se retournant, Talysin plongea et rugit.

Le fracas fut assourdissant. Hob se boucha les oreilles et se jeta par terre, tandis que des ondes de chaleur brûlante déferlaient. La bête crachait un geyser de feu vert et or sur l'endroit indiqué. Les flammes s'évasèrent, comme si elles heurtaient une barrière solide ; les environs se mirent à rougeoyer comme du verre en fusion. Les Faeregine avaient beau s'être écartées, leurs couronnes en bois fumaient. Il y eut un ultime éclair accompagné d'un coup de tonnerre qui ébranla le garçon jusque dans la moelle de ses os.

Le nez dans l'herbe, haletant, il attendit que le bruit s'estompe. Une brise merveilleusement fraîche et porteuse d'un parfum de pluie l'enveloppa. Relevant la tête, il se risqua à regarder en direction des menhirs.

Il découvrit un autre monde.

Les monolithes encadraient un paysage crépusculaire de forêts montueuses écrasées par des nuages gris. Des tours blanches où scintillaient des lumières jaillissaient de la végétation. Le ruban d'une route sinuait jusqu'au Portail.

Roulant sur le dos, Hob s'efforça de reprendre ses esprits. Il aurait préféré de loin être au pays, à boire du cidre chez la mère Howell et à ignorer Bleuet quémandant des piécettes. À Brune, ses soucis avaient été de régler le loyer et de nourrir correctement Anja, de surveiller la météo et de rester à l'affût des pilleurs. La vie avait été dure mais simple.

Alors que là… Un dragon – *un dragon !* – se tenait à cinquante mètres de lui, et ce n'était même pas le plus extraordinaire ! L'accès au Sidh s'était ouvert, une pluie odoriférante tombait sur une dimension parallèle.

Pour les Faeregine – pour la souveraine du moins –, il s'agissait d'une obligation annuelle. D'un travail. Il entendit l'Araignée aboyer des ordres à ses petites-filles. Ces dernières apportèrent l'un des coffres, visiblement très lourd. Violet en souleva le couvercle et en tira ce que le garçon prit d'abord pour un renardeau au poil roux et à la queue effilée. D'étranges reflets métalliques luisaient sur son dos. Hob plissa les paupières mais il était trop éloigné et la créature trop petite pour qu'il l'identifie.

On tapota son épaule. Sigga lui tendit une lunette. Il s'en empara. Il se rendit compte alors que l'animal tenait moins du renard que de la loutre, avec ses piques dorsales aux extrémités argentées et ses griffes recourbées que Violet s'acharnait à détacher de sa robe.

— C'est un lymrill ? marmonna le garçon à haute voix.

S'il en avait entendu parler, il n'en n'avait jamais vu. Au printemps et à l'été, des trappeurs traversaient Brune, en route pour les traquer dans les hautes Sentinelles. Ces créatures étaient considérées comme sacrées, leur chasse était illégale, ce qui ne dissuadait en rien les braconniers. On disait que leurs piquants et leurs ongles permettaient de fabriquer des armures et des armes incassables. Au marché noir, une peau était susceptible de se vendre aussi cher qu'un sceau lirlandais.

Ce n'était pas un lymrill, mais six que renfermait le coffre. L'impératrice en tenait un, Violet et Isabel deux chacune, et Hazel serrait le dernier contre sa poitrine, pelage fauve et griffes cuivrées. Elles calmaient les animaux en caressant leurs collerettes. Pendant ce temps, Talysin planait au-dessus d'elles, ses prunelles fantomatiques fixées sur le Portail.

Le vent poussait la pluie vers le monde des mortels en rafales violentes, l'averse se transformait en tempête. Le dragon émit un grondement guttural. Un avertissement.

Quelque chose arrivait.

Dans sa longue-vue, Hob distingua la haute silhouette d'un humain, si étincelant cependant qu'il était impossible d'en discerner les détails, à part qu'il portait un long bâton de sorcier. Il brillait comme une étoile dans le jour finissant.

Quand elle l'aperçut, l'impératrice poussa un cri et s'effondra. Violet et Isabel ne bronchèrent pas, fixant le nouveau venu comme si la course du temps s'était figée. Se libérant de leur emprise, les lymrills coururent vers l'être éclatant comme autant de chatons enthousiastes. Autour de Hob, dans le bois, tous les témoins s'étaient pétrifiés. Ils assistaient à un événement énorme. Un événement que même les prêtres n'avaient pas prévu. Le garçon reporta son attention sur le cercle de pierres.

Est-ce un dieu ?

Le reste du corps de Talysin continuait de remonter lentement le coteau, s'enroulant comme celui d'une vipère sur le point d'attaquer. Le dragon montra les crocs, et une salive aussi brûlante que de la lave dégoulina sur l'arbre de mai, qui s'embrasa aussitôt. Le monstre émit un nouveau grognement. Derrière Hob, Sigga marmonnait une prière dans la langue rugueuse du Grizland.

— Baisse-toi, loupiote ! cria Dame Rascha à Hazel. Ne le regarde pas !

La princesse sembla ne pas l'entendre. Comme une somnambule, elle s'approcha de l'accès au Sidh. Elle retira sa couronne, la laissa rouler à terre. Le Portail était à présent battu par la pluie et inondé de lumière. Talysin oscillait derrière l'albinos, qui s'arrêta à la lisière du seuil, à seulement quelques pas de la silhouette scintillante. Hob s'était trompé. Cette dernière ne portait pas un bâton, mais un javelot noir auréolé de flammes blanches. Radieuse comme le soleil, l'arme dominait Hazel de toute sa hauteur. La jeune fille s'inclina avant de lever un bras, soit pour saluer l'apparition, soit pour l'empêcher d'avancer. L'envoyé du Sidh tendit la main, comme s'il voulait toucher celle de Hazel. Aux pieds de celle-ci, l'herbe commença à se consumer.

Lorsque les doigts de la créature auréolée de lumière franchirent la frontière, du sang noir en coula, à croire qu'une blessure venait brusquement de s'ouvrir. Immédiatement, il replia son bras et recula de deux enjambées. Au même instant, Talysin rugit, et le Portail de l'Au-delà disparut.

Hazel tituba en arrière. Se retournant, elle plongea ses yeux droit dans ceux du dragon.

Alors, elle se mit à hurler.

Hob n'avait rien entendu de tel et il ne voulait plus jamais rien entendre de tel. C'était un cri à la fois rauque et haut perché, l'expression d'une terreur pure mêlée à une douleur intenable. Le garçon eut l'impression que Son Altesse l'appelait à l'aide, qu'elle le suppliait d'interrompre son calvaire.

Il ne se rendit compte qu'à mi-chemin qu'il se ruait vers elle. Talysin, immense et menaçant, ne le vit pas approcher, car toute son attention était fixée sur Hazel. Il se balançait au-dessus d'elle, la gueule ouverte comme celle d'un loup qui salive. Ses barbillons frappaient l'air autour du visage levé vers lui, tel des fouets de cocher.

Hob jeta la princesse à terre et plaqua son corps sur le sien. Vif comme un chat, le dragon l'écarta, et il atterrit à quinze pas de là, immédiatement cloué au sol par une patte griffue plus grosse que lui.

Hors d'haleine, il contempla le monstre, dont la tête oscillait à trente mètres de hauteur. La serre avait déchiré sa chemise et éraflé sa peau, rien de plus. Un tigre qui aurait joué avec un papillon sans lui faire de mal. Mais la bête fantastique s'inclinait vers lui à présent, toutes dents dehors, la bave aux lèvres. Six yeux aussi ronds et froids qu'une lune d'hiver étaient vrillés sur lui et le paralysaient. Son esprit s'ouvrit comme une boîte casse-tête...

Un pâle rayon de lumière traversait une fenêtre, le vent gémissait dans la cheminée. Un géant rouge inspecta la cage et porta deux doigts à sa bouche. Un autre lui fit signe depuis la porte. C'était M. Burke, mais réduit à l'état de cadavre ricanant grouillant d'asticots. Les deux géants s'éclipsèrent. Dans un coin, une femelle grizzly était assise dans une bassine d'eau bouillante. Elle souffrait. Le renard ne supporta pas de l'entendre sangloter. S'élançant de sa cage à claire-voie, pareil à un flash blanc argenté, il bondit sur le sol et se précipita dehors. Il fila dans les forêts et les prairies, se régala d'un nid de souris glapissantes. De la neige fondue recouvrait le paysage. Les bêtes se réveillaient de leur hibernation. Une ombre accompagnait sa course, ses ailes emplumées pareilles à des linceuls en lambeaux. Elle descendait, devenait aussi grosse que le monde. Le renard rusé fila dans une aulnaie et revint sur ses pas au milieu d'un torrent. Malheureusement, l'eau était trop froide pour son cœur chaud de renard, et le courant trop rapide pour ses pattes à coussinets de renard. Il se transforma en saumon tacheté, rouge et vert, aux yeux couleur d'ambre. Il remonta le cours d'eau en petits bonds épuisants. Une chose passa à toute vitesse, luisante, tentante. Il la happa et sentit la morsure d'un hameçon. On le hissa par à-coups, il se débattit, se tortilla. Mais la ligne était résistante, et le pêcheur habile. Le poisson était éreinté. L'eau froide clapotait sur ses belles écailles. Une ultime traction l'amena sur une berge caillouteuse. Il huma le feu de bois de l'homme. Toutefois, ce n'était pas un saumon qu'avait attrapé le malheureux pêcheur. C'était un loup des montagnes, sauvage comme une tempête qui ravage les sommets des Sentinelles...

— Il revient à lui, dit une voix lointaine.

— Mettez ça sous son nez, répondit une autre, bourrue, étrangère.

Des bouffées âcres envahirent le cerveau de Hob, réduisant en cendres la brume qui l'obscurcissait. Il battit des jambes, agrippa des poignées en bois. Soulevant les paupières, il découvrit les yeux inquisiteurs de Sigga.

— Vous m'entendez ? lui demanda-t-elle.

Il acquiesça et tenta de s'asseoir. Un bandage enserrait son torse. La Grizlandaise l'obligea à se recoucher sur le travois.

— Restez tranquille. Le temps de vous ressaisir.

Une paume rugueuse comme du papier de verre caressa ses cheveux. Des ongles pointus pincèrent sa joue avec affection.

— Vous êtes un idiot, grommela Dame Rascha. Un idiot courageux. Je n'oublierai pas ce que vous avez fait pour mon Hazel.

— Où est-elle ? souffla-t-il.

— Elle dort, répondit Sigga avec un geste du pouce par-dessus son épaule.

Il opina de nouveau. Ses yeux balayèrent les alentours. Il se trouvait sous une tente. Une lumière jaune dansait sur la toile, et la fumée d'un feu pétillant s'échappait en volutes par un trou du toit. Une bouilloire se mit à siffler.

— Que s'est-il passé ? croassa-t-il.

— Talysin vous tenait tous les deux, dit Sigga. Nous n'avons pas osé approcher, de peur qu'il vous écrase. Soudain, il vous a lâchés. J'ignore pourquoi. Il est parti, tout simplement, en direction de la mer. Il a disparu.

— Vous avez sauvé la vie de Son Altesse, intervint la luperca. Elle courait un grand danger, quand vous avez rompu le lien qui l'unissait à Talysin.

— Elle n'a rien ?

Dame Rascha poussa un gros soupir.

— Croiser le regard d'un dragon est périlleux. Aucun mortel n'en ressort indemne. Elle aura changé. Vous aussi.

Hob digéra ces paroles. D'une certaine façon, il avait l'impression que c'était déjà le cas, comme si un brouillard s'était dissipé. Le rêve dont il venait de se réveiller était le plus étrange et le plus vivace qu'il ait jamais fait. Se redressant sur ses coudes, il inspecta son pansement.

— Ce n'est qu'une égratignure, le rassura Sigga. Une bonne histoire à raconter à vos petits-enfants.

— Les autres Faeregine vont bien ?

— Oui, dit la louve. Elles sont restées là-haut. L'impératrice veillera trois jours et priera devant chaque pierre.

— L'accès sera-t-il rouvert ?

— Non. Pas après ce qui s'est produit. De toute façon, Talysin s'en est allé.

— Qui était-ce, dans le Sidh ? La personne brillante au javelot ?

— Parce que c'est ce que vous avez vu ? répliqua Sigga, intriguée. Moi, j'ai cru apercevoir un chien-loup.

— Et moi, lâcha Rascha, un jeune homme. Les divinités nous apparaissent sous la forme qui leur convient.

— Ainsi, murmura Hob, c'était un dieu.

La luperca hocha la tête avec gravité.

— Oui. Le Chien de Rowan en personne, même s'il a renoncé à ce nom depuis longtemps. Il est Ard Rí, désormais. Le Haut-Roi.

— Pourquoi tout le monde a-t-il été aussi effrayé, alors ? Le Chien a vaincu Astaroth. Un temple lui est dédié, à Brune. Je ne comprends pas. Est-il devenu maléfique ?

— Non. Nous honorons Ard Rí et les dieux antiques du Sidh. Toutefois, ils n'ont pas leur place dans notre monde. L'acte le plus vénérable du Chien n'a pas été de battre Astaroth, mais de quitter ce royaume avant d'en devenir le maître. Sans sa blessure à la main, il aurait pu revenir, tout à l'heure. Heureusement, Talysin a refermé le Portail. Le Haut-Roi était beaucoup trop proche de Son Altesse.

Son Altesse.

Lentement, Hob se mit debout. Il tangua sur ses pieds, et des taches papillonnèrent devant ses yeux mais, à part ça, il n'avait rien de cassé. Sa chemise traînait sur un coffre. Il l'enfila. On l'avait nettoyée de son sang, quand bien même une auréole subsistait. Il se tourna afin de contempler Hazel.

Elle était couchée sur un drap de soie dissimulant une paillasse, un bras allongé et l'autre refermé autour de Merlin, assoupi sur sa poitrine. Sa respiration était heurtée, son visage et ses membres luisaient de transpiration. Hob consulta Dame Rascha du regard.

— Puis-je m'approcher ?

Le lycanthrope hocha la tête.

Il s'agenouilla près de la couche. Si l'homoncule frémit, la princesse ne broncha pas. Sous ses paupières peintes de henné, ses yeux s'agitaient dans tous les sens. Soudain, elle fronça les sourcils et gémit. Anja faisait pareil quand elle était tourmentée par de mauvais rêves. Sans réfléchir, Hob posa sa main sur celle, chaude et moite, de la jeune fille. Comme un bébé, elle referma ses doigts sur les siens. Leur pression était extrêmement faible, mais ce contact trahissait le besoin désespéré d'un lien rassurant.

— Elle est brûlante, murmura-t-il. Cette flambée est-elle vraiment nécessaire ?

— Oui, dit Rascha. La chaleur brise la fièvre du dragon. Il faut que sa température monte avant de pouvoir baisser.

— Ça va prendre longtemps ?

— Je ne sais pas. Mina IV a dormi pendant huit jours, après sa rencontre avec Hati.

— Pourquoi ses sœurs n'ont-elles pas été contaminées ?

— Les dragons influencent la magie comme la lune les marées. Ils ouvrent les vannes aux eaux de la mystique, à des réservoirs parfois insoupçonnés. Celles de Son Altesse sont très profondes.

Hazel plissa le front, et un souffle ténu s'échappa de sa bouche, porteur d'un mot que Hob ne parvint pas à saisir.

— Elle essaie de dire quelque chose.

La luperca et le garde du corps le rejoignirent. La première épongea le visage de sa pupille.

— M'entendez-vous, Votre Altesse ? C'est votre Rascha.

L'albinos opina très légèrement. Elle émit un nouveau son et, cette fois, Hob comprit.

— *Partie.*

— Qu'est-ce qui est parti, ma loupiote ?

Il y eut un silence. Les paupières frissonnèrent. La réponse fut un soupir mélancolique.

— *Magie.*

— Non, la rassura tendrement Rascha. Non, petite. Vous êtes juste en proie à la fièvre du dragon. Ça va s'arranger.

Le ton de la louve était sincère, mais Hob y capta l'angoisse et le doute. Elle exprimait son espoir, pas sa certitude. La mystique était peut-être comme un feu qui, trop brûlant, s'éteint de lui-même. Hazel bougea un peu et pressa les doigts du garçon, encore plus faiblement qu'avant.

— *Ne tirez pas un trait sur moi, monsieur Smythe.*

La gorge de Hob se serra. Cette fille était remarquable. Il n'avait encore croisé personne d'aussi remarquable. Il l'avait sous-estimée à tous points de vue. Il tapota sa main.

— Ni aujourd'hui, ni demain. Pas pour tout l'or d'Impyrium, chuchota-t-il.

L'ombre d'un sourire se dessina sur les lèvres de la malade, dont les traits se détendirent. Elle sombra dans l'inconscience, se remit à respirer de manière saccadée. Doucement, Hob plaça la main inerte sur Merlin.

— J'ai besoin d'air, annonça-t-il. Puis-je sortir ?

— Si vous vous sentez assez bien pour ça, oui, acquiesça Sigga.

Il se glissa dehors. La constellation du Cygne brillait dans le ciel nocturne. Le pavillon de Son Altesse avait été monté en retrait de la grève, sur un promontoire à l'écart du camp principal. Hob percevait cependant le bruit du ressac et distinguait sans peine les lueurs d'une dizaine de feux. Six hommes montaient la garde devant la tente. Il les salua, reconnaissant au passage le capitaine de la chambre forte. À sa grande surprise, l'officier s'inclina. Assis sur une souche au-delà du cercle de lumière prodigué par les torches, Viktor taillait un bout de bois, qu'il jeta en voyant son ami. Il parut sur le point de rire et de pleurer en même temps.

— Voici donc Hob le Pourfendeur de dragon ?

L'interpellé réussit à sourire.

— J'ai plutôt l'impression d'être Hob le Pourfendu. Qu'est-ce que tu fiches ici ?

— Je voulais prendre de tes nouvelles.

Le blondinet le scruta.

— Tu es sûr que ça va ?

— Bien sûr. La réputation de Talysin est usurpée.

Viktor perdit de son entrain.

— Tu parles ! J'ai failli me faire dessus comme Dante quand je l'ai entendu rugir. Il paraît que tu as foncé droit dessus.

— Peut-être. Je ne me rappelle plus.

Son colocataire consulta sa montre à gousset et marmonna un juron.

— Qu'y a-t-il ?

— Oliveiro m'a envoyé chercher du bois il y a une heure. Tu ne me filerais pas un coup de main ?

— Je te suis, répondit Hob, à qui une balade à la fraîche ne déplaisait pas.

Tous deux s'éloignèrent sur la plage, évitant le village de tentes. La plupart des gens dormaient, mais des soldats et des marins s'amusaient bruyamment autour d'un des plus gros brasiers. La pleine lune étincelait sur la mer calme. Viktor tendit le doigt en direction d'un bouquet d'arbres qui poussaient sur une dune.

— Il y a un ancien campement, dit-il, et du bois sec. On n'aura qu'à l'entasser sur une bâche et le tirer le long du sentier.

Hob acquiesça avec un marmonnement. Si quelqu'un était le mieux à même de repérer la façon la moins fatigante d'exécuter une corvée, c'était bien son ami. Il était passé maître dans l'art de s'économiser.

Quittant le sable, ils suivirent un chemin étroit jusqu'aux résineux sombres et parfumés. Ils s'enfoncèrent dans le boqueteau, éclairés par la lanterne de Viktor. Hob finit par distinguer une clairière délimitée par des troncs couchés en cercle, sur lesquels étaient assises trois silhouettes. La lueur de la lune éclaira un visage familier.

— Bonne nuit de la Saint-Jean, lança M. Burke.

Hob s'arrêta net avant de jeter un coup d'œil incrédule à son voisin de chambre.

— Tu trempes là-dedans ?

Viktor eut l'air presque penaud.

— S'il te plaît, ne le prends pas mal. Il valait mieux que tu ne sois pas au courant.

Surmontant son choc, Hob s'adressa à M. Burke :

— Que fichez-vous ici ?

— Viens t'asseoir. Viktor ? Surveille les parages.

Hob s'approcha, découvrant au fur et à mesure les compagnons de son mentor. Il y avait là Mme Marlowe, en robe noire, le dos bien droit, plus raide et convenable que jamais. Elle aurait pu tout aussi bien être en train de servir le thé dans son bureau de la Confrérie. Le troisième personnage, un grand costaud d'âge mûr aux épais sourcils noirs, lui était inconnu. Pourtant, sa tête lui disait quelque chose. Où l'avait-il vu ?

M. Burke se leva pour lui donner l'accolade.

— Tu ressembles de plus en plus à Ulrich à chaque jour qui passe. Il serait fier de ce que tu as fait. Et de ce que tu vas faire.

— C'est-à-dire ?

Toute gaieté déserta le regard de l'homme.

— Sauver le monde d'une nouvelle Faucheuse, répondit-il d'une voix extrêmement sérieuse.

— Mais vous m'avez affirmé qu'elle ne l'était pas ! Que nous pouvions l'aider, qu'elle serait utile à la Confrérie !

— Je suis désolé. Nos savants se sont trompés. Hazel Faeregine doit mourir. Ce soir.

Hob fixa le second homme.

— Et voici votre meurtrier, j'imagine ?

L'intéressé rigola, comme si ces mots étaient une plaisanterie inattendue et pitoyable. Les sarcasmes de Dante Hyde, le soir du Bal de mai, revinrent à la mémoire de Hob. « Celui chargé d'assassiner ta petite amie, d'après mon père. Il semble qu'il soit déjà en place. » Il ferma les yeux, secoua la tête. Quel imbécile il avait été ! C'était pourtant d'une telle évidence.

Ses pires craintes furent aussitôt confirmées.

— Non, murmura M. Burke. C'est à toi qu'il revient de frapper. C'est toi qui as gagné leur confiance. Toi seul peux entrer sous la tente sans être fouillé.

Le garçon le foudroya des yeux.

— C'était entendu depuis le début, hein ?

L'autre ne répondit pas. Ce n'était pas la peine.

— Je croyais qu'on pouvait compter sur lui ? lança le costaud.

— Patience, temporisa Mme Marlowe. Son Altesse est son amie. Respectons cela. Donnez-lui un moment, et il comprendra que c'est inévitable. Nous devons profiter de la faiblesse actuelle de la princesse pour l'éliminer. Si nous échouons, une deuxième Faucheuse sera libre de ravager la planète.

— Elle n'est *pas* La Faucheuse, décréta Hob avec conviction.

La mâchoire de M. Burke se crispa.

— Tu as vu comment Talysin a réagi à sa présence. Quand elle s'est postée devant le Portail du Sidh, le Haut-Roi en personne est venu chercher les offrandes. À l'heure où nous parlons, elle est victime d'une fièvre du dragon. Comme Arianna Faeregine. Quand cette dernière s'est réveillée, l'innocente enfant avait disparu, la terreur n'avait plus qu'à commencer. La Hazel que tu connais est morte.

— Elle a perdu ses dons ! Elle l'a dit.

— Bêtises ! Elle est en pleine mutation. Elle se métamorphose. Sa magie ne s'est pas envolée, elle monte en puissance, au contraire. Nous sommes dans l'œil du cyclone. La véritable tempête est à venir.

Hob s'imagina Hazel sur sa couche, fiévreuse, le souffle court, ses yeux erratiques sous leurs paupières. Il était en train de se produire quelque chose en elle, c'était indéniable.

— Tu sais que j'ai raison, reprit M. Burke d'un ton radouci. L'occasion ne se représentera pas. Nous devons frapper maintenant.

— Et comment ! approuva le grand type.

Hob s'intéressa de nouveau à lui. Il ne l'avait pas identifié parce qu'il avait rasé sa moustache, mais voici qu'il reconnaissait ces traits, ces prunelles éplorées de chien. Il l'avait contemplé à maintes reprises, sur la photographie de la table de nuit de Marcus, à l'infirmerie. Le portrait d'un héros, de celui qui s'était sacrifié en tentant de donner quelques secondes de répit au soldat Finch et à Lord Faeregine.

— Vous êtes Beecher.

Le sergent sourit, et l'adolescent comprit comment ce large visage banal avait pu séduire un jeune gars comme Marcus Finch. Il émanait de lui une solidité rassurante. Sauf que Hob, lui, ne s'y trompait pas. Cet homme était un tueur, et pas uniquement par nécessité : il *aimait* ça.

— Appelle-moi donc bouissier. Burke est notre barbier, et Mme Marlowe le bladier. Et toi, tu es notre marionnette.

— Vous êtes censé être mort.

— Pourtant, je suis là. Et toi aussi. Alors, profitons-en pour nous amuser.

Hob se tourna vivement vers M. Burke.

— C'est vous qui avez saboté les sceaux. Vous qui avez introduit le magivore dans la chambre forte.

— Pas personnellement. À l'époque, j'étais dans les Sentinelles, si tu te souviens bien. Mais oui, nous sommes à l'origine de cette action. Elle n'a pas entièrement réussi, mais ce soir est une aubaine. Nous avons consacré des années à disposer nos pions de façon stratégique. Maintenant, tu vas gagner la partie pour nous.

— Quelle partie ? Des milliers de gens ont péri à cause des sceaux que vous avez désactivés ! J'ai eu droit au spectacle de leurs cadavres, en venant ici. Et vous, Beecher, avez-vous vu ce qu'il reste du visage de Finch ? Qui continue de vous idolâtrer ?

— Toute guerre a ses victimes collatérales, soupira M. Burke. Ce sont les mehrùns qui ont commencé, pas nous. Ce sont eux qui ont le sang de ces innocents sur les mains. Un jour, tu m'as dit que tu voulais être utile au monde. Eh bien, ça y est, tu tiens ta chance.

— Je ne tirerai pas sur mon amie ! s'exclama Hob, les mains tremblantes.

— Réfléchissez deux secondes, jeune homme, intervint Mme Marlowe. Si une simple balle suffisait à éliminer Hazel Faeregine, elle serait morte, à l'heure qu'il est. Malheureusement, elle est bien trop puissante pour qu'on se contente de recourir à des mesures ordinaires. Cette mission exige proximité et confiance. Ainsi qu'une arme à la hauteur de la tâche.

De sous son châle, elle tira un ballot de tissu. Hob devina ce qu'il renfermait avant même qu'elle le défasse.

Bragha Rùn.

Il fixa l'épée dont il avait manié le double lors de son duel contre Dante Hyde. Pas un instant il ne douta que celle-ci soit l'original. Il en identifia le moindre détail, du pommeau en tête de dragon à la lame aiguisée comme un rasoir. À la lumière de la lune, le métal rouge sang paraissait noir.

— Une arme unique pour une occasion unique, ronronna Mme Marlowe.

— En plein cœur, mon garçon, renchérit M. Burke en assenant un coup sec sur la poitrine de Hob. Elle ne souffrira pas. Elle ne se rendra compte de rien. Non seulement tu vas sauver Impyrium d'un tyran, mais tu vas éviter un destin tragique à la princesse. Grâce à toi, ton amie ne sera jamais le monstre qu'elle était vouée à devenir.

Dans sa bouche, le mot « monstre » prenait une résonance particulière. Il raviva aussi un vague souvenir dans la mémoire de Hob. Celui d'une conversation datant d'avant le pèlerinage, d'une discussion à propos de créatures monstrueuses...

Il se secoua pour échapper à sa stupeur, tenta de s'éclaircir les idées. Il contempla le trio. Ces gens étaient fous. Ils parlaient calmement d'assassiner une enfant. Et puis, ils oubliaient un obstacle de taille.

— Et Sigga Fenn ?

— Ne vous inquiétez pas, répondit Mme Marlowe. Quand vous réintégrerez la tente, une explosion se produira près des pierres levées. Le premier devoir de la Division Écarlate est d'assurer la protection de la Divine Impératrice. Ses membres n'obéissent pas seulement à des règles ; ils sont liés par des serments magiques inviolables. La sécurité de la souveraine l'emporte sur tout le reste. Quand la déflagration aura lieu, Sigga Fenn sera obligée d'accomplir sa tâche. Ça vous laissera un laps de temps. Pas énorme, mais suffisant, à condition que vous soyez rapide et discret. Votre devoir accompli, regagnez la plage et dirigez-vous vers l'ouest. Personne ne vous remarquera, dans la pagaille ambiante. À un peu plus d'un kilomètre d'ici, vous tomberez sur des grottes naturelles, au pied des falaises. Nous vous y attendrons.

M. Burke posa une paume sur l'épaule de Hob.

— Nous atteindrons Malakos à l'aube. D'ici une semaine, Hobson Smythe n'existera plus. Tu auras une nouvelle identité, une nouvelle vie. Mieux, l'avenir de tes semblables muirs sera plus radieux. Quand les choses se tasseront, nous passerons à la prochaine étape des opérations.

Hob secoua la tête.

— Dame Rascha me sautera à la gorge dès qu'elle me verra dégainer l'épée. Sans parler des gardes.

— Le sergent Beecher s'occupera d'eux. Toi, tu dois juste retourner au pavillon, attendre la manœuvre de diversion et faire ton travail.

— Arrêtez d'employer ce mot ! gronda l'adolescent. Ce n'est pas un travail, c'est un meurtre !

— Appelle-ça comme tu veux, du moment que tu l'exécutes.

De nouveau, Hob dévisagea le trio.

— Je ne tuerai personne, encore moins mon amie. Je défends les droits des muirs, mais pas comme ça ! C'est dingue. Vous êtes dingues !

— On dirait son père, grommela Beecher.

— Quoi ?

— Un type capable, ricana l'autre, mais trop scrupuleux et têtu. Il a cru pouvoir finasser et agir à sa guise au lieu d'obéir aux ordres. Il avait l'air moins finaud, quand il a dégringolé au fond du Saut-du-Chien.

— Taisez-vous ! le rabroua M. Burke. Vous ne nous aidez pas, là.

— On perd notre temps, répliqua le sergent avec un haussement d'épaules. Prononcez les paroles d'amorce, et finissons-en.

— Je préférerais un autre moyen. Une fois le mécanisme enclenché, la psychnose commencera à s'éroder. Nous n'avons plus Jakob sous la main pour la réactiver, le gamin nous deviendra inutile.

— Il l'est déjà.

— Je nourris des projets plus ambitieux pour lui, objecta M. Burke, avant de s'adresser à Hob d'une voix implorante : Obéis, mon garçon. Ne m'oblige pas à t'y contraindre.

Hob l'entendit à peine. Le nom de Jakob avait provoqué un nouveau tumulte dans son inconscient. Ses souvenirs remontaient lentement à la surface, comme les cadavres des matelots s'étaient arrachés aux abysses marins. Une image traversa son esprit – le bureau de Mme Marlowe, un homme en toge brune assis sur un canapé…

— Qu'est-ce qui lui prend, maintenant ? grogna Beecher.

— Aucune idée. Hob ?

M. Burke claqua des doigts. Le jeune homme le regarda avec hébétude. Qu'est-ce que la Confrérie lui avait fait ? Il devinait qu'il n'était pas en mesure de se sauver ni d'appeler au secours. Sa seule marge de manœuvre était de résister.

— Non, murmura-t-il.

Son mentor arracha un dossier des mains de Mme Marlowe. Il en éclaira le contenu avec une lanterne sourde. Baissant les yeux, Hob découvrit un cliché de lui-même debout près du corps sans vie du golem. D'autres photographies le montraient sur le site archéologique, au quartier général de la Confrérie, en train de rire avec Badu. Il y avait également des copies de tous les rapports qu'il avait rédigés de sa propre main. Le dernier élément de ce chantage était une autre image. Quand il la vit, il faillit gémir.

Sa mère et Anja pêchaient dans un ruisseau, juste à côté de la palissade défendant Brune. Il connaissait bien l'endroit. Sa sœur était assise sur les genoux de leur mère et tenait la canne offerte par son frère tout en observant l'eau avec un espoir teinté d'impatience. Leur mère arborait une expression distante et soucieuse. Un très léger sourire relevait les commissures de ses lèvres, mais ses yeux trahissaient l'inquiétude. Hob prit conscience de ce qu'elle avait en commun avec son grand-père le shaman. Tous deux avaient la même attitude fière et hautaine, comme s'ils défiaient l'existence. Il songea qu'il devait leur ressembler lui aussi.

Ce ne fut pas ses caractéristiques familiales qui le plongèrent dans le désarroi, cependant. Ce fut la date inscrite sur la photo. Anja avait grandi, depuis la dernière fois qu'il l'avait vue, ses cheveux avaient poussé. Le cours d'eau était gonflé par la fonte des neiges. Ce cliché ne pouvait remonter à plus de quelques semaines.

— Je ne tiens pas à ce que tu sois arrêté et je n'ai pas envie de m'en prendre aux tiens, dit M. Burke. Mais je n'hésiterai pas si tu m'y forces. Et quand tu plongeras au fond du Saut-du-Chien, je te garantis que ta mort sera plus douce que la leur. Ton entêtement aussi vain que malavisé ne rend service à personne. Il augure juste de souffrances futures pour plus de monde.

À cet instant, une branchette craqua. La voix anxieuse et suppliante de Viktor s'éleva.

— Je vous jure que je ne sais pas où il est, Olly.

— Balivernes ! Un cuisinier vous a vus partir ensemble. Vous nous préparez un mauvais tour, et j'exige de…

Le majordome s'interrompit en entrant dans la clairière. Il sursauta sous l'effet de la surprise, balaya des yeux le groupe.

— Expliquez-moi un peu les raisons de votre présence ici ! lança-t-il en repérant Hob. Et qui sont ces gens.

Beecher braqua son fusil sur lui avec décontraction.

Pfout-pfout.

Les coups de feu furent quasi silencieux, les balles frappèrent l'homme en plein torse. Il chancela en agrippant le bras de Viktor, tandis que deux taches rouges s'épanouissaient sur sa chemise. Puis il tomba au ralenti, roula sur le flanc et ne bougea plus.

— Qu'est-ce que vous avez fait ? cria le blondinet, incrédule.

L'ancien garde impyrial souffla la fumée qui s'échappait du canon de son arme.

— Mon boulot, répliqua-t-il. Si tu avais fait le tien, on n'en serait pas là. L'heure tourne, ajouta-t-il à l'intention de M. Burke.

Ce dernier hocha la tête avec réticence, comme si l'incompétence de Viktor lui forçait la main.

— Voilà un sacrifice que j'aurais mieux aimé éviter, marmonna-t-il.

Sacrifice... Whitebarrow... Nécromanciens...

Les mots déclenchèrent une réaction en chaîne et, quelque part dans l'esprit de Hob, une digue se rompit. Des souvenirs le submergèrent, crus, horribles.

— Je sais ce que vous êtes, chevrota-t-il, hébété.

— Plus pour longtemps, mon garçon. Bonne chance.

S'approchant de lui, M. Burke souffla d'une voix mélodieuse :

— Ainsi font, font, font les petites marionnettes.

La chanson ne provoqua ni illumination ni lumières féeriques, plutôt une sorte de bourdonnement subtil à la base du crâne de Hob, comme si on avait appuyé sur un interrupteur interne. Sa répulsion et sa peur s'évanouirent, remplacées par une détermination sereine. Hazel avait beau être une amie chère, l'objectif assigné l'emportait de loin sur les émotions personnelles. En ôtant une vie, il en épargnerait des millions.

— Comment suis-je censé la cacher ? demanda-t-il en contemplant Bragha Rùn.

Mme Marlowe sourit et tira une bûche du tas qui s'empilait à ses pieds. Elle en dévissa l'extrémité, qui révéla un compartiment vide.

CHAPITRE 10

L'EXÉCUTEUR

Les meilleurs exécuteurs ne sont jamais de parfaits inconnus.

Charon, premier disciple des Atropos

M algré l'impression générale que son corps s'était vidé de toute substance, elle avait une sensation de déplacement, comme si elle dérivait sur une rivière de brume au courant paresseux. L'expérience aurait été sublime, sans la douleur. Envahissante. Incessante. Ses os étaient pris dans des étaux, son cœur ne pompait pas du sang mais une sanie brûlante qui la consumait de l'intérieur. Elle avait l'impression d'un vide, d'un néant, comme si on lui avait arraché son âme. Cette perte était encore pire que la souffrance physique. Dès qu'elle avait recouvré un semblant de conscience, elle avait compris que ses pouvoirs l'avaient désertée. Sa mystique avait disparu, et elle devinait qu'elle avait changé. Qui était Hazel Faeregine sans magie ? Elle n'en avait pas la moindre idée.

La seule lueur d'espoir émanait de Merlin. Allongé sur elle, il partageait le peu de dons qu'il possédait au lieu de vampiriser ceux de sa maîtresse. Si elle avait pu bouger, elle en aurait ri. Voici qu'*elle* était devenue un parasite.

Tout n'était pas négatif, cependant. Si sa sorcellerie s'était envolée, il semblait que La Faucheuse aussi. Quand Ard Rí s'était approché à grands pas du Portail, son ancêtre avait tenté de s'enfouir plus avant en elle, de s'y cacher, car elle ne s'était pas attendue à ce que le Haut-Roi en personne vienne. Hazel avait capté sa terreur. Sauf qu'on ne leurrait pas Ard Rí.

L'ombre n'avait pas réussi à dissimuler sa présence, et le Chien l'aurait tirée de là – c'est pour cela qu'il avait tendu la main – si sa blessure ne s'était pas rouverte. La plaie, célèbre, avait été occasionnée par un coup de poignard en traître, à l'époque où Ard Rí n'était pas encore un dieu, rien qu'un simple héros mortel.

C'était le déguisement qu'il avait choisi d'endosser pour lui apparaître, et Hazel savait que ça ne devait rien au hasard. De taille impressionnante, il était resté d'une jeunesse étonnante, avec ses cheveux noirs et la fine cicatrice qui abîmait sa joue. Il s'était armé de son javelot noir, avait adopté sa posture de guerrier, même s'il avait émané de lui une douceur déroutante, au regard des actes qu'on lui prêtait.

Lorsqu'il s'était remis à saigner, il avait vivement reculé. Ses traits n'avaient pas exprimé de souffrance, mais de la crainte, car dans son désir d'aider Hazel, il avait presque oublié la décision qu'il avait prise jadis. Il lui avait toutefois parlé avant que l'accès au Sidh se referme. Cinq mots qui résonnaient toujours, y compris sur ce lit de douleur.

On a toujours le choix.

Hazel s'était détournée et avait regardé Talysin droit dans les yeux. Ce dernier avait fait de même, et elle avait senti qu'elle tombait sous son charme. Pétrifiée, impuissante, elle avait deviné que l'esprit du dragon envahissait le sien, annihilant toute résistance sur son passage. La peine endurée avait été incommensurable. Elle se rappelait avoir hurlé, imitée par La Faucheuse, leurs voix se mélangeant en un chœur diabolique.

Soudain, tout s'était arrêté. Lorsqu'elle était plus ou moins revenue à elle, elle n'avait plus éprouvé la présence menaçante de Mina IV. Cette dernière s'était volatilisée. À l'instar de sa propre magie.

Les seules voix qu'elle entendait désormais étaient celles qu'elle souhaitait entendre. Bien qu'encore étouffées, elles devenaient progressivement plus audibles. Hob s'entretenait avec Sigga. La princesse aurait aimé les voir, elle en avait assez d'être couchée, immobile et muette. Malheureusement, victime de la fièvre du dragon, elle ne pouvait toujours pas remuer ; l'idée même était inconcevable.

En revanche, elle commençait à entrapercevoir son environnement. Celui-ci se dessinait peu à peu, toujours légèrement flou sur les bords. Elle discerna des silhouettes. Hob ajoutait du bois à la pile près du feu. Tout à coup, la jeune fille comprit qu'elle voyait à travers les yeux de Merlin.

— Où est Dame Rascha ? demanda le garçon en se débarrassant d'une dernière bûche.

— Elle est allée se reposer.

Sigga donnait l'impression qu'un peu de sommeil lui aurait fait du bien à elle aussi. Elle s'étira.

— Et Son Altesse ? Comment va-t-elle ?

— Rien de neuf.

— Au moins, Merlin s'est réveillé.

Hob avança vers la malade, la mine anxieuse. Il caressa l'homoncule du bout du doigt, sans cesser de fixer Hazel.

— Elle a l'air d'une enfant, murmura-t-il, pensif.

— Elle n'en reste pas moins une princesse.

— Je sais. C'est juste que, quand les adultes dorment, ils semblent continuer de se soucier du lendemain. Les petits, eux, se contentent du jour présent. Enfin, ma sœur Anja était comme ça.

Il contempla de nouveau l'albinos, des rides d'inquiétude au front.

— Croyez-vous qu'elle va s'en sortir ?

— Dame Rascha est mieux placée que moi pour répondre à ce genre de question.

— Tenez-vous à elle ?

— Pardon ?

— Tenez-vous à Son Altesse ? Avez-vous le droit de vous attacher à ceux que vous protégez ou cela nuit-il à votre travail ?

— Ce travail de garde du corps est exceptionnel.

— J'en ai conscience. Mais vous esquivez, là.

Il y eut quelques minutes de silence.

— J'aurais une fille, finit par lâcher la Grizlandaise, il me semble que j'aurais beaucoup de chance si elle ressemblait à Hazel Faeregine.

Hob sourit de ce sourire que la princesse aimait tant, celui où sa gravité habituelle s'estompait, où il n'était plus qu'un beau garçon.

— Vous n'êtes donc pas si horrible, agent Fenn. Je me disais bien qu'il y avait un cœur, sous cette carapace.

— Je vous retourne le compliment, monsieur Smythe. À propos, vous ne voyez pas d'objection à ce que je garde votre guide impyrial un petit moment encore ?

— J'avais oublié que vous l'aviez pris.

La remarque fut accueillie par un rire sec.

— J'en doute fort. Pardonnez ma curiosité, mais l'avez-vous acheté neuf ou d'occasion ?

— On me l'a donné lors de ma formation. Pourquoi ?

— Eh bien, il se trouve que j'ai découvert un vieux parchemin caché sous la couverture. Il est vierge, ne dégage aucune aura particulière, mais il est très ancien. Il va falloir que je vérifie auprès de spécialistes si…

BOUM !

La déflagration ébranla le sol, et le feu s'écroula dans un geyser d'étincelles. Le toit de la tente s'illumina, comme si une immense boule incendiaire montait dans le ciel. Sigga se rua dehors. Hazel vit sa silhouette de l'autre côté de la toile éclairée. Une Dame Rascha effrayée accourut en fermant la ceinture de sa robe de chambre.

— Son Altesse va bien ? demanda-t-elle à Hob.

Il acquiesça et recula pour laisser approcher la luperca. À l'extérieur du pavillon, des cris résonnaient, de même que des sifflets et des cors. Hazel entendit Sigga lancer des ordres aux gardes, puis elle passa la tête dans la tente.

— Restez ici ! dit-elle à Rascha et Hob. Le capitaine surveille les alentours.

Elle fila. L'officier se posta sur le seuil, carabine en position de tir. Il était tendu, mais maître de ses nerfs.

— Ne vous affolez pas, les rassura-t-il. Il y a eu une explosion dans l'intérieur des terres. Inutile de s'inquiéter, nous allons rapidement contrôler la sit...

Un nuage de brume rouge jaillit de son oreille.

Il bascula sur le côté avant de s'écraser face contre terre. Dame Rascha se précipita pour le rattraper mais, dehors, les autres soldats tombaient comme des mouches. Hazel voulut hurler, les avertir de se baisser. Ça lui était impossible, malheureusement. Paralysée, terrorisée, elle vit sa préceptrice s'agenouiller et tenir la tête du capitaine, puis se relever, s'exposant au feu ennemi.

La première balle la fit virevolter sur elle-même ; la seconde la renvoya titubante à l'intérieur de la tente, et elle s'écroula près de l'officier mort et ne bougea plus.

Horrifiée, la princesse ne parvint pas à comprendre ce qui se passait. Merlin contemplait la scène en tremblant comme une feuille. Près de l'âtre, Hob s'inclinait tranquillement. Pourquoi ne se couchait-il pas ? Pourquoi ne rampait-il pas vers le défunt pour s'emparer de sa carabine ? Ceux qui leur tiraient dessus allaient sûrement investir les lieux.

L'ancien page se contenta cependant d'attraper une bûche, qu'il ouvrit comme un tube à parchemin. Il en sortit un objet. Les minuscules griffes de Merlin s'enfoncèrent dans la peau de sa maîtresse.

Lorsqu'elle découvrit Bragha Rùn, Hazel sut qu'elle était sur le point de mourir. D'être assassinée par l'une des rares personnes en qui elle avait eu confiance. La fantaisie Grotesque lui revint en mémoire, le moment où les némones avaient encerclé La Faucheuse en dissimulant une épée avant de finalement la lui plonger en pleine poitrine. Ainsi, le Dr Phoebus avait monté un spectacle prémonitoire.

Son indifférence l'étonna. Bien qu'elle ait peur de la mort, elle n'était pas très certaine d'avoir envie de vivre. Rascha n'était plus, et Hob, auquel elle tenait plus qu'elle n'était prête à l'admettre, la trahissait de la manière la plus cruelle qui soit. Sa gentillesse et ses encouragements n'avaient été que mensonges. Il était un ennemi.

Il se tenait au-dessus d'elle, à présent, le visage fermé et lugubre. Ce n'était plus le garçon qu'elle connaissait. C'était un étranger, un chasseur Hauja qui avait mangé le cœur d'un loup du Cheshire. De la pointe du glaive, il écarta Merlin. Pleurnichant, ce dernier ne résista pas. Plus rien ne séparait à présent la pointe aiguisée de son sein, mis à part un fin tissu.

— Je suis désolé, murmura Hob. Ça n'a rien de personnel. J'agis pour le bien d'Impyrium.

Il brandit Bragha Rùn d'une main frémissante. Il respirait lentement, comme pour tenter de se contrôler. Hazel devina qu'il regimbait, qu'il luttait de toute son âme. Il ne voulait pas la tuer, on l'y obligeait. Il se débattait contre une puissance qui le dépassait.

Et il perdait la bataille.

Elle ouvrit les yeux. Où en trouva-t-elle la force ? Aucune idée. Pourtant, voici qu'elle contemplait Hob de ses prunelles rouges de lapin. Il se détourna. Des larmes coulaient sur ses joues mates. Il vit la médaille commémorative qu'elle avait autour du cou, risible souvenir de leur excursion à Impyria.

— Ne me regardez pas, souffla-t-il. Je vous en supplie. Ils ont menacé de tuer les miens. Je n'ai pas le choix…

Les veines de son cou de taureau saillaient comme des cordages d'amarrage. Il tremblait de la tête aux pieds. La lame planait à quelques centimètres du sternum de la jeune fille. Celle-ci s'aperçut qu'elle pleurait elle aussi. Incapable de parler, elle tentait cependant de communiquer avec lui, de lui signaler qu'elle comprenait ; qu'elle n'était pas fâchée ; qu'elle lui pardonnait.

— Vas-y, mon garçon.

L'homme se tenait à l'entrée de la tente. La vision de Merlin chevauchait celle de Hazel. Elle découvrit un costaud aux épaules voûtées, vêtu de sombre et armé d'un fusil. Il enjamba les corps du capitaine et de Rascha.

— Dépêche ! marmonna-t-il. Il faut qu'on bouge d'ici.

Il s'approcha, et la lueur du feu illumina ses traits. Hazel reconnut le garde impyrial qui figurait sur la photo du soldat Finch. Celui qui avait été tué devant la chambre forte des sceaux lirlandais. Le sergent Beecher. Or il était en vie. Ici.

— Tu en es capable, insista-t-il. C'est facile. Laisse faire l'épée.

Hob leva Bragha Rùn mais ne l'abattit pas. Il transpirait abondamment, il frémissait, il résistait tant et plus.

— Je ne peux pas.

— Tu dois. Nous avons prononcé l'amorce.

— Non. Faites-le vous-même.

Beecher se renfrogna et pointa son arme sur Hob.

— C'est maintenant ou jamais, fiston.

Le garçon exhala et abaissa lentement le bras.

— Jamais, alors.

D'un revers du poignet, il lança le glaive sur le sergent. La lame étincela en tournoyant sur elle-même. Poussé par l'instinct, le soldat l'écarta de son fusil. Au même moment, Hob se jeta sur lui. Un coup partit, tandis que les deux adversaires s'effondraient sur une table basse et basculaient par terre, où ils se mirent à se battre comme des bêtes sauvages.

Hazel se concentra sur Merlin. Répondant aussitôt à son ordre, il fila comme une flèche de la tente. L'homoncule parti, la princesse ne put plus voir ce qui se passait. Bien qu'elle ait les yeux ouverts, elle restait figée. Elle était condamnée à fixer le plafond de toile et à écouter les bruits d'une bagarre brutale, désespérée.

Hob avait défendu sa propre vie à cinq reprises. Deux fois contre des animaux, trois contre des humains. Le pire avait été quand il avait dû fuir les Hauja, après son séyu. Ses oncles l'avaient pourchassé pendant trois jours, le traquant comme du gibier. L'expérience avait été horrible, moins parce que ses adversaires avaient été de sa famille que parce qu'ils combinaient leur astuce d'hommes à une sauvagerie de prédateurs. Il était impossible de les leurrer, et ils n'étaient pas du genre à renoncer. Quand ils avaient fini par le coincer, il était à bout de ressources, il ne désirait plus leur échapper. S'il avait survécu – à moitié scalpé, certes –, c'était uniquement parce qu'il avait réussi à atteindre les abords de Brune et ses vigiles. Ses oncles se fichaient des coups de feu, mais ils tenaient à leurs chiens. Quand les sentinelles avaient visé ces derniers, les deux brutes avaient tourné les talons pour regagner leurs traîneaux. Après tout, ils avaient gagné. Le combat était physique, oui, la force et la ruse comptaient, mais c'était également le cas de la volonté.

La victoire se résumait souvent à établir laquelle des deux parties endurait le mieux la douleur. Il se trouve que Hob avait de remarquables réserves dans ce domaine.

Il attrapa une des bûches du feu. Il y eut un sifflement quand ses chairs brûlèrent, mais il surmonta sa souffrance et abattit son arme de fortune sur le visage de Beecher. Ce dernier tenta d'esquiver sans lâcher la gorge du garçon. En vain. Il grogna avant de brailler comme un taureau marqué au fer rouge. Il repoussa le bout de bois d'un revers de la main avant de balancer son poing sur le visage de Hob.

Ce dernier vit des étoiles. Un coude le frappa sur le sommet du crâne, mais il s'acharna à agripper Beecher. Ce dernier était cependant beaucoup plus gros et fort que lui. Immobilisant le poignet du garçon, il lui tordit le bras. Hob roula pour éviter la fracture et se retrouva sur le dos. Le garde le dominait à présent, son visage boursouflé et sanguinolent. Ses yeux n'avaient plus rien d'humain. Hurlant comme un loup, il assena un coup de tête à Hob, dont le nez se cassa dans un éclaboussement de sang. Il faillit perdre conscience.

— Qu'est-ce qui se passe ici, nom d'un chien ? gronda une voix furibonde.

M. Burke surgit dans le champ de vision brouillé de Hob. Beecher reprit son souffle.

— Votre marionnette refuse d'obéir, lâcha-t-il d'un ton rageur.

M. Burke entra et contempla Hob.

— Impossible. Il est sous psychnose.

Le sergent enfonça son avant-bras dans la gorge de l'adolescent.

— Je le croyais aussi, et maintenant, ma tronche ressemble à une côtelette. Je vais l'étriper.

— Suffit ! Nous perdons notre temps. Où est l'épée ?

Beecher lâcha Hob, qui fut pris d'une quinte de toux. Bragha Rùn gisait près du foyer, à demi cachée par la pile de bois qui s'était effondrée. Quand le garçon tenta de se relever, son mentor le plaqua au sol de son pied botté. Impuissante, Hazel n'avait pas bougé de sa paillasse, qui avait tout d'un bûcher funéraire. Le sergent tituba vers elle avec l'épée lare des Faeregine.

Une bourrasque s'engouffra dans la tente, si violente qu'elle manqua d'éteindre le feu. Le vent se mua en silhouette ; la silhouette, en Sigga Fenn.

Elle se tenait devant sa protégée, un long poignard noir dans chaque main.

— Rends-toi ! ordonna-t-elle à Beecher.

Son ton était posé, courtois même. L'autre l'ignora. Avec un juron, il brandit Bragha Rùn. La Grizlandaise contra à une vitesse ahurissante. Hob n'entendit qu'un fracas de métal suivi d'un bref cri. Beecher tangua avant de s'écrouler. L'épée était aux pieds du membre de la Division Écarlate.

M. Burke fit feu de son revolver, celui qu'il avait utilisé sur le site archéologique. Sigga ne bougea pas. Les balles se heurtèrent à une barrière invisible et dégringolèrent au sol en émettant des éclats incandescents. Le garde du corps tendit un de ses couteaux vers l'âtre.

Ce dernier rugit, les flammes virèrent au vert pâle et s'enroulèrent autour du cou de M. Burke, le soulevant de terre comme s'il était suspendu à une corde. Laissant tomber son arme, il agrippa le feu des deux mains. Horrifié, Hob vit son beau visage se mettre à fumer et à cloquer. Ses chairs fondirent comme de la cire, révélant le crâne qu'elles cachaient. Mais au lieu de hurler de douleur, le nécromant affichait un sourire de tête de mort.

— *Schibboltha nul-savinu. Sigga-fina. Nanska Aionia.*

Sur ce, il s'éclipsa. Le corps du défunt sergent tressauta, comme s'il avait reçu une décharge électrique, puis il s'immobilisa, et le silence revint dans la tente. Sigga n'essaya pas de se lancer aux trousses de M. Burke, préférant vérifier que Hazel était indemne, examinant ses pupilles et prenant son pouls. Hob s'assit et essuya le sang qui coulait de son oreille.

— Ne bougez pas, lui ordonna la Grizlandaise.

Il ne lui obéit pas. En plein délire, il n'avait qu'une idée : rattraper M. Burke et Mme Marlowe. S'ils s'échappaient, sa mère et sa sœur pouvaient se considérer comme mortes. Titubant, il s'approcha du fusil de Beecher, qui se trouvait à côté de Dame Rascha.

Quand il tendit le bras pour s'en saisir, une main ensanglantée attrapa son poignet. Il croisa le regard de la luperca. Les prunelles d'un bleu glacé étaient voilées, la vieille louve tremblait, mais un rictus dévoilait ses crocs aiguisés.

— Vous ! chuchota-t-elle. Vous êtes un des leurs.

Elle le tira vers elle. Il tenta de se libérer. Sans résultat. Une luperca, même très âgée, restait plus forte qu'un jeune humain. Un grondement sauvage roula au fond de sa gorge. Elle allait lui arracher le visage. Sigga se précipita vers eux.

— Assez ! dit-elle. Il n'est pas l'un d'eux.

— Si ! grogna Rascha.

— Non. Laissez-le. Son Altesse est saine et sauve. Je vais vous soigner. Vous avez perdu beaucoup de sang.

La louve se résigna à obtempérer, non sans couvrir Hob d'un regard de souverain mépris. Sa colère s'estompa, emportant avec elle son énergie. Elle se tassa sur elle-même, essuya son museau rougi.

— L'impératrice ? souffla-t-elle.

— En sécurité.

Beecher avait quasiment étranglé Hob. Chaque fois qu'il parlait, il avait l'impression d'avaler du verre pilé.

— Ils vont éliminer ma famille, gronda-t-il.

— Prenez le fusil et allez-y, répondit la Grizlandaise, qui inspectait une des blessures par balle de Rascha.

— J'ai besoin de vous, croassa-t-il.

— Je ne m'éloigne pas de Son Altesse, rétorqua-t-elle.

Elle attrapa un étui en cuir dont elle sortit un petit scalpel. Récupérant l'arme, Hob bondit hors de la tente. Il contempla les cadavres des gardes, observa le sentier qui descendait à la plage, avec ses feux de camp et ses torches. Sur *Le Rowana* et les bateaux de son escorte brûlaient des feux sorciers. Il contourna le pavillon, découvrit qu'il était sur un promontoire, à quelque trois mètres au-dessus d'une crique. Il recula de deux pas, prit son élan et sauta.

Après un moment irréel d'apesanteur, ce fut la chute. Il tomba, tomba, tomba dans la fraîcheur de la nuit. Le fusil tendu à bout de bras, il eut le temps d'apercevoir les étoiles avant de crever la surface. Il plongea dans un sillage de bulles, tandis que des algues s'enroulaient autour de ses jambes. Des coquillages et des rochers égratignèrent la plante de ses pieds quand il toucha le fond. Il rebondit et remonta à l'air libre, aspirant de grandes goulées d'oxygène. Puis il pataugea aussi vite que possible jusqu'à la grève et se mit à courir.

La grosse lune d'été suspendue dans le ciel compensait l'obscurité, offrant à Hob largement assez de lumière. En revanche, il avait beaucoup de terrain à rattraper. Il fonça en direction des grottes mentionnées par Mme Marlowe. De temps en temps, il repérait une empreinte récente que le ressac n'avait pas encore effacée. Chaque fois, il accélérait le rythme.

Sa course prit des allures de rêve. Sa propre vie était finie, mais il voulait absolument sauver celles de sa mère et d'Anja. Oubliées, la brûlure de ses poumons, la piqûre des coquillages. Ces détails n'existaient pas. Ne comptaient plus que le prochain pas, le prochain crissement du gravier grossier sous ses pieds. Fenmaruq, Vessuk et Kayüta l'accompagnaient. Même Morrgu était là. Ils ne l'abandonneraient pas. Pas quand la fille d'un shaman était menacée.

Il filait au-dessus des rochers, du sable et des flaques aux rebords incrustés de berniques. À quelques centaines de mètres de lui se dressait un monolithe blanc qui donnait l'impression d'avoir été enfoncé sur place à coups de marteau. Du bois flotté était entassé autour en cercles concentriques. Sans doute un lieu de culte. Au-delà, une anse débouchait sur une série de mares d'eau qui bordaient une falaise de calcaire percée de grottes. Il ne vit personne, aucun feu, rien qui…

Soudain, il distingua une lueur bleue sur la mer. Comme si une lanterne aux volets baissés avait été agitée pendant une seconde. Un sloop était ancré à quelques encablures d'un cap. Les écueils qui saillaient alentour dissimulaient astucieusement ses voiles sombres. Il n'empêche, à force de regarder dans cette direction, Hob finit par discerner plus nettement les contours de l'embarcation. La lampe clignota une fois encore.

Un signal.

Il aperçut une modeste barque qui avançait vers le voilier. Les rames provoquaient de petites gerbes d'écume blanche. Elle était presque au bateau, maintenant. Raffermissant sa prise autour de la crosse de son fusil, le garçon reprit sa course afin de se rapprocher de sa cible. Il était si concentré sur son objectif qu'il dérapa et faillit tomber. Il se rattrapa de justesse et fonça sur des rochers en partie immergés. Leur base vaseuse glissant, il dut coincer son arme dans une crevasse en hauteur avant de se hisser dessus.

Au sommet, il récupéra le fusil, le secoua pour le débarrasser de gouttes d'eau et dévissa le silencieux, faute de savoir s'il risquait d'affecter la justesse et la rapidité de son tir. L'heure n'était pas à la découverte de ces choses, et le silence n'avait aucune importance. Seule la précision valait.

Il épaula son arme et colla son œil à la lunette. Enduite d'huile phosphorée, elle éclaircit amplement la pénombre. Il se focalisa sur la barque.

Une silhouette encapuchonnée la manœuvrait, tandis que l'équipage du sloop abaissait une échelle de corde le long de la coque. Les deux passagers du canot entreprirent de l'escalader. Le premier était Mme Marlowe, le second un être disgracieux et difforme dont le crâne nu par endroits reflétait la lune.

Hob décida de viser la créature qu'il avait connue comme étant M. Burke. Il s'efforça d'apaiser son souffle, d'oublier tout de ce qui dépendait de ce coup de feu. Il avait abattu des caribous à des distances bien plus importantes, mais pas avec le cœur battant comme en cet instant. De plus, le voilier se balançait sur la houle, et sa cible avait tendance à monter et descendre. Ce à quoi il fallait ajouter la brise qui soufflait du large. Et l'altitude. L'humidité. Bref, d'innombrables facteurs…

Les matelots aidèrent Mme Marlowe à enjamber le bastingage. M. Burke y était presque. Soufflant lentement, Hob murmura une prière et attendit que les vagues soulèvent l'embarcation.

Pan-pan !

Un corps tomba à l'eau. Malheureusement, pas celui qu'il avait visé. Une seconde avant qu'il appuie sur la détente, Mme Marlowe s'était baissée pour tendre une main à son complice. Le geste lui fut fatal. Elle plongea, et M. Burke en profita pour disparaître derrière le plat-bord. Hob n'avait pas réussi à éliminer le danger menaçant sa mère et sa sœur.

Il garda le bateau en joue, mais il n'y avait plus personne sur le pont. Pourtant, il s'éloignait vivement, comme si des fantômes avaient tenu la barre. Quant à la barque, son propriétaire s'était déjà mis à l'abri de rochers.

Sautant du sien, Hob courut sur le sable mouillé dans lequel ses pieds faisaient des bruits de succion. Il accélérait, encore et toujours, sans quitter le voilier des yeux. Ce dernier prenait de la vitesse, ses perroquets hissés, cap au nord-ouest, où un banc de brouillard allait l'engloutir.

— Allez, un tir, rien qu'un tir et un peu de chance, supplia le garçon.

Grimpant sur une dune, il épaula de nouveau son fusil.

Pan-pan-pan-pan-pan !

Malheureusement, la chance avait décidé de ne pas lui sourire.

Les balles touchèrent du bois, des voiles, des cordages, mais pas M. Burke. Renonçant, Hob regarda l'embarcation et ses espoirs s'évanouir dans la brume.

Il passa les heures suivantes sur la plage, adossé au monolithe blanc, en proie à l'hébétude. Une fois les Faeregine en sécurité, des patrouilles avaient commencé à se déployer sur toute l'île. La première qui s'aventura dans les parages confisqua son fusil à Hob mais, sur ordre de Sigga, ne l'arrêta pas. La Grizlandaise avait promis de venir s'en charger en personne. Ce qui, d'après l'opinion générale, n'augurait rien de bon.

Les soldats demandèrent à Hob où étaient partis les assaillants. À sa grande surprise, il s'aperçut qu'il était incapable de les renseigner. La psychnose sévissait encore çà et là dans son cerveau. Prenant son attitude pour une espèce de contrecoup, les gardes poursuivirent leur chemin. Peu après, un navire de guerre leva l'ancre. À sa proue, une mystique en appelait à des vents favorables. Quand le destroyer s'enfonça à son tour dans le brouillard, Hob se retrouva seul.

Un cadavre fut rejeté sur la plage peu avant l'aube. L'adolescent le confondit d'abord avec un phoque, car ils pullulaient dans ces eaux. Puis une mouette se posa afin d'enquêter. Elle fut rapidement rejointe par une comparse. Se levant lentement, Hob s'approcha de la laisse.

Il avait mal partout. Du sang séché encombrait son oreille et ses narines. Son nez était brisé. Ses pieds étaient lacérés. Toutefois, c'était la douleur de sa main droite qui supplantait toutes les autres. La peau avait cloqué, s'était déchirée et pelait. Sa paume et ses doigts écarlates étaient à nu. Même la brise les picotait. Il était évidemment hors de question de s'en servir. La simple gêne qu'il avait ressentie dans la fureur de la bagarre s'était à présent transformée en torture.

Le chignon de Mme Marlowe s'était détaché, et ses longs cheveux blancs formaient des nœuds détrempés. Hob fut soulagé qu'elle soit face contre terre, car ses chairs semblaient se dissoudre comme de l'écume. Il s'en dégageait une puanteur soufrée. Il recula, horrifié par son corps qui, peut-être maintenu jusqu'alors par quelque enchantement ou formule alchimique, se délitait peu à peu en bouillasse.

Des mouettes criaillèrent dans son dos. Il se retourna. Une silhouette solitaire venait à lui. Malgré la brume, il n'eut aucune difficulté à en identifier la posture et la démarche. Sigga ne se pressa pas. Une fois près de lui, elle jeta un coup d'œil à Mme Marlowe.

— Qu'est-ce que c'est ?

— L'autre. Qui veille sur Hazel ?

— La Division Écarlate. On a rassemblé la famille royale.

La tueuse s'agenouilla près de la dépouille. Avec l'un de ses poignards, elle tria ce qui restait parmi les vêtements mouillés et la masse désormais inidentifiable. Elle repêcha une ceinture, une flasque, des bracelets, des bagues et un pendentif. Ce fut lui qui éveilla son intérêt. Il était identique à ceux de M. Burke et de frère Jakob.

— Ainsi, murmura Hob, c'étaient tous des nécromanciens.

— Pas Beecher, répondit Sigga en inspectant le reliquaire. Lui n'était sans doute qu'un disciple. En revanche, l'autre type était puissant. Je vais me lancer à sa poursuite. J'ai un compte personnel à régler avec lui.

— Que vous a-t-il dit avant de s'enfuir ?

— Que les schibboleths n'oublient jamais, chuchota-t-elle. Aionia non plus.

— Qui est Aionia ?

La bouche de la Grizlandaise se tordit.

— Ma sœur, monsieur Smythe. Elle est morte il y a dix ans.

Elle empocha le pendentif.

— Montrez-moi votre main, ordonna-t-elle ensuite.

Il s'exécuta.

— C'est douloureux mais ça passera, diagnostiqua-t-elle. Comment va le reste de votre petite personne ?

Il haussa les épaules. Il avait l'impression d'être mort, à l'intérieur. Sigga l'observa avec attention.

— Ils ont menacé votre mère et votre sœur ?

— Oui.

Il ferma les yeux pour ne pas pleurer. Verser des larmes devant Sigga Fenn était la dernière chose au monde qu'il souhaitait. Elle posa une main sur son bras.

— Vous avez été courageux quand il s'est agi de défendre Son Altesse. Je vous accorde cinq minutes de répit.

Elle n'eut pas besoin d'en dire plus, et il rebroussa lentement chemin. Au bout de cinquante mètres, il s'arrêta, puis entra dans l'eau. Il fut tenté de continuer à marcher, s'en abstint cependant. Il se borna à regarder la houle, tandis que le soleil pointait à l'horizon et colorait d'or les brumes grises. Il ne pensa pas à M. Burke ni à la Confrérie, pas aux Faeregine ni même à sa famille. Il aurait amplement le temps de ruminer sur ces sujets. Il préféra se focaliser sur la mer froide qui léchait ses mollets et sur la sensation du sable qui jouait entre ses orteils.

— Il est l'heure, annonça Sigga.

Il revint vers elle. La Grizlandaise lui attacha les poignets avec une expression aussi indéchiffrable que le jour où ils s'étaient rencontrés.

— Hobson Smythe, je vous arrête pour complot, tentative de meurtre et haute trahison à l'égard de sa Radieuse Majesté la Divine Impératrice.

CHAPITRE 11

LE SAUT-DU-CHIEN

Lorsque je suis devenue La Faucheuse,
Arianna ne cessa pas d'être.
Elle n'avait jamais existé.

Divine Impératrice Mina IV
(322-401 apr. C.)

H azel ne reprit pas conscience jusqu'à ce que *Le Rowana*
ait regagné l'île Sacrée. Quand elle se réveilla enfin, ce fut
dans sa chambre, avec Dame Rascha qui lisait à son chevet.
Elle avait dormi pendant deux semaines.

Cela datait de quatre jours. C'était ce qu'il avait fallu
à la princesse pour comprendre ce qui s'était passé durant
son absence virtuelle. Sa grand-mère et ses sœurs étaient
indemnes, mais elles avaient été très choquées quand le

bosquet près des menhirs avait soudain explosé. Plusieurs domestiques avaient été blessés, la perte la plus triste étant celle d'Oliveiro. Sa famille avait servi les Faeregine depuis des générations. Il eut droit à une médaille posthume, et sa famille reçut de bonnes terres du côté de Southaven. L'Araignée savait récompenser la loyauté.

Si Hazel avait recouvré ses sens, ce n'était pas le cas de ses dons. Elle ne pouvait même plus souffler une bougie de loin ou faire apparaître un globe lumineux. Maître Montague avait eu la bonté de lui offrir une pierre de lune, dont la magie nourrirait Merlin en attendant une solution plus durable. La nuit, l'homoncule se pelotonnait contre le galet étincelant et en absorbait l'énergie. Hazel considérait qu'elle lui devait une fière chandelle. S'il n'avait pas filé chercher Sigga, elle serait morte aujourd'hui.

La jeune fille ne discutait pas avec sa préceptrice des conséquences que la disparition de ses pouvoirs aurait pour ses examens de mystique, ni du châtiment qui guettait la luperca. Si l'impératrice avait l'intention de leur accorder un sursis, elle n'en avait rien dit. D'abord convaincue que sa pupille récupérerait sa sorcellerie, Rascha commençait à avoir des doutes et cédait à une inquiétude grandissante. Hazel la devinait et la partageait, bien qu'elle ait des soucis plus immédiats.

Hob avait été arrêté et emprisonné jusqu'à son procès, qui aurait lieu dans une semaine. Sigga avait expliqué à Son Altesse qu'il était membre de la Confrérie, un mouvement révolutionnaire dont les rangs avaient été infiltrés par des nécromants aux objectifs beaucoup plus insidieux et personnels. L'implication du page était indéniable, le garde du corps lui ayant confisqué un guide impyrial recélant une feuille de papier espion, très ancien et quasi indétectable. La duplicité de Hob était douloureuse. Pourtant, Hazel estimait qu'il fallait aller au-delà des apparences. Le garçon avait été embarqué dans une conspiration qui dépassait de loin la défense des droits des muirs. Elle avait bien l'intention de le démontrer.

On frappa, et Rascha entra. Elle se déplaçait avec raideur et s'appuyait lourdement sur son bâton.

— Je croyais que vous ne vouliez plus le regarder, reprocha-t-elle à Hazel en la dévisageant avec gravité.

Il s'agissait du portrait d'Arianna Faeregine, bien sûr, adossé à une armoire. À leur retour du pèlerinage, elle l'avait trouvé dans la cheminée, couvert de suie et brûlé par endroits. L'albinos ignorait quand exactement il avait été expulsé de sa cachette interdimensionnelle. Sûrement au moment où elle avait plongé ses yeux dans ceux de Talysin. Après tout, c'était la dernière fois qu'elle avait entendu la voix de La Faucheuse ; la dernière aussi où elle avait senti la magie en elle.

Le tableau était mort désormais, son dessin fichu, ses profondeurs désertées, pour peu qu'elles aient jamais été habitées. L'emprise qu'il avait exercée sur elle était rompue. À son réveil, Hazel avait tout avoué des échanges murmurés avec son horrible ancêtre à Rascha. Celle-ci en avait été bouleversée. Elle s'en voulait d'avoir montré la peinture à l'adolescente, s'était même demandé si sa découverte dans les archives avait relevé d'un véritable hasard. La Faucheuse ayant été une magicienne d'une puissance inégalée, il n'était pas inconcevable qu'elle se soit créé un refuge post-mortem afin de pouvoir posséder l'une de ses descendantes qu'elle jugerait digne d'être sa messagère.

Quoi qu'il en soit, c'en était terminé aujourd'hui. La Faucheuse n'était plus. Talysin l'avait définitivement calcinée. Rascha jeta une couverture sur le portrait.

— Vous êtes prête ?

— Je crois, oui, répondit Hazel en lissant sa robe avant d'inspecter son reflet dans un miroir.

— Croire ne suffit pas. Vous devez en être certaine.

La princesse alla caresser Merlin, qui était assis sur le lit.

— Je le suis.

Trente minutes plus tard, elle et son homoncule arrivaient au Vieux-Collège. Le campus rayonnait de toute sa gloire estivale, rempli qu'il était de fleurs de lierre et d'hélianthèmes. En cette matinée de juillet, le ciel était couvert, l'air lourd, l'orage menaçait à l'ouest. Ils entrèrent dans Maggie.

Pour un dimanche, une agitation inhabituelle régnait dans le couloir menant au bureau d'oncle Basil. Des assistants et des secrétaires allaient et venaient, en pleins préparatifs pour le Grand Prix impyrial, qui se déroulerait le soir même dans la capitale. C'était l'événement sportif de l'année, et son oncle occupait le poste de président du Club Hippique.

Une sentinelle annonça la visiteuse. Lord Faeregine vint l'accueillir en personne, vêtu d'un costume d'été dont le revers s'ornait d'un bouton de sorbier.

— Te voici ! s'exclama-t-il en plantant deux baisers sur ses joues. Où est l'agent Fenn ? s'étonna-t-il ensuite en constatant que l'escorte de sa nièce consistait en deux soldats de la garde impyriale.

— Elle prend des vacances amplement méritées. Elle est partie il y a deux jours pour l'Afrique.

— J'ignorais que la Division Écarlate avait droit à des congés, s'esclaffa-t-il.

Il referma la porte, et elle le suivit dans la pièce. Les serviteurs avaient déjà apporté le brunch, qui reposait sous des cloches d'argent sur une petite table décorée d'un bouquet. Le bureau n'avait guère changé : vitrines de bois ciré remplies de curiosités et d'antiquités. Harkün occupait un fauteuil près de la fenêtre, pareil à une momie de basalte.

— Comment va Rascha ? s'enquit oncle Basil.

— Elle a eu de la chance. Une des balles a failli toucher sa moelle épinière. Elle se rétablit.

— C'est une vieille fille solide. Et toi, une jeune fille solide. Ce que vous avez subi est abominable.

Hazel acquiesça.

— J'essaie de reprendre les choses là où elles en étaient avant. Comme nos petits déjeuners tardifs du dimanche. Merci, à propos. Je sais que tu es très occupé, aujourd'hui.

— Pas du tout. Je ne pars que cet après-midi. Veux-tu que je parie pour toi ?

— Je n'y connais rien en courses de chevaux.

— Rassure-toi, je suis un expert en la matière. Mistral est à trois contre deux, mais Feu d'Enfer se débrouille mieux sur un terrain boueux, or il est probable qu'il pleuve. Il est à quatre contre un pour l'instant, mais l'écart se réduira aux premières gouttes. Naturellement, tu peux aussi décider de jouer la carte de l'outsider. Margoulette est à cinquante contre un.

Hazel plaça son sac et Merlin sur le rebord d'une croisée. L'homoncule s'accroupit, telle une gargouille miniature. Il afficha même une grimace revêche.

— Inutile, déclina-t-elle. Je n'ai pas de sous, de toute façon.

Son oncle tira une chaise pour qu'elle s'assoie.

— Si, ma chère. Tu vas avoir treize ans. D'ici quelques mois, tu seras l'une des personnes les plus riches d'Impyrium.

— Formidable.

Il s'installa face à elle.

— Il ne faut jamais tordre le nez devant l'argent. Les sots affirment qu'on n'achète pas le bonheur, c'est absurde. Une fortune permet de faire ce qu'on veut quand on veut. Si ça, ce n'est pas le bonheur, il faudra qu'un philosophe m'explique en quoi il consiste. Et maintenant, voyons un peu…

Il retira les couvercles des plats et servit des œufs, du bacon, un pamplemousse et une tranche de pain à sa nièce. Bien que gourmand, les petits déjeuners simples avaient sa préférence. Hazel tripota ses œufs.

— Et vous, s'enquit-elle, comme allez-vous, après tous ces désagréments ?

— Pas si mal. Le commerce reprend, les Lirlandais se tiennent à carreau, les émeutes ont cessé. Ta grand-mère n'a jamais été très aimée, mais personne ne souhaite qu'on assassine une vieillarde, encore moins ses petites-filles. Il y a des limites, les gens raisonnables le comprennent. Cette histoire de l'île de Man a effrayé jusqu'à nos critiques les plus sévères. Qui, à part nous, pourrait gouverner Impyrium et veiller sur les Portails ? Les Hyde ?

Hazel leva les yeux au ciel.

— Exact, poursuivit Basil Faeregine. À propos, Lord Willem a renoncé à ses prétentions sur la banque. Il a suffisamment de pain sur la planche sans aussi tenter de prendre ma place, surtout maintenant que l'impératrice envisage une inculpation pour trahison. Il s'avère que les Hyde étaient en affaires avec le monsieur Burke qui nous a échappé. La nécromancie est une chose déplorable.

— Je souhaitais justement aborder ces sujets avec vous.

— Ah bon ? J'aurais plutôt pensé que tu voudrais oublier tout ça.

— J'aimerais bien, mais mon ami a été accusé de trahison.

— Le page ? Et alors ?

— Le procès de M. Smythe se tiendra la semaine prochaine. Il se trouve que je le crois innocent.

— Allons, allons, ma chère ! s'esclaffa oncle Basil. Il est tout sauf innocent. Il appartient à la Confrérie. Nous avons arrêté tout un tas de ses membres, dont le voisin de chambre de ce garçon. Un nid d'extrémistes avait noyauté la capitale. Rascha elle-même a témoigné qu'il t'avait menacée avec Bragha Rùn.

— À mon avis, c'est plus compliqué que ça.

Lord Faeregine fronça les sourcils.

— Comment ça ?

— J'ai des hypothèses, mais je préférerais en parler en privé.

Hazel regarda le garde du corps de son oncle. Ce dernier saisit l'allusion.

— Harkün ? Merci de vous retirer dans mon cabinet et de fermer la porte.

L'homme cadavérique se leva, jeta un coup d'œil curieux à la princesse, puis obéit. Oncle Basil beurra une tartine.

— Alors ? De quoi s'agit-il ?

Hazel tira *La Petite Sirène* de son sac et déposa l'ouvrage sur la table. Son oncle poussa un cri de joie et s'empara du livre.

— Enfin ! Au nom de ma collection, merci ! Je craignais que tu l'aies perdu.

— Je n'aurais pas dû l'emprunter sans votre permission. Je regrette. D'autant que, à cause de lui, j'ai reçu un message qui ne m'était pas destiné.

Elle plaça un morceau de papier devant elle. Lord Faeregine arqua un sourcil.

— Qu'est-ce que c'est ?

— Une menace. Signée par des gens qui se surnomment le bouissier, le barbier et le bladier. Nous avons d'abord cru qu'on l'avait glissée dans ma chambre pendant l'annonce de la succession. Sauf qu'elle ne s'adressait pas à moi, mais à *vous*.

— N'importe quoi !

— Hélas non. L'autre jour, j'ai remarqué des résidus de colle au verso. Rien qu'une goutte. Il y en a également sur la dernière page du livre. Ceux qui ont mis cette feuille à cet endroit savaient que vous relisiez ce conte tous les ans à Noël. Ils n'imaginaient pas que quelqu'un d'autre tomberait dessus.

— Et en quel honneur m'aurait-on envoyé des menaces ?

— Parce qu'on vous faisait chanter. Ces personnes tenaient à vous rappeler qu'elles pouvaient vous régler votre compte à leur guise. Vous en étiez parfaitement conscient, d'ailleurs. C'est pour ça que vous les avez aidées à pénétrer dans la chambre forte.

Lord Faeregine devint blanc comme un linge.

— Tu es sûre que tu vas bien ? demanda-t-il. Parce que tu racontes des sornettes. J'aimerais comprendre pourquoi, d'ailleurs.

Hazel s'exprima lentement afin de retenir ses larmes.

— Parce que je veux vous donner une chance de vous confesser. Parce que je ne veux pas perdre ce qu'il me reste d'amour et de respect pour vous.

Au lieu de se fâcher, il la dévisagea avec compassion.

— C'est à cause de ta magie, hein ? Tu n'en as plus une once ?

— Peut-être. Mais là n'est pas la question. Le problème, ce sont les crimes que vous avez commis contre Impyrium et notre famille. Avez-vous participé au meurtre du Dr Razael, oncle Basil ? Regardez-moi bien en face et dites-moi que vous n'avez rien à voir dans le complot qui me visait.

L'homme termina son café. Une veine battait à sa tempe.

— Je vais faire comme si tes propos étaient une mauvaise plaisanterie poussée trop loin. J'espère que tu n'as partagé aucune de tes « hypothèses » absurdes avec quiconque. Avec tes sœurs, par exemple.

— Non. Je vous répète que je souhaite vous laisser une dernière chance de vous expliquer.

— Très élégant de ta part.

Se redressant, il agita deux doigts, comme s'il appelait un chien. Un rouleau de cordelette grise jaillit d'une étagère. En un rien de temps, elle s'enroula autour de l'adolescente, la ligotant à sa chaise. Merlin se cacha, tandis que les muscles de Hazel se relâchaient. Elle n'était plus en état de bouger.

— Ce sont des entraves passives, expliqua Lord Faeregine. Très pratiques. Pré-cataclysmiques. Désolé, mais tu aurais dû être plus prudente. On a toujours sous-estimé les hommes du clan Faeregine. Or nous sommes capables de pratiquer la mystique, comme tout un chacun.

L'albinos avait le cœur brisé.

— Vous nous avez trahis. Pourquoi ?

— Ça s'est produit malgré moi. Les gens ont tendance à se mêler des affaires des autres, malheureusement. Razael, pour commencer. Puis ce gratte-papier de Gus Bailey. Et voici que tu t'y mets à ton tour.

— Je vous en prie, dites-moi que vous n'avez pas tué Razael. C'était votre préceptrice.

— Je n'ai pas eu le choix. Je suis perclus de dettes, ma petite, et mes débiteurs ne sont pas des plaisantins. Pour les rembourser, j'ai dû piocher dans les caisses de la banque. Razael a découvert mes incohérences comptables. Elle était furieuse. Comme d'habitude, elle attendait trop de moi. J'ai mis un terme à mes détournements de fonds, mais ça n'a fait que servir Edmund Burke. Au lieu d'argent, il a exigé que je l'aide à accéder aux sceaux lirlandais.

— Puis vous avez joué celui qui tombe par hasard sur une tentative de vol.

— Un vrai désastre. En me voyant quitter les festivités, Razael a eu des soupçons et m'a suivi. Dès qu'on apprendrait qu'il y avait eu effraction, elle saurait que j'étais impliqué. J'ai été obligé de la réduire au silence. C'est dommage. Comme ce jeune soldat blessé. Pauvre gamin. Il nous fallait un témoin qui corrobore mon histoire, cependant. Quelqu'un d'inexpérimenté et de naïf, quelqu'un qui n'aurait jamais approché de la chambre forte et ne se serait pas rendu compte que je l'avais laissée ouverte, plus tôt dans la journée. Les imposteurs n'en ont jamais eu la clé.

— Qui étaient-ils, ces imposteurs ?

— La madame Marlowe qui a échoué sur la plage. Et son meilleur élève.

Lord Faeregine fit un geste en direction du cabinet.

— *Harkün ?* s'exclama Hazel. Mais il est de la Division Écarlate !

— C'est un fou de nécromancie. Il en a tâté il y a des années, a fini par croiser Mme Marlowe. Elle est devenue comme une mère, pour lui. Elle l'a convaincu qu'il était l'esclave de l'impératrice, prisonnier de son serment professionnel. Le Sabbat a découvert une façon de briser ces liens, et Marlowe s'en est fait un allié. Je n'ose te raconter ce qu'il aimerait infliger à ton ami le page, parce qu'il l'a tuée. Il a bien l'intention de la ramener à la vie, de toute façon.

— Comment ? Elle est morte.

— La mort ne signe jamais la fin d'un nécromancien. Harkün peut la ressusciter grâce à la mystique sanglante. Des procédés assez ténébreux. Il n'a besoin pour cela que du reliquaire de la femme.

— Le problème, c'est que c'est Sigga Fenn qui l'a.

Oncle Basil trempa une mouillette dans son œuf.

— Il ne tardera pas à le récupérer. Il n'apprécie guère ta Grizlandaise. Elle n'a cessé de le surveiller. Une erreur grossière. Et dangereuse.

— Elle aussi est dangereuse.

— Pas autant que lui. Gus Bailey est quasiment mort de peur avant qu'il lui tranche la gorge. Entre nous, je crois que Harkün est également à l'origine de l'explosion du *Typhon*.

— Pourquoi aurait-il fait ça ?

— Pour m'enfoncer un peu plus auprès d'Edmund, répondit Lord Faeregine avec un sourire amer. Harkün n'est pas mon serviteur, Hazel. Il est mon geôlier. Burke et ses complices ont exigé que je leur remette Bragha Rùn en guise de garantie.

La princesse n'en revenait pas. Comment s'était-il débrouillé pour dérober l'épée ? Tous les Faeregine avaient été contraints de jurer ne pas y avoir touché devant les shedus de l'impératrice. Les créatures étaient des détecteurs nés de mensonges.

— Comment avez-vous réussi à tromper les shedus ?

— Ça n'a pas été nécessaire, rigola-t-il. C'est ta jeune cousine Amelia qui a fauché Bragha Rùn. Tu l'as croisée le soir de l'inauguration du *Typhon*. La petite morveuse originaire de Southaven. Les gosses sont souvent prêts à rendre service, et personne ne songe à les questionner. Elle s'est emparée du glaive de Prime pendant que je lui faisais visiter la salle du trône. Ça m'a coûté deux carrés de chocolat. On n'aurait pas découvert la supercherie si tu n'avais pas voulu prêter notre épée ancestrale à un serviteur. Tu m'as beaucoup déçu, ma chère.

— C'est l'hôpital qui se moque de la charité, de la part de celui qui a remis Bragha Rùn à nos ennemis.

L'objection ne parut pas émouvoir le bonhomme plus que ça.

— Écoute, si tu n'avais pas trouvé le magivore que nous avions introduit dans la chambre forte, nous n'en serions pas là. Nous serions en guerre. J'aurais gagné une fortune à coups de contrats d'armement et d'équipement, remboursé mes créances. Je serais débarrassé de cet horrible Burke. Sauf qu'il a fallu que tu gâches tout. Alors, il m'a forcé à faire embarquer en douce ses sbires à bord d'un des destroyers qui escortaient *Le Rowana*. Ça n'a pas été simple, crois-moi.

— Tout ça pour qu'ils puissent m'assassiner ? se récria la jeune fille, hébétée. Mais vous êtes mon oncle !

Il soupira.

— Ça ne me réjouissait pas, je t'assure. Mais il avait cette obsession idiote, comme quoi tu étais La Faucheuse réincarnée. D'où sa volonté de t'éliminer. Je n'ai pas réussi à le convaincre de renoncer.

— Pourquoi ces gens ne se sont-ils pas contentés de demander à Harkün de me poignarder avec Bragha Rùn ? Pourquoi a-t-il fallu qu'ils impliquent Hob ?

— Ils devaient attendre que tu souffres de la fièvre du dragon. Comme je ne participe pas au pèlerinage, il m'était impossible d'envoyer Harkün là-bas sans éveiller de soupçons. Et puis, ils étaient sûrs que le garçon obéirait. J'ignore ce qui s'est passé. La psychnose a peut-être faibli quand il a été envoûté par Talysin.

— Vous admettez donc qu'il est innocent. Qu'il était le pantin de M. Burke ?

— Quelle importance ? Il va être exécuté.

— C'est important pour moi. Et il ne mourra pas si je peux l'empêcher. Il reste une semaine avant le procès.

Cela lui valut un regard de pitié.

— Ne sois pas naïve, Hazel. Tu n'es pas en mesure de l'aider. Tu ferais mieux de t'inquiéter de ton propre sort.

— Pour quelle raison ? Vous comptez me liquider ? Vingt personnes m'ont vue entrer ici. Mon escorte est juste derrière la porte.

Oncle Basil secoua la tête.

— Ces bureaux sont insonorisés. Les bruits y parviennent, mais ils n'en sortent pas. Même si tu n'étais pas réduite à l'impuissance, tu pourrais hurler que personne ne t'entendrait. Je n'ai aucun intérêt à ce que tu meures. Tu es ma nièce préférée. De plus, ça soulèverait des questions, et Harkün dispose d'armes plus subtiles. Tu vas être victime d'une attaque cérébrale, ma chère. Qui te transformera en légume. Nous étions en train de prendre un délicieux petit déjeuner, et tu es tombée, l'écume aux lèvres, etc. Je n'ai rien pu faire. Ta récente maladie aura provoqué cette crise. Tu as toujours été fragile, et les conséquences d'un sortilège lancé par un dragon sont imprévisibles, tout le monde le sait.

— Ce n'est pas une bonne idée. Je vous la déconseille.

— Navré. Il est bientôt midi, et une rude journée m'attend.

S'essuyant la bouche, Lord Faeregine se leva de table et alla frapper à la porte de son cabinet.

— Sors, Harkün, j'ai besoin de toi.

Le battant s'ouvrit. Mais ce ne fut pas Harkün qui surgit.

Ce fut Sigga Fenn.

Elle s'était cachée sur place deux jours auparavant, en embuscade, attendant que Hazel demande à parler seule à seul avec son oncle. La princesse doutait qu'il y ait eu lutte entre les deux collègues de la Division Écarlate. Les poignards de la Grizlandaise étaient rouges de sang.

Oncle Basil recula en titubant, bascula par-dessus une ottomane, s'éloigna de Sigga, tel un crabe frénétique.

— À la garde ! s'époumona-t-il. À l'aide ! Au meurtre !

Hazel le contempla, le cœur serré par un chagrin réel.

— Personne ne viendra, mon oncle. Comme vous l'avez dit, cette pièce est insonorisée.

Il voulut foncer vers la porte, mais tomba sur Merlin, qui voletait devant lui. Il tenta de l'écarter, sauf que l'homoncule se transforma soudain en un lycanthrope de deux mètres de haut.

— Rascha ! s'étrangla-t-il.

Elle le souleva par le cou.

— *Dame* Rascha, gronda-t-elle, folle de fureur. Magicienne, mystique et cousine du Dr Razael, la luperca que vous avez assassinée. Qui vous avait élevé !

Oncle Basil battait faiblement des pieds, tandis que son visage virait au violet. Sigga qui détachait Hazel se tourna vers Rascha.

— Il nous le faut vivant, précisa-t-elle.

Avec un grognement rageur, la louve plaqua son prisonnier sur l'immense table de travail.

— C'est une erreur ! balbutia-t-il, le nez écrasé contre l'acajou. Vous commettez une erreur !

Hazel se leva. Sa faiblesse et ses nausées ne devaient rien aux entraves passives. Le plan qu'elle avait concocté avec Sigga et Rascha avait fonctionné à merveille. Mais son oncle, qu'elle avait aimé, à qui elle avait fait confiance, les avait trahis. Isabel serait effondrée. Violet aussi. L'Araignée ? Qui pouvait dire ce qu'elle pensait de son fils ?

— Et Harkün ? demanda la princesse à Sigga. Il est en vie ?

La Grizlandaise secoua la tête.

— Il était trop dangereux pour que je le maîtrise. Mieux valait en finir avec lui.

Hazel tira l'appareil enregistreur de Mei-Mei de son sac et appuya sur le bouton d'arrêt.

— Nous détenons des preuves accablantes. Elles devraient suffire à réduire les chefs d'accusation contre M. Smythe.

La tueuse de la Division fut moins optimiste.

— Hob n'est pas un meurtrier, mais il n'est pas innocent non plus, Votre Altesse. L'espionnage est passible de la peine capitale.

— Grand-mère l'épargnera. Je suis sûre qu'elle m'écoutera.

Oncle Basil fut secoué par un rire étouffé.

— Qu'y a-t-il de si amusant ? s'emporta sa nièce.

— Ce page que tu veux tant sauver ? Il va y passer.

— N'importe quoi ! Son procès débute samedi prochain. L'impératrice m'a promis que je pourrais plaider en sa faveur.

— Et tu l'as crue ? Il n'y aura pas de jugement, petite. Juste une série d'exécutions au Saut-du-Chien. Aujourd'hui, à midi, tous les traîtres piqueront une tête dans le ravin.

Un grand froid envahit Hazel.

— Vous mentez !

Dehors, Vieux-Tom entonna les premiers des douze coups.

— Tu ferais mieux de te dépêcher, ricana Lord Faeregine.

La princesse se rua sur la porte, l'ouvrit à la volée et fila devant les gardes interloqués. Rascha eut beau l'appeler, elle ne ralentit pas. Ce n'était pas le moment de discutailler. Elle galopa dans le couloir, jaillit de Maggie, dégringola les marches du perron. Soudain, on la tira par la manche. C'était Sigga, qui l'avait suivie.

— Le Saut-du-Chien est à plus d'un kilomètre d'ici, Votre Altesse. Même un zéphyss n'y arriverait pas à temps.

Se libérant, la jeune fille fonça sur un sentier, effrayant un groupe d'enseignants qui s'abritaient de la bruine sous des parapluies. Elle-même ne sentait pas les gouttes, elle n'était consciente que de la chamade de son cœur qui battait si furieusement qu'elle craignit qu'il n'explose. Jamais encore elle n'avait couru aussi vite, jamais encore elle n'avait été motivée par un tel désespoir. Elle avait beau avoir perdu ses dons, elle se concentra sur son désir de muter. Il fallait qu'elle devienne un cerf, un oiseau, une flèche, n'importe quoi de plus rapide qu'elle, quelque chose d'assez vif pour parvenir à la faille avant que…

Un nouveau carillon retentit. Lequel ? Le sixième ? Le septième ? Hazel accéléra. Une de ses chaussures vola, puis la seconde. Sigga la hélait d'une voix anxieuse et effrayée, mais l'albinos ne s'arrêta pas. Elle n'était même pas aux portes du Vieux-Collège. Elle sanglotait, à présent. Elle était pétrie de peur et de frustration ; elle était aussi en proie à une colère aveugle, incandescente. Qui la consumait, l'envahissait de l'intérieur. La douleur était intolérable.

ENFIN !

Le cri de La Faucheuse faillit la rendre folle. Ainsi, elle n'avait pas disparu ! À l'instar de Sigga, elle avait patienté, à l'affût, rassemblant ses forces, guettant le moment où la magie de Hazel se rallumerait.

Celle-ci se manifesta dans un énorme souffle d'énergie, comme un feu qui couve dans une forge repart brusquement avec vigueur. Sa chaleur était incendiaire, comme l'était le désir de La Faucheuse de contrôler et de dévorer ce qu'il restait de sa descendante, le réceptacle qu'elle avait élu pour ressusciter.

L'adolescente résista, cependant. Elle résista comme jamais encore, animée par son besoin frénétique d'exister, de perdurer, de vivre et d'aimer, de sauver son ami. Malheureusement, le monstre était tout aussi avide de revenir au monde. Hazel se heurta à une vague de haine et de faim qui n'avaient que trop patienté. Il n'y avait pas de honte à céder devant une volonté aussi implacable.

Hazel n'était pas maîtresse de son être ; elle n'était pas destinée à vivre. Elle n'était qu'un sacrifice, le sacrifice que son ancêtre s'était fait à elle-même plus de deux mille ans auparavant.

L'heure avait sonné de mourir.

Pourtant, elle refusait de rendre les armes. Elle ne s'effacerait pas. Elle se battrait jusqu'au bout, jusqu'à ce que La Faucheuse, l'Araignée, tous les gens de ce monde imparfait et beau comprennent qui elle était exactement.

Elle était Hazel Faeregine.

La pression devint insupportable. La princesse hurla, et son corps vola en éclats.

La pluie trempait Hob, tandis qu'il étudiait le visage de son exécuteur. Le garde se tenait à trois mètres de lui. Il était jeune, à peine plus âgé que Marcus Finch, et son professionnalisme affiché avait quelque chose de vaguement ridicule – tel son refus de croiser le regard du prisonnier qu'il s'apprêtait à envoyer à la mort, préférant planter ses yeux sur l'horizon, sa carabine plaquée contre son torse, aussi rigide qu'un petit soldat mécanique attendant qu'on remonte sa clé.

Il y en avait comme ça, tous identiques, devant chacun des vingt-deux condamnés alignés le long du Saut-du-Chien. Tous étaient des membres de la Confrérie, mais le garçon n'en connaissait que peu. Viktor se trouvait à quatre malheureux de lui sur sa gauche, Badu à huit sur sa droite.

Tôt ce matin-là, un geôlier l'avait réveillé et escorté à une cellule où d'autres prisonniers enfilaient de longues tuniques grises. Certains pleuraient, d'autres protestaient contre l'absence de procès. Hob n'avait rien dit, jusqu'à ce qu'un prêtre lui offre un dé à coudre de vin rédempteur destiné à expier ses fautes. Il avait refusé. Morrgu se fichait des péchés et des rites purificateurs. Lui importait seulement que Hob ait été assez bête et minable pour se retrouver dans une telle situation. Il n'aurait pas droit à une vie dans l'au-delà. Il ne méritait que le néant.

Par bonheur, le juge chargé de prononcer la sentence avait fini par la boucler. Hob n'avait pas envie de consacrer ses derniers instants à écouter un type flasque pérorer d'un ton offensé sur l'amoralité et l'ingratitude des masses, ni sur le devoir qu'avait l'empire de châtier ses sujets.

Le discours s'était arrêté quand Vieux-Tom avait commencé à tinter. Hob s'efforça de ne pas compter les coups. Il préféra se concentrer sur le clapotis de la pluie, le murmure du ressac, et même les gémissements des rafales dans le ravin noir auquel il tournait le dos. Les légendes ne manquaient pas à propos des apparitions qui hantaient ces lieux et de leurs actes malfaisants. Le garçon y croyait dur comme fer, en ce moment. Deviendrait-il un fantôme ou son corps se contenterait-il de se fracasser sur les rochers avant d'être emporté par les flots ? Au moins, il retrouverait son père.

Il essaya de ne penser qu'à cela, alors que le clocher se rapprochait de la douzième heure. Il repéra la Divine Impératrice parmi les spectateurs, silhouette frêle et rabougrie qui, depuis son palanquin, l'observait avec une sombre intensité. Il la fixa, la détestant de toute son âme. Lady Sylva était elle aussi présente. Son joli minois paraissait plus hagard que la dernière fois qu'il l'avait vue. Elle avait sûrement connu pas mal de nuits d'insomnie à se demander si ses relations avec la Confrérie risquaient d'être découvertes. Durant sa brève captivité, Hob avait reçu la visite des inquisiteurs à trois reprises. Il n'avait pas pu les renseigner. La psychnose s'estompait très lentement.

Le dixième coup retentit.

Un éclair illumina le ciel, au sud. Au-dessus du palais et du Vieux-Collège, les nuages tourbillonnaient à une vitesse étrange et viraient à un noir verdâtre de mauvais augure. Constatant qu'un épais rideau de pluie se précipitait sur elle, la foule se réfugia sous les arbres les plus proches.

Onze.

Hob baissa la tête et rendit grâce aux dieux pour la vie qu'il avait eue. Il fit également ses adieux à trois personnes. Elles lui manqueraient.

Douze.

Il se redressa. Les soldats soulevèrent leur carabine et avancèrent de deux pas. Le sien daignerait-il enfin le regarder en face ?

Non.

La crosse le frappa en plein torse, et il tomba comme une pierre dans le précipice. Le vent rugit à ses oreilles, effaçant les cris alentour. Son pied heurta une saillie rocheuse, déclenchant une vive douleur. Il rebondit et virevolta sur lui-même. En bas, les eaux noires tournoyaient au milieu d'écueils acérés couverts d'écume. Ces derniers venaient à sa rencontre à une vitesse vertigineuse. Un nouvel éclair, aveuglant, déchira l'air, accompagné par un coup de tonnerre assourdissant. Alors…

Sa chute s'interrompit.

Il contempla la mer agitée. Des crabes arpentaient les rochers, escaladaient des pans de vêtements et des os brisés. Un coup d'œil lui apprit que les autres condamnés étaient, comme lui, suspendus dans le vide ; et comme le sien, leurs visages affichaient une stupeur incrédule.

Il sentait une force invisible alentour, une tension identique à celle s'exerçant entre deux aimants de pôles opposés. Puis il se mit à remonter. Ses compagnons d'infortune aussi, leurs tuniques grises dégoulinant de pluie. Il reporta son regard sur une falaise calcinée où rien ne poussait. Des prisonniers pleuraient ou exprimaient leurs remerciements aux divers dieux qu'ils vénéraient. Pas lui. Il avait trop entendu d'histoires de simulacres d'exécutions ou de mises à mort prolongées à l'envi. Ceci était une forme de torture.

Toutefois, quand il atteignit le sommet du Saut-du-Chien, il se rendit compte de sa méprise.

Une divinité avait réellement répondu à leurs prières.

Elle se tenait devant eux, si étincelante que le garçon avait du mal à la distinguer. Il crut d'abord qu'il s'agissait du Haut-Roi. Puis il s'aperçut qu'elle était bien trop petite. Il lui fallut plusieurs secondes pour comprendre qu'il avait affaire à Hazel Faeregine.

Tournant le dos aux malheureux qui planaient au-dessus de la fosse, elle avait le souffle court. Ses doigts s'agitaient, cependant qu'un feu blanc enveloppait son corps. Le sol à ses pieds fumait et sifflait, comme si une météorite s'y était écrasée. Les soldats et les badauds avaient été projetés à une cinquantaine de mètres de là et gisaient éparpillés sur l'herbe boueuse. Même le palanquin impérial avait été bousculé et avait versé sur le flanc. L'Araignée en sortit lentement. Comme tout le monde, elle contempla avec un silence ahuri la présence terrifiante qui venait de se manifester.

Tout à coup, la voix de Son Altesse domina le tonnerre qui s'éloignait.

— Il n'y aura pas d'exécution.

Tous les yeux se reportèrent sur la Divine Impératrice, dont les prunelles noires étaient vrillées sur sa petite-fille. L'Araignée finit par hocher la tête. Puis elle sourit. D'un sourire froid et ténu, mais fier.

Triomphal.

CHAPITRE 12

UN MUIR EN JUILLET

La cellule avait été conçue pour accueillir deux prisonniers, mais Hob y était seul. Assis dans un coin, il clignait des paupières, ébloui par un rayon de lumière qui filtrait à travers une latte, au niveau du plafond. Le soleil y brillait tous les matins pendant quelques minutes avant de disparaître. C'était la seule vision du monde extérieur qu'avait le garçon. Fermant les yeux, il profita de sa chaleur et fredonna la chanson qu'il avait entendue tant de fois dans la taverne de la mère Howell.

Jeune homme prometteur partit chercher fortune.
Prit la route en juillet sous un beau clair de lune,

Semelles neuves aux pieds, au dos un sac usé,
Foula des champs d'orge, de maïs et de blé.

Qu'il parte, sa mère ne voulait pas,
Et deux bons conseils lui dispensa :
Si tu cherches de l'or, mon petit
Compte sur la chance m'a-t-on dit.
Sinon, fais-toi marin, serre des ris.

Jusqu'à la mer d'Orient il prit le train,
Il remonta ses braies sur ses genoux,
Donna à ses petons un plaisant bain
Dans l'écume si fraîche aux blancs remous
Pour qu'ils brillent telle une fée du Sidh…

Des bruits de pas résonnèrent dans le couloir. Hob reconnut la démarche pesante de son geôlier tout en distinguant des pieds plus légers. L'homme n'était pas seul.

Quand la clé cliqueta dans la serrure, il rouvrit les yeux. La porte mesurait plus de quinze centimètres d'épaisseur, et elle était renforcée par des plaques d'acier, mais aucun sortilège ni runes ne la défendaient. La cellule était destinée aux muirs, qui n'étaient pas en mesure de se transformer en araignées ou en brouillard, pas plus qu'ils ne l'étaient d'appeler un homoncule à l'aide. Les humains dénués de magie ne pouvaient que pourrir dans l'obscurité en chantonnant.

Le battant grinça, et la silhouette imposante du gardien s'encadra sur le seuil.

— Debout !

Hob se tortilla en s'adossant au mur, car les chaînes des fers qui emprisonnaient ses chevilles étaient courtes. Les entraves avaient irrité sa peau jusqu'à la tanner comme du cuir. Il reçut l'ordre de rester près de la paroi.

— Détachez-le ! lança une voix féminine.

Le geôlier était adapté à la monotonie de son travail. Pas très malin, il s'accrochait à la routine comme à un objet sacré. Aussi, cette injonction, qui brisait ses habitudes, l'amena à froncer les sourcils. Il s'écarta.

Sigga Fenn entra, suivie par Dame Rascha et Hazel Faeregine. Son Altesse n'avait plus rien de la créature divine qu'elle avait été au Saut-du-Chien. À part pour sa longue robe, elle était la même fille sans prétentions que celle à laquelle il avait dispensé des cours sur le Muirland. Hob ne l'avait pas revue depuis son étourdissante manifestation pour interrompre son exécution. Il n'aurait même pas su dire combien de semaines s'étaient écoulées. Il avait perdu la notion du temps après quelques jours de prison. Tenir le compte était trop déprimant.

Il dévisagea ses visiteuses. Sigga était, comme toujours, indéchiffrable ; la luperca, comme il fallait s'y attendre, hostile. Quant à Son Altesse, elle paraissait incertaine de ses émotions. Ses yeux croisèrent ceux du garçon avant d'examiner la pièce. Ils s'attardèrent sur le trou qui lui servait de toilettes et emplissait les lieux d'une puanteur ammoniaquée. Hob, lui, ne la sentait presque plus.

— Retirez-lui ces fers ! ordonna la princesse au geôlier.

Le ton s'avéra étonnamment blessant. Elle parlait de lui comme s'il n'était pas une personne, mais un chien dont la niche laissait à désirer. Elle évitait aussi de le regarder.

— Il devrait rester enchaîné, Votre Altesse, protesta sa préceptrice. C'est un ennemi du royaume. Un ennemi qui a tenté de vous assassiner…

— Inutile de revenir là-dessus, Rascha, la coupa sa pupille en pinçant les lèvres.

— Vous ne niez pas être un espion, si ? lança la louve d'une voix méprisante à Hob.

La psychnose s'était presque entièrement dissipée, désormais. Aussi, il fut en mesure de répondre à la question.

— Je l'ai été, croassa-t-il.

La luperca grogna, comme si cet aveu réglait l'affaire.

— Les espions méritent la mort, conclut-elle.

Hazel caressa Merlin, accroché à son poignet.

— Les traîtres aussi, Rascha. Pourtant, mon oncle est toujours vivant.

Elle arborait une expression distante, renfrognée, continuait de fixer le grabat de Hob, un matelas bosselé rempli de paille.

— Je suis navrée de vous apprendre que mon oncle est impliqué dans le sabotage des sceaux lirlandais, le vol de Bragha Rùn... dans tout. Apparemment, votre monsieur Burke le faisait chanter. Étiez-vous au courant, monsieur Smythe ?

Il secoua la tête. S'il avait su que Lord Faeregine avait des dettes, il fut stupéfait de découvrir qu'il avait comploté contre son propre clan. Hazel l'avait beaucoup aimé. Sa trahison devait être extrêmement douloureuse.

Trahison.

Lui aussi s'en était rendu coupable. Bien qu'il ne lui ait pas ôté la vie, il avait trahi sa confiance et son amitié. Il y réfléchissait souvent, depuis son arrestation, mais c'était la première fois qu'il le faisait à deux pas de l'intéressée. La vérité était abominable, et il la prit en pleine figure.

— Je vous demande pardon, murmura-t-il. M. Burke m'avait promis qu'il ne vous arriverait rien.

Elle réagit par un très léger hochement du menton. Dame Rascha s'empara de la main de l'adolescente.

— Venir ici était une erreur, dit-elle à Sigga. La loupiote n'en a déjà que trop enduré.

— Non, objecta l'intéressée. Je tiens à entendre ce que M. Smythe a à dire sur ce Burke. Et je vous répète de lui ôter ces fers, ajouta-t-elle avec impatience à l'intention du gardien.

Celui-ci s'exécuta de mauvaise grâce. Libre de ses mouvements, Hob tapa des pieds pour réactiver sa circulation sanguine. Quand il faillit tomber, la Grizlandaise le rattrapa avant de l'aider à s'asseoir contre le mur. D'un claquement de doigts, elle fit apparaître un globe lumineux qui chassa la pénombre ambiante. Puis elle s'accroupit près de lui et tira un cliché d'un dossier. Il représentait M. Burke sur les marches de la banque de Rowan.

— Vous reconnaissez cet homme ?

— Bien sûr, c'est M. Burke.

Elle brandit une deuxième photographie, celle d'une Noire âgée dans un marché exotique.

— Et cette personne ?

— Je ne l'ai jamais vue.

Sigga continua à lui montrer divers portraits, pour la plupart pris lors des recensements de population. Il y avait là des hommes et des femmes, des jeunes et des vieux, et même des enfants de diverses ethnies. Hob n'identifia personne.

— Qui sont ces gens ?

— Un seul et même individu, répondit la tueuse à gages avec un sourire lugubre. Votre employeur a emprunté de nombreux faux noms et identités, au fil des siècles. Il a été Edmund Burke durant ces derniers trente et un ans.

Intrigué, le garçon se redressa.

— Qui est-il, en réalité ?

Sigga fournit une nouvelle photo et désigna un jeune homme au front haut et aux longs cheveux brun-roux assis avec une dizaine de compagnons dans un hall aux murs de pierre. Ils ne portaient pas de toges ni de colliers d'enchanteurs, mais d'étranges dessins s'inscrivaient sur le sol, et deux domanocti étaient perchés sur les poutres du plafond. Hob scruta l'individu qui se tenait à côté du feu.

— C'est lui ?

— Je le crois, oui. Pietr Lanskova de son vrai nom, un des fondateurs du Sabbat, cette secte dévouée aux schibboleths. Quand la Division Écarlate les a écrasés, Pietr et sa sœur Yvanna se sont enfuis. Ils n'ont cessé de changer de corps pendant des siècles. M. Burke et Mme Marlowe étaient juste leurs ultimes créations.

— Comment l'avez-vous appris ?

L'agent produisit une liasse de papiers qui avaient l'air d'être des copies de documents officiels.

— Regardez les paraphes.

Si les noms et les dates variaient à l'infini, chaque griffe en pattes de mouche était de la même main.

— C'est le même signataire, devina Hob.

— Oui, confirma la Grizlandaise en rangeant ses feuilles. Pendant des générations, Pietr a transmis sa fortune et ses biens à différents quidams qu'il séduisait afin de leur voler leur corps. Grâce à la nécromancie, il transfère son esprit et son âme dans l'enveloppe charnelle de ses hôtes. Eux meurent, lui survit.

— Comme un vampire.

La culture Hauja fourmillait d'histoires de vampires, ces créatures désincarnées qui se nourrissaient d'innocents peu méfiants et traversaient les cieux d'hiver comme des étoiles filantes. Certaines nuits, la tribu enduisait les portes de sang d'agneau dans l'espoir d'apaiser ces monstres.

— Pietr n'est pas un mort-vivant, rectifia Sigga. Yvanna non plus. C'est pourquoi votre balle l'a tuée. Ce sont des mortels, mais des mortels qui ont accumulé richesse et savoir au cours des multiples existences qu'ils ont menées. Pietr représente un danger réel, nous devons l'attraper. Je pense que vous êtes en mesure de m'aider dans cette tâche. Ce faisant, vous vengerez une personne qui, me semble-t-il, vous tient énormément à cœur.

Le cliché suivant assomma Hob. C'était, apparemment, une photo officielle de l'expédition envoyée dans les Sentinelles pour dénicher l'ormeisen.

— Vous savez qui est cet homme, enchaîna la Grizlandaise en tapotant sur une silhouette.

Le garçon serra les dents.

— Mon père, murmura-t-il. M. Burke m'a dit qu'il était présent lors de votre naissance, ajouta-t-il à l'intention de la princesse.

— J'ai cru comprendre, oui, acquiesça-t-elle sans le regarder. Ma grand-mère m'a raconté ça.

— Vous a-t-elle précisé qu'elle avait ordonné son exécution ? insista-t-il en s'efforçant de ravaler sa colère. Qu'elle l'avait éliminé parce qu'il vous avait sauvé la vie ?

— C'est faux, répondit Sigga. L'impératrice a personnellement promu Anders Smythe au grade de capitaine et l'a décoré de l'ordre d'Orion. Elle n'a rien à voir avec sa triste fin. Il a été mis à mort plus tard, pour désertion. Il se trouve qu'un autre membre de l'expédition avait survécu lui aussi. Il a accusé votre père d'avoir abandonné son régiment quand ce dernier a été attaqué. Voici son témoignage sous serment.

L'écriture en pattes de mouche était reconnaissable entre toutes. M. Burke avait donc trahi son cher Ulrich. Le document mentionnait un troisième soldat, un certain sergent Beecher de la garde impyriale, qui avait corroboré les propos du délateur. Beecher jurait qu'un des malheureux de l'expédition lui avait raconté la même chose avant de succomber à ses blessures.

Le garçon reposa la feuille.

— Pourquoi ?

— Je suppose que votre père s'est opposé à un ordre. Qui concernait sans doute les princesses. Avec le décès de Lady Elena, les triplées étaient l'ultime maillon de la dynastie Faeregine. La Confrérie disposait d'un capitaine dans la place, récemment nommé, bénéficiant de la confiance de la famille régnante…

— Il a refusé de leur faire du mal, et M. Burke s'est arrangé pour qu'il soit liquidé.

— À son corps défendant, néanmoins. Les nécromants sont très pointilleux dans le choix des identités qu'ils empruntent. Que Burke vous ait recruté en personne après avoir fréquenté votre père m'incite à croire qu'il avait élu ce dernier comme son hôte futur. Cela n'ayant pas été possible, il a reporté son attention sur vous.

Hob en tremblait de fureur et d'horreur.

— Je le tuerai ! décréta-t-il en se penchant en avant.

— C'est très peu probable. En revanche, vous pouvez m'aider en répondant à certaines questions.

— Mais je tiens à le traquer avec vous !

— Je travaille mieux en solitaire. Sans compter un petit détail enquiquinant : vous êtes en prison. Et vous y resterez, par décret signé directement de la main de la Divine Impératrice.

— Ma mère ! Ma sœur ! M. Burke les a menacées. Si ça se trouve, elles sont déjà…

La Grizlandaise leva une main.

— Elles sont en sécurité, monsieur Smythe. Je les ai fait transférer à Cey-Atül.

Hob se réadossa au mur. Il n'avait pas osé espérer d'aussi bonnes nouvelles. Il inspira profondément.

— De quoi avez-vous besoin ?

— Tout serpent a un refuge. Je suis prête à parier que Pietr a regagné le sien. Avec un peu de chance, il aura lâché quelques indications sur sa localisation.

L'agent interrogea Hob sur les instants qu'il avait passés en compagnie de M. Burke. Elle écouta avec attention ce qu'il lui raconta de l'apparition du nécromancien à Brune, de leur descente sur le site de Vancouver, de leur voyage en train jusqu'à Impyria. De temps en temps, elle insistait sur tel ou tel détail sans importance apparente. Il avait presque épuisé ses souvenirs quand quelque chose lui revint soudain.

— Le vin, dit-il lentement. À bord du Transcontinental, il a commandé un rouge de Lansal. Quand le concierge lui a suggéré un autre choix, il a plaisanté en disant qu'il ne buvait pas de mauvais vin, juste de bons souvenirs. La côte de Lansal était sa préférée au monde. Le goût de ses terres lui manquait.

Sigga arqua un sourcil et chercha dans ses papiers. Elle en sélectionna un qu'elle examina de près, à la lueur du globe lumineux.

— Il y a vécu deux fois, marmonna-t-elle. D'abord au XIXe siècle, puis au XXVe. Une propriété du côté de Taraval.

Éteignant la lumière, elle se releva, ses documents sous le bras. Hob crut déceler un éclat prédateur dans ses yeux.

— Si vos renseignements me permettent de l'attraper, j'en toucherai un mot à l'impératrice.

— Dans quel but ? râla Dame Rascha. Lui obtenir une meilleure cellule ? Il mériterait d'être transformé en batelier !

Elle suivit Sigga dans le couloir.

— Venez, Votre Altesse.

— Une minute, répliqua Hazel, sans broncher.

— Immédiatement ! gronda la louve en passant la tête par la porte.

— Rascha, je vous adore, mais je vous prie de sortir.

La luperca obéit, non sans manifester sa contrariété, et on l'entendit grommeler depuis l'extérieur :

— Dire que je lui ai donné son bain pendant des années, et voilà que…

Hazel se retourna vers Hob. Bien qu'elle ne soit plus la déesse du Saut-du-Chien, les changements qui s'étaient opérés en elle restaient remarquables. Elle était toujours aussi menue, ses cheveux étaient toujours retenus par une barrette enfantine, mais elle avait découvert le monde, et cette conscience nouvelle – du bien comme du mal – avait privé ses prunelles rouges de leur innocence. Hob avait du mal à admettre qu'elle était la même que celle qu'il avait rencontrée au dîner organisé par Lady Sylva.

Il fit un geste en direction de sa toge, soie noire bordée d'ambre.

— J'étais sûr que vous y arriveriez ! Troisième rang ?

— Quatrième.

— L'impératrice doit être contente.

— D'elle-même, surtout. Dès le départ, elle a ordonné à Sigga de vous laisser tranquille et de ne pas se mêler de notre relation. Elle voulait que je m'attache à vous avant de vous éliminer. Je... je n'étais pas censée être mise au courant des exécutions avant qu'il soit trop tard.

— Pourquoi ? Quel intérêt ?

— Mina IV a perdu son frère alors qu'elle était encore jeune. J'imagine que des érudits auront raconté à la souveraine que son chagrin et sa haine l'ont rendue plus puissante. Ma grand-mère voulait que je devienne une arme, afin que le peuple redoute de nouveau les Faeregine. Elle aspirait à ce que je sois une seconde Faucheuse.

Hob hésita, puis murmura :

— Est-elle parvenue à ses fins ?

Son Altesse ne répondit pas tout de suite. Son visage se referma.

— La Faucheuse vous aurait laissé mourir, finit-elle par souffler. Puis elle aurait réduit l'impératrice en cendres. Non, monsieur Smythe. Je ne suis pas Mina IV réincarnée. J'ai choisi d'être Hazel Faeregine.

Une expression peinée traversa son visage. Ténue, mais évidente. Le garçon devina qu'elle avait subi une sorte d'épreuve intime, en comparaison de laquelle la chambre forte, la Confrérie ou le Sabbat n'étaient rien. Or elle avait gagné.

— Et maintenant, Votre Altesse ?

— Je me remets au travail. J'ai l'intention d'accéder au cinquième rang. Mina IV elle-même n'y est pas parvenue avant ses quatorze ans.

— Pas de repos pour les braves.

— Je suis une Faeregine. Nous ne connaissons pas le repos. Quand ce ne sont pas les Maisons Nobles ou les révolutionnaires qui veulent notre peau, ce sont des nécromanciens voleurs de cadavres.

Elle sourit, très furtivement cependant, et cette brièveté provoqua une étonnante douleur en Hob. Il ne s'apercevait que maintenant qu'il regrettait de ne plus la fréquenter. Elle le scruta d'un œil contemplatif.

— Avez-vous jamais été mon ami ? s'enquit-elle.

Sa voix ne trahissait ni souffrance ni condamnation. C'était juste celle de quelqu'un qui était las de devoir jouer aux devinettes. Il réfléchit un moment.

— Pas au début, avoua-t-il. Je vous ai d'abord trouvée idiote et gâtée. J'étais ébahi par le peu que vous connaissiez de l'empire sur lequel votre famille règne. Pire, vous sembliez vous en moquer. Ça m'a mis en colère.

Il s'interrompit, en proie à des émotions mitigées et dangereusement près de lui échapper.

— J'ai changé d'avis avec le temps, reprit-il. Pas au sujet de l'égalité des droits pour les muirs, mais à propos de vous. Je suis persuadé que vous accomplirez de grandes choses. De *bonnes* choses.

Il regarda le sol de sa cellule, lutta pour ne pas flancher.

— J'ai conscience que ça va vous paraître ridicule, mais je pense que vous êtes la meilleure amie que j'ai eue de toute ma vie.

— Meilleur que La Taupe ? demanda Hazel après un silence.

Hob éclata de rire tout en essuyant une larme.

— Oui. Le pauvre. Voilà qui risque de l'anéantir.

L'albinos berça Merlin contre elle et caressa ses ailes avant de soupirer.

— Merci d'avoir répondu à ma question. Il faut que je me sauve. Impyria affronte les Tropiques, et je ne voudrais pas rater les entrées de jeu.

Elle tourna les talons dans un frémissement soyeux. Hob se gratta la gorge.

— Ne tirez pas un trait sur moi, Votre Altesse.

Elle s'arrêta sur le seuil, silhouette d'elfe nimbée par la lumière des torches du corridor.

— Ni aujourd'hui, ni demain. Pas pour tout l'or d'Impyrium.

CREMERCIEMENTS

Quand j'ai eu terminé *La Tapisserie d'Or*, je me suis rendu compte que je n'en avais pas tout à fait terminé avec l'univers que j'avais créé. L'histoire de Max McDaniels était achevée, mais je m'interrogeais sur ce qui était susceptible d'arriver, maintenant que les démons avaient été vaincus, et que Rowan était devenu le siège d'un pouvoir absolu sur le monde. Toute l'énergie et l'optimisme ayant suivi le conflit déboucheraient-ils sur une société meilleure ou les siècles dévoieraient-ils de bonnes intentions en un système n'ayant plus guère de ressemblances avec l'idéal de « Pax Rowana » imaginé par David Menlo ? Écrivain curieux et historien amateur, j'ai voulu le découvrir. Le traité de l'Hiver-Rouge avait semé les graines d'*Impyrium*.

Je me suis occupé de mener ces graines à maturité, mais d'autres personnes ont contribué à la récolte finale. Je remercie tout particulièrement mon agent, Josh Adams, qui a proposé *Impyrium* à l'incomparable Antonia Markiet et à ses collaborateurs de HarperCollins. Un auteur ne saurait demander meilleurs partenaires. Je dois également beaucoup à Toni et Abbe Goldberg, qui ont cru en ma vision et m'ont offert leur esprit, leurs encouragements et leur perspicacité quand il s'est agi d'affiner la trame et les personnages de mon récit. Ce sont de véritables pros, de même qu'Amy Ryan, qui a conçu le design de ce beau livre et suggéré le

choix d'Antonio Caparo pour en réaliser la splendide couverture. La correctrice Martha Schwartz a non seulement
remis de l'ordre dans l'environnement complexe d'Impyrium, mais elle m'a aussi appris que les magnolias ne fleu-
rissent pas en juillet, leçon de grande valeur. Comme dirait
Dame Rascha, les détails font la différence.

Enfin, cette aventure n'a été bien sûr possible que grâce
à mes amis proches et à ma famille. Sans leur soutien, Hob
continuerait de ranger des chaises chez la mère Howell.
Les mots me manquent notamment pour évoquer Danielle,
Charlie et James. Votre amour et votre patience ont fait la
différence. Merci.

PAPIER À BASE DE
FIBRES CERTIFIÉES

hachette s'engage pour
l'environnement en réduisant
l'empreinte carbone de ses livres.
Celle de cet exemplaire est de :
400 g éq. CO$_2$
Rendez-vous sur
www.hachette-durable.fr

« Pour l'éditeur, le principe est d'utiliser des papiers composés de fibres naturelles, renouvelables, recyclables et fabriquées à partir de bois issus de forêts qui adoptent un système d'aménagement durable. En outre, l'éditeur attend de ses fournisseurs de papier qu'ils s'inscrivent dans une démarche de certification environnementale reconnue. »

Composition et mise en page : Nord Compo

Achevé d'imprimer en Espagne par RODESA
Dépôt légal 1re publication septembre 2017
53.9399.5 – ISBN : 978-2-01-700708-1
Édition : 01 – Dépôt légal : septembre 2017

*Loi n° 49-956 du 16 juillet 1949
sur les publications destinées à la jeunesse*